TINTO 3

Kopiervorlagen

zu allen Kapiteln von Basisbuch und Arbeitsordner
mit Lernstandsseiten

Erarbeitet von
Marc Ulrich

Cornelsen

TINTO 3

Kopiervorlagen

zu allen Kapiteln von Basisbuch und Arbeitsordner
mit Lernstandsseiten

Erarbeitet von

Marc Ulrich

auf der Grundlage der Ausgabe von

Christiane Bruns, Helge Daugs, Gerlinde Freyer, Melanie Ferrarello, Katja Gade, Eva Jochmann, Tatjana Liebach-Schultz, Irmgard Mai, Sybille Schaub, Martin Wörner

Redaktion: Christina Nier
Layout und technische Umsetzung: zweiband.media, Berlin
Umschlaggestaltung: Heike Börner
Programmierung und Umsetzung der CD-Materialien: zweiband.media, Berlin

www.cornelsen.de

1. Auflage, 1. Druck 2013

Druck: H. Heenemann, Berlin

ISBN: 978-3-060-83456-3

Inhalt gedruckt auf säurefreiem Papier aus nachhaltiger Forstwirtschaft.

Inhalt

Inhalt

Inhalt

Am Teich

Ein Buch entsteht

Jahreszeiten und Feste

Lernstandserhebungen

Klasse: ______ Datum: __________ Name: ______________________________

Lebendig vorlesen

Eine Klasse voller Geheimnisse

„Kinder“, sagte Miss Snickle mit einer ernsten Stimme, die die Kinder noch nicht kannten. „Ihr habt vielleicht bemerkt, dass es in diesem Klassenzimmer anscheinend nicht allzu viele Regeln gibt.“
Das hatten sie allerdings bemerkt. Die Kinder lächelten und nickten.

„Bevor wir weitermachen, muss ich mit euch über die einzige Regel sprechen, die mir wichtig ist.“ Einige Kinder stöhnten. Regeln machten eigentlich nie Spaß!
Miss Snickle ging an die Tafel, nahm eine purpurrote Kreide und schrieb in deutlichen, großen Buchstaben

Laurie Miller Hornik

1 Lies den Text zuerst still.

2 Überlege, an welchen Stellen du Pausen lassen kannst. Markiere diese Stellen farbig.

3 Lies den Text laut für dich und probiere aus, ob deine Pausen passen.

4 Lies den Text mit deinen Lesepausen einem Partner vor.

Lesepausen
Wenn du eine Geschichte mit Lesepausen vorliest, kann sie der Zuhörer besser verstehen.
Ein Punkt am Satzende und ein Komma bedeuten eine kleine Pause.
Nach einer Sinneinheit kannst du auch eine Pause machen.

Klasse: ______ Datum: __________ Name: ____________________________

Lebendig vorlesen

Der Neue hat Ideen!

„Wir möchten dich so schnell wie möglich kennen lernen“, sagte Frau Hörvelsinger. „Berichte doch mal: Woher kommst du, was machst du gerne, hast du Geschwister …?“ „Ich habe keine Geschwister, ich habe nur eine Mutter. Wir haben bisher am Bodensee gewohnt. Ich spiele supergut Fußball und in meiner alten Klasse war ich Klassensprecher.“ Ich horchte auf. Einen guten Fußballer können wir immer gebrauchen. „Fußball spielen ist schon mal nicht schlecht“, sagte ich. „Aber was ist ein Klassensprecher?“ „In meiner alten Klasse habe ich alle Fußballspiele organisiert“, sagte Losander. „Und wenn sich zwei gestritten haben, habe ich dafür gesorgt, dass sie sich wieder vertragen haben. Lauter solche Sachen eben“, erklärte er.

Sissi Flegel

1 Lies den Text zuerst still.

2 Überlege, welche wichtigen Wörter du besonders betonen möchtest. Markiere sie farbig.

3 Lies den Text laut für dich und probiere aus, ob deine Betonung passt.

4 Lies den Text mit Betonung einem Partnerkind vor.

Vorlesen mit Betonung
Wenn du eine Geschichte mit Betonung vorliest, kann sie der Zuhörer besser verstehen.
Bei einem Punkt am Satzende senkst du deine Stimme.
Bei Komma und Fragezeichen hebst du sie.
Einige Wörter kannst du besonders betonen, z. B. **laut**, leise, *spannend* oder traurig.

Aus: Flegel, Sissi: Klassensprecher der Spitzenklasse. (gekürzt) Thienemann Verlag, Stuttgart 2003

Klasse: ______ Datum: __________ Name: ______________________

Einen Text nacherzählen

Der Wahlkampf der Tiere

Alle vier Jahre wählten die Tiere einen König. Der Löwe liebte die **Wahlen,** denn die Tiere stimmten immer für ihn. Er stellte sich auf einen Hügel und fragte: „Wer ist für mich?" Und alle Tiere riefen: „Wir sind für dich!" Danach gab es Freibier und Bockwurst. Einmal aber war es anders. „Was nützt eine Wahl, wenn man keine Wahl hat?", fragte die kleine graue Maus, „du brauchst einen Gegenkandidaten, sonst macht das doch überhaupt keinen Sinn!" Der Löwe stellte sich der Herausforderin und ließ ein **Plakat** von sich malen. Aber auch die kleine Maus hatte ein Plakat gemalt. Als die anderen Tiere das riesige Mausplakat sahen, wollten sie mitspielen. Deshalb schickte jede Art einen Kandidaten in die **Wahlversammlung.** Dort hatte jeder eine Stimme, um den neuen König zu wählen. Nachdem alle Reden gehalten waren, kam es zur **Abstimmung.** Die Abstimmung war geheim, denn niemand wollte zeigen, für wen er war.

Am Abend zählte der Maulwurf die Stimmen und verkündete das Ergebnis: „Jeder Kandidat hat eine Stimme bekommen. Keine Stimme für den Löwen, eine Enthaltung." Damit war der **Löwe abgewählt!** Er hatte als Einziger **nicht für sich selbst gestimmt.** Traurig beschloss er, sich ein neues Volk zu suchen. Seine ehemaligen Untertanen aber jubelten. Nun hatten alle ihren Lieblingskönig. **Die neuen Herrscher** begannen sofort, ihre Versprechen in die Tat umzusetzen: Der Fuchs jagte die Gänse, die Katzen fraßen die Mäuse, die Mäuse verjagten die Katzen. Zwei Wochen lang herrschte großes **Chaos.** Kein Gesetz galt mehr, alle taten nur, was ihnen gerade einfiel. Es war schauerlich. Der Löwe saß auf einem hohen Berg und schüttelte den Kopf. Plötzlich stand die kleine Maus vor ihm und fragte: **„So, und was machen wir jetzt?"**

Martin Baltscheit

1 Lies den Text zuerst still für dich.

2 Schreibe die markierten Wörter untereinander auf einen Zettel.

3 Erzähle mit eigenen Worten die Geschichte einem Partnerkind. Die Wörter auf deinem Zettel helfen dir.

Klasse: ______ Datum: ____________ Name: ______________________________

Sich in eine Figur hineinversetzen

Wie fühlen sich Freddy und Pauline?

1 Schreibe in die Denkblasen.
Wie fühlen sich Freddy, Pauline und Luzie?
Die Wörter im Wortkasten helfen dir dabei.

witzig	übermütig	ängstlich	ärgerlich	
stark	wütend	traurig	mutig	klug
erschrocken	zornig	enttäuscht	beleidigt	

Klasse: ______ Datum: __________ Name: ____________________

Sich in eine Figur hineinversetzen

Sophie

Sophie geht in meine Klasse
oft hilft sie mir beim Rechnen
petzt nie, wenn ich etwas angestellt habe
hört mir immer zu
ist gerecht
eine gute Streitschlichterin

1 Schreibe den Namen eines Kindes als Überschrift auf. Schreibe dann die Buchstaben von oben nach unten. So hast du die Zeilenanfänge für dein Gedicht.

2 Überlege, was dir an diesem Kind gefällt und was es gut kann. Sammle Wörter.

3 Schreibe jetzt zu den Buchstaben des Namens. Das erste Wort in jeder Zeile <u>muss</u> mit diesem Buchstaben beginnen.

Akrostichon
Ein Akrostichon ist ein Gedicht.
Die Anfangsbuchstaben jeder Zeile ergeben einen Namen.
Es hat keine Satzschlusszeichen und keine Reimwörter.
Ein Satz kann über mehrere Zeilen gehen.

Sammelwörter:

petzt nie,

Klasse: ______ Datum: __________ Name: ____________________

Nomen

In der Schule

1 In jedem Satz ist ein Nomen kleingeschrieben und somit falsch.
Suche das Nomen und schreibe es auf die Linien richtig darunter.

Heute räumen die ~~kinder~~ der Klasse 3 in ihrem Klassenraum auf.

Kinder

Zwei Mädchen wischen die tafel besonders gründlich.

____

Tim und Arne ordnen die bücher im Regal.

____

Lea und Fatma sortieren die spiele.

____

Im klassenschrank ist alles durcheinander.

____

Katrin und Jonas stapeln die Mappen und hefte.

____

Die lehrerin ist sehr zufrieden.

____

2 Schreibe die Nomen mit Artikel in der Einzahl und in der Mehrzahl auf, z. B. so:

das Kind – die Kinder,

____

____

Klasse: ______ Datum: __________ Name: ____________________

Nomen

In der Schule

1 Suche die Nomen und schreibe sie auf die Linien richtig darunter.

Heute räumen die ~~kinder~~ der klasse 3 in ihrem klassenraum auf.

Kinder

Zwei mädchen wischen die tafel besonders gründlich.

Tim und Arne ordnen die bücher im regal.

Lea und Fatma sortieren die spiele.

Im klassenschrank ist alles durcheinander.

Katrin und Jonas stapeln die mappen und hefte.

Die lehrerin ist sehr zufrieden. Nach einer stunde ist alles wieder ordentlich.

2 Schreibe die Nomen mit Artikel in der Einzahl und in der Mehrzahl auf, z. B. so:

das Kind – die Kinder,

Klasse: ______ Datum: __________ Name: ____________________

Nomen

In der Schule

HDBFNBFNGMJANGSTNEMD
SMDNAFURJSMBDBDWUTND
TREPPELDPKLASRNDHEGC
GDNSBDZORNMDBSBUCHAM
SBDSCHULHOFSMNEJDBTS
UPULTAERKSFREUDEKBGM
HHEFTDOELMDPAXYMLU
RGEHZDNNJDMYSCHULEAT
HDBSNJLUSTNDLAMNSUOP
DJSMYXMDPLEKMSCHMERZ

1 Suche alle Nomen und markiere sie.

2 Schreibe die Nomen mit Artikel in den richtigen Kasten.

Nomen für Dinge	Nomen für Gefühle
die Treppe	die Angst

3 Suche weitere sechs Nomen, die etwas mit Schule zu tun haben.
Schreibe sie mit Artikel in der Einzahl und in der Mehrzahl auf, z. B.:

das Kind – die Kinder, ____________________

____

____

____

Klasse: ______ Datum: __________ Name: ______________________

Adjektive

Momo

Sie war klein und ziemlich mager, sodass man beim besten Willen nicht erkennen konnte, ob sie erst acht oder schon zwölf Jahre alt war. Sie hatte einen wilden, pechschwarzen Lockenkopf, der so aussah, als ob er noch nie mit einem Kamm oder einer Schere in Berührung gekommen wäre. Sie hatte sehr große, wunderschöne und ebenfalls pechschwarze Augen und Füße von der gleichen Farbe, denn sie lief fast immer barfuß.

Michael Ende

1 Markiere alle Adjektive, die Momo beschreiben.

2 Kennst du diese berühmten Figuren aus Kinderbüchern? Wähle eine von ihnen aus und beschreibe ihr Aussehen. Verwende passende Adjektive.

____

____

____

____

____

____

Klasse: ______ Datum: __________ Name: ____________________

Wörter mit ä und äu

Wortpaare schreiben

1 Finde zu den Wörtern mit a und au je ein verwandtes Wort mit ä und äu.
Schreibe die Wortpaare nebeneinander auf.

a	~~klagen~~	Pflanze	Gras	tragen
ä	Pflänzchen	Träger	~~Kläger~~	Gräser
au	Traum	Kraut	Maus	Braut
äu	Bräutigam	Träume	Kräuter	Mäuse

klagen – Kläger, ______________________________

____

____

____

____

2 Schreibe die Nomen in der Mehrzahl auf.

Einzahl (Singular)	**Mehrzahl (Plural)**
die Wand	die
der Brand	die
die Faust	die
das Haus	die

3 Bilde von jedem Wort zunächst die Einzahl.
Schreibe dann den fehlenden Buchstaben auf.

die Fahrr____der

die Bl____tter

die H____nde

die St____be

die Gl____ser

die B____lle

Klasse: ______ Datum: ________ Name: ____________________

Wörter mit ä und äu

Wortpaare schreiben

1 Finde zu den Wörtern mit a und au je ein verwandtes Wort mit ä und äu.
Schreibe die Wortpaare nebeneinander auf.

~~klagen~~	Braut	Mäuse	Träger	Pflänzchen	
tragen	~~Kläger~~	Gräser	Traum	Bräutigam	Gras
Kraut	Träume	Pflanze	Maus	Kräuter	

klagen – Kläger, ______________________________

____

____

____

____

2 Schreibe die Nomen in der Mehrzahl und mit bestimmtem Artikel auf.

Einzahl (Singular)	Mehrzahl (Plural)
das Bad	
die Wand	
der Brand	
die Faust	
das Haus	
die Laus	

3 Bilde von jedem Wort zunächst die Einzahl.
Schreibe dann die fehlenden Buchstaben auf.

 die Fahrr____der

 die B____lle

 die Gl____ser

 die H____ser

 die B____me

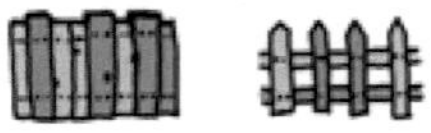 die Z____ne

Klasse: ______ Datum: __________ Name: ____________________

Wörter mit ä und äu

Wortpaare schreiben

1 Finde zu den Wörtern mit a und au je ein verwandtes Wort mit ä und äu.
Schreibe die Wortpaare nebeneinander auf.

~~verklagen~~	Zaun	träumen	~~Kläger~~	Schaum	Pflänzchen
aufschäumen	Traum	Träger	bepflanzen	Gräben	
Raum	aufgraben	auftragen	umzäunen	aufräumen	

verklagen – Kläger, ______________________________

____

____

____

2 Schreibe die fehlenden Nomen mit bestimmtem Artikel auf.

Einzahl (Singular)	**Mehrzahl (Plural)**
das Bad	
	die Wände
der Brand	
die Faust	
	die Häuser
die Laus	

3 Schreibe die Wörter in Einzahl und Mehrzahl neben die Bilder.

das ________________, die ______________________

________________, ______________________

________________, ______________________

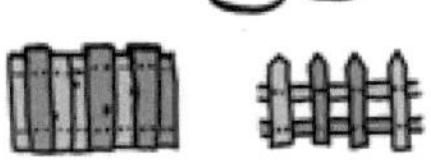

________________, ______________________

Klasse: ______ Datum: __________ Name: ______________________________

Informationen entnehmen

Kartoffelspiel (1)

Material: Würfel, Spielfiguren

Spielregel: Ihr würfelt reihum. Wer auf eine Kartoffel kommt, muss eine Kartoffelfrage beantworten. Ein Mitspieler liest sie vor. Ist die Antwort falsch oder kann die Aufgabe nicht gelöst werden, heißt es: zwei Felder zurück. Wer zuerst im Zielfeld ist, hat gewonnen.

Klasse: ______ Datum: __________ Name: ______________________________

Informationen entnehmen

Kartoffelspiel (2)

Woher kam die Kartoffel nach Europa?  *aus Südamerika*	Welche Teile der Kartoffelpflanze sind giftig? *alle Teile über der Erde*	Warum hat die Kartoffel eine Schale?  *damit sie nicht austrocknet*
Wo sollte man Kartoffeln lagern? *im Keller*	Welches Tier schadet der Kartoffel?  *der Kartoffelkäfer*	Welche Farben können die Kartoffelblüten haben? *Rosa, Weiß, Lila*
Welche Teile der Kartoffelpflanze sind essbar? *die Knollen unter der Erde*	Wie heißen die Flecken auf der Kartoffel, aus denen die Triebe wachsen?  *Augen*	Wie heißt „Kartoffel“ auf Englisch?  *potato*
Wie heißt es richtig? a) Ich säe die Kartoffeln. b) Ich setze die Kartoffeln. *b)*	Wann welkt das Kartoffelkraut über der Erde? *im Herbst*	Wie lange müssen Kartoffeln ungefähr kochen, damit sie essbar sind?  *etwa 25 Minuten*
An welchen Pflanzenteilen wachsen die neuen Kartoffeln? *an den Wurzeln*	Was hat die Kartoffelpflanze nicht? *Stängel – Blüten – Beeren – Dornen – Blätter – Wurzeln* *Dornen*	Wann werden Kartoffeln geerntet?  *im Herbst*

Klasse: ______ Datum: __________ Name: ____________________

Einen Text verstehen

Der Kartoffelkäfer

Und nun geht's erst richtig los.
Der Käfer bleibt nicht kinderlos.
Kinder kommen, Kinder wie
Sand am Meer. Jetzt fressen sie.

Der Bauer schreit: „Was muss ich sehn?
Gleich wird's euch an den Kragen gehn!
Wenn ihr so weitermacht, wie sollen
im Boden wachsen dicke Knollen?"

Josef Guggenmos

Der Kartoffelkäfer, der
surrt im Frühling fröhlich her.
Denn hier wächst, so weit man schaut,
Kartoffelkraut, Kartoffelkraut.

Jetzt fressen sie, wohin man schaut,
Kartoffelkraut, Kartoffelkraut.
Die Stauden, erst so herrlich grün,
sie werden kahl, sie schwinden hin.

An einem frischen Blatte dann
fängt er gleich zu knabbern an.
Doch statt nur dran zu nippen,
frisst er's kahl bis auf die Rippen.

1 Schneide die Gedichtstrophen aus.

2 Lege die Strophen in der richtigen Reihenfolge auf den Tisch. Klebe dann das Gedicht auf ein Blatt. Schreibe die Überschrift darüber.

3 Gestalte dein Blatt:
Klebe die Bilder auf. Male sie aus.

Klasse: ______ Datum: __________ Name: ____________________

Ein Rezept aufschreiben

Knusperkartoffeln

Zuerst ______________________

____

____

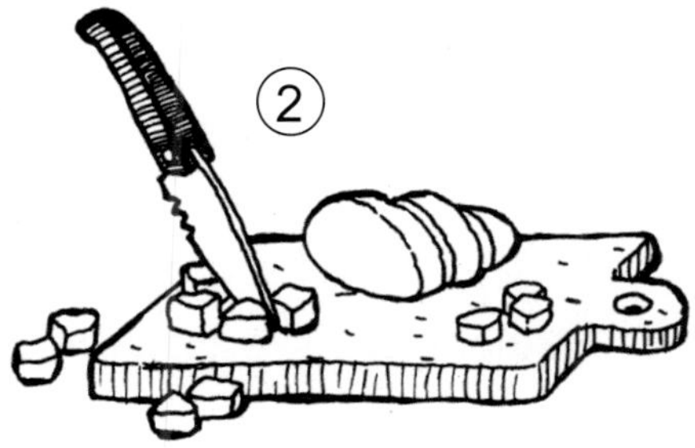

Dann ______________________

____

____

____

____

____

____

____

____

____

____

____

1 Schreibe das Rezept unter die Bilder.
Lass dir beim Ausprobieren von einem Erwachsenen helfen.

Klasse: ______ Datum: __________ Name: ______________________

Ein Rezept aufschreiben

Bunter Kartoffelsalat

1 Betrachte die Bilder genau.

2 Trage dann die Wörter aus dem Kasten unten in die Lücken ein.
Streiche die Wörter durch, die du schon verwendet hast.

Zutaten

20 Kartoffeln
4 Eier
4 Essiggurken
1 kleines Glas Majonäse
Pfeffer
Salz

Z _________ werden die K _____________ in einem Topf

25 M ___________ lang gekocht.

Dann wird das W _________ abgegossen.

D _________ werden die K _____________ gepellt

und klein g __________________ .

Auch die Eier und die ______________________ werden

klein geschnitten.

Alle Z ________________ werden in einer S ___________

vermischt. M _________________ wird hinzugegeben

und z _____ S _________ wird der Salat mit P __________

und S ______ gewürzt, bis er richtig gut schmeckt.

G __________ A ___________ !

Kartoffeln – Kartoffeln – Essiggurken – Majonäse – Pfeffer – Salz – Zuerst – Minuten – Wasser – Danach – geschnitten – Zutaten – Schüssel – zum Schluss – Guten Appetit

Klasse: ______ Datum: __________ Name: ____________________________

Wortbausteine verändern Verben

Anton lernt kochen

In den Ferien besucht Anton regelmäßig seine Oma.
Er freut sich immer ganz besonders auf das köstliche Mittagessen.
Seine Oma sagt: „Kochen ist doch keine Hexerei.
Wenn du willst, bringe ich es dir bei.“

Anton kann sich gar nicht vorstellen, dass er das lernen könnte.

Zuerst soll er sich eine Schürze _______ binden.

Dann muss er alles _______ bereiten: das Gemüse _______ waschen,

schälen und klein schneiden.

Nun soll er die Fleischstücke _______ braten,

das Gemüse hinzugeben und alles _______ schmecken.

Jetzt muss er die geschälten Kartoffeln kochen und

anschließend _______ gießen. Oje, er hat das Salz _______ gessen.

Oma kann das gut _______ stehen, sie hat sich bei Rezepten

auch schon häufiger _______ lesen.

Nun steht das duftende Essen auf dem Tisch und Oma lächelt ihn an.

Anton strahlt sie an: „Und uns ist gar nichts _______ gebrannt.“

1 Was passt? Setze den richtigen Wortbaustein in den Text ein.

ab- ver- ver- ver- an-

um- vor- ab- an- ab-

Klasse: ______ Datum: __________ Name: ______________________

Wortbausteine verändern Verben

Anton lernt kochen

In den Ferien besucht Anton regelmäßig seine Oma.
Er freut sich immer ganz besonders auf das köstliche Mittagessen.
Seine Oma sagt: „Kochen ist doch keine Hexerei.
Wenn du willst, bringe ich es dir bei.“

Anton kann sich gar nicht vorstellen, dass er das lernen könnte.

Zuerst soll er sich eine Schürze _______ binden.

Dann muss er alles _______ bereiten: das Gemüse _______ waschen,

schälen und klein schneiden.

Nun soll er die Fleischstücke _______ braten,

das Gemüse hinzugeben und alles _______ schmecken.

Jetzt muss er die geschälten Kartoffeln kochen und

anschließend _______ gießen. Oje, er hat das Salz _______ gessen.

Oma kann das gut _______ stehen, sie hat sich bei Rezepten

auch schon häufiger _______ lesen.

Nun steht das duftende Essen auf dem Tisch und Oma lächelt ihn an.

Anton strahlt sie an: „Und uns ist gar nichts _______ gebrannt.“

1 Was passt? Setze den richtigen Wortbaustein in den Text ein.

2 Ergänze die Wortbausteine und schreibe die Verben auf.
Markiere die Wortbausteine.

ver- | vor- | an- | bereiten | braten | schütten | brennen

____

____

Klasse: ______ Datum: __________ Name: ____________________________

Wortbausteine verändern Verben

Anton lernt kochen

In den Ferien besucht Anton regelmäßig seine Oma.
Er freut sich immer ganz besonders auf das köstliche Mittagessen.
Seine Oma sagt: „Kochen ist doch keine Hexerei.
Wenn du willst, bringe ich es dir bei."

Anton kann sich gar nicht vorstellen, dass er das lernen könnte.

Zuerst soll er sich eine Schürze ______________ .

Dann muss er alles vorbereiten: das Gemüse ______________ ,

schälen und klein schneiden.

Nun soll er die Fleischstücke anbraten,

das Gemüse hinzugeben und alles ______________ .

Jetzt muss er die geschälten Kartoffeln kochen und anschließend abgießen.

Oje, er hat das Salz ______________ .

Oma kann das gut ______________ , sie hat sich bei Rezepten

auch schon häufiger ______________.

Nun steht das duftende Essen auf dem Tisch und Oma lächelt ihn an.
Anton strahlt sie an: „Und uns ist gar nichts angebrannt!"

1 Setze die Verben in den Text ein.

vorstellen | umbinden | abwaschen | abschmecken | vergessen | verstehen | verlesen

2 Ergänze die Wortbausteine und schreibe die Verben auf. Markiere die Wortbausteine. Schreibe in dein Heft.

ver- | vor- | an- | ab- | ein- | über- | bereiten

gießen | strahlen | räumen | brennen | fahren

Klasse: ______ Datum: __________ Name: ____________________

Verschiedene Satzarten

Anton kocht

1 Setze in den folgenden Text die richtigen Satzschlusszeichen ein.

„Gibt es heute auch ein leckeres Kartoffelgericht ? “

„In dieser Woche koche ich jeden Tag etwas mit Kartoffeln____“

„Prima____ Kann ich dir dabei helfen____“

„Vorsicht____ Das Messer ist scharf____ Füll bitte schon mal Wasser in den Topf____“

„Sagst du mir endlich, was wir kochen ___“

2 Verwandle die Aussagen in Fragen. Schreibe die Fragesätze auf.

Kartoffelbrei

Anton schält die Kartoffeln. Schält ____________________

Pünktchen wirft die Schalen in die Biotonne.

Wirft ____________________

Die Kartoffeln kochen im Wasser. Kochen ____________________

Anton gießt Milch in einen Topf. Gießt ____________________

Er macht die Milch auf dem Herd nur heiß. Macht ____________________

____

Zum Schluss zerstampft Anton die Kartoffeln.

Zerstampft ____________________

Pünktchen gibt die heiße Milch, Butter und Salz hinein.

Gibt ____________________

____

Klasse: ______ Datum: __________ Name: ____________________________

Verschiedene Satzarten

Anton kocht

1 Setze in den folgenden Text die richtigen Satzschlusszeichen ein.

 „Gibt es heute auch ein leckeres Kartoffelgericht_?_"

 „In dieser Woche koche ich jeden Tag etwas mit Kartoffeln____"

„Prima____ Kann ich dir dabei helfen____" 

„Vorsicht____ Das Messer ist scharf____ Füll bitte schon mal Wasser in den Topf____" 

 „Sagst du mir endlich, was wir kochen ___"

2 Verwandle die Aussagen in Fragen. Schreibe die Fragesätze a

Kartoffelbrei

Anton schält die Kartoffeln. Schält ________________________________?

Pünktchen wirft die Schalen in die Biotonne.

____

Die Kartoffeln kochen im Wasser. ______________________________

Anton gießt Milch in einen Topf. ______________________________

Er macht die Milch nur heiß. ______________________________

Anton gießt die fertigen Kartoffeln ab. ______________________________

____

Zum Schluss zerstampft er sie. ______________________________

Pünktchen gibt die heiße Milch, Butter und Salz hinein.

____

____

Klasse: ______ Datum: __________ Name: ____________________________

Verschiedene Satzarten

Anton kocht

1 Setze in den folgenden Text die richtigen Satzschlusszeichen ein.

„Gibt es heute auch ein leckeres Kartoffelgericht____“

„In dieser Woche koche ich jeden Tag etwas mit Kartoffeln____“

„Prima____ Kann ich dir dabei helfen____“

„Vorsicht____ Das Messer ist scharf____ Füll bitte schon mal Wasser in den Topf____“

„Sagst du mir endlich, was wir kochen ____ “

2 Verwandle die Aussagen in Fragen. Schreibe die Fragesätze auf.

Kartoffelbrei

Anton schält die Kartoffeln. ______________________________

Pünktchen wirft die Schalen in die Biotonne.

____

Die Kartoffeln kochen im Wasser. ______________________________

Anton gießt Milch in einen Topf. ______________________________

Er macht die Milch nur heiß. ______________________________

Anton gießt die fertigen Kartoffeln ab. ______________________________

____

Zum Schluss zerstampft er sie. ______________________________

Pünktchen gibt die heiße Milch, Butter und Salz hinein. ______________________________

____

3 Schreibe Sätze in dein Heft: Was fragt Pünktchen? Was antwortet Anton?

Klasse: ______ Datum: __________ Name: ____________________________

Wörter mit doppelten Konsonanten

In der Küche

1 Verbinde die passenden Wortteile.

Pud	fel	____________________
es	tern	____________________
But	pe	____________________
Was	ti	____________________
Kartof	ter	____________________
Sup	ser	____________________
füt	ding	____________________
Spaget	sen	____________________

2 Schreibe die Lösungen auf die Linien.

3 Ergänze den Lückentext mit den Wörtern aus Aufgabe 1.

Heute gibt es bei den Beyers wieder komische Sachen zu e __________ .

Klaus schmiert sich B ___________ auf die langen S ______________ .

Lisa gießt heiße S ________________ über den P _______________ .

Damit will sie den Hund Greta f ______________ .

Alle trinken W ______________ aus der Leitung und

essen zum Nachtisch ungekochte K __________________ .

Klasse: ______ Datum: __________ Name: ______________________________

Sich Gelesenes vorstellen

Das Ding am Fenster

Zwei kleine blutunterlaufene Augen funkelten ihm aus einem kalkweißen Gesicht entgegen, zottiges Haar hing in langen Strähnen bis auf einen fleckigen, schwarzen Umhang herab. Der riesige blutrote Mund öffnete und schloss sich und dabei stießen die Zähne, die leuchtend weiß und spitz wie Dolche waren, mit einem abscheulichen Klicken aufeinander. Anton sträubten sich die Haare und das Blut stockte in seinen Adern. Das Ding am Fenster war schlimmer als King Kong, schlimmer als Frankenstein und schlimmer als Dracula! Es war das Grauenvollste, was Anton je gesehen hatte!

Angela Sommer-Bodenburg

1 Lies den Text.
Stell dir das Ding am Fenster genau vor. Male es.

Klasse: ______ Datum: __________ Name: ____________________________

Sachtexte schreiben

Fledermaus-Steckbrief

1 Schreibe einen Steckbrief zur Fledermaus.
Diese Wörter helfen dir dabei:

große Flügel – fliegt sehr gut – lebende Junge – jagt Insekten –
Nachttier – frisst Insekten – lebt unter Dachziegeln,
in Baumhöhlen – hält Winterschlaf – sieht mit den Ohren

Steckbrief

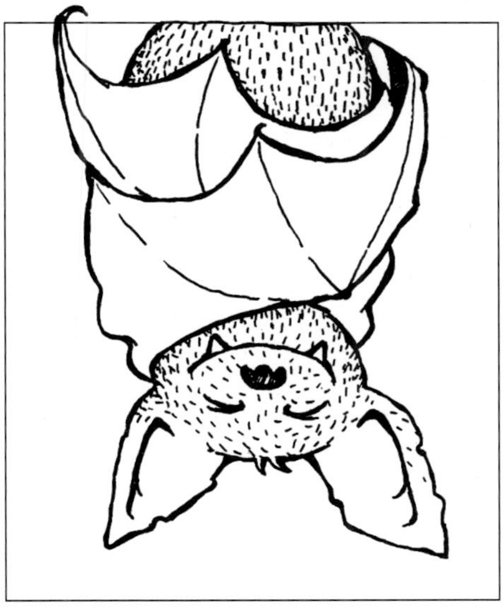

Name: ____________________________

____

Aussehen: ____________________________

____

____

____

Lebensraum: ____________________________

____

____

____

Nahrung: ____________________________

____

Besondere Merkmale: ____________________________

____

____

Klasse: ______ Datum: __________ Name: ______________________

Ein Mini-Faltbuch basteln

Das Große Mausohr

TINTO
Das Große Mausohr
Dieses Buch gehört
____

1

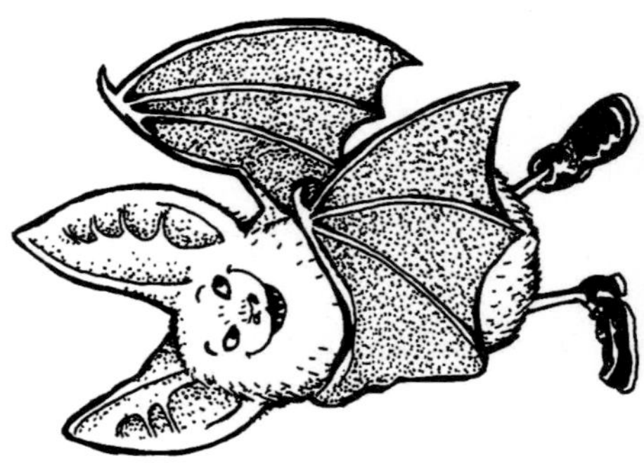

Aussehen:

3

Lebensdauer:

4

Lebensraum:

5

Nahrung:

6

Sommerquartiere:

7

Winterquartiere:

8

Klasse: ______ Datum: __________ Name: ______________________________

Einem Sachtext Informationen entnehmen

Das Fledermausjahr

Fledermäuse suchen ein Winterquartier. Sie nehmen das letzte Mal vor dem Winter Nahrung auf.

Die Weibchen versammeln sich in der Wochenstube. Die Jungen werden geboren und aufgezogen.

Nach dem Winterschlaf suchen Fledermäuse Nahrung und ein Sommerquartier.

Fledermäuse halten Winterschlaf. Ihre Körpertemperatur sinkt.

Die Jungen werden nicht mehr gesäugt. Sie fliegen selbstständig und suchen allein nach Nahrung.

Die Fledermäuse rücken dicht zusammen.

1 Schneide Bilder und Texte aus und lege sie passend nebeneinander.

2 Ordne die gelegten Paare nach dem Jahreskalender.

3 Klebe sie auf ein neues Blatt.

Cornelsen
Autor: Marc Ulrich
Illustrationen: Wiebke Petersen

Klasse: ______ Datum: __________ Name: ____________________

Wortfamilie und Wortstamm

Das Große Mausohr

1 Welche Wörter gehören zur gleichen Wortfamilie?
Ordne die Wörter den Wortstämmen zu. Schreibe auf die Linien.

2 Markiere in jedem Wort den Wortstamm.
wohnen – verstört – Landschaft – Wohnung – Zerstörung – Winterschlaf – schläfrig – wohnlich – landen – unbewohnt – stören – Schlafmütze – Landung – verschlafen – ländlich – Störenfried

wohn: wohnen, Wohnung

stör: ____________________

land: ____________________

schlaf: ____________________

3 Suche zu den folgenden Wortstämmen Wörter und ordne sie in die Tabelle ein.

Wortstamm	Nomen	Verb	Adjektiv
wohn			
land			
schlaf			
angst			
nahr			

Klasse: ______ Datum: __________ Name: ______________________________

Wortfamilien und Wortarten

Übungen

1 Verbinde diejenigen Wörter im Kasten, die zu einer Wortfamilie gehören.

fliegen hängen saugen jagen beobachten wohnen

halten Beobachtung Jagd Flug Säugetier

Bewohner Abhang Halt

2 Ordne die richtigen Nomen aus dem Kasten in die Tabelle ein.

Verben	**Artikel + Nomen**
fliegen	der Flug
hängen	der
saugen	das
jagen	die
beobachten	die
wohnen	die / der
halten	der

3 Unterstreiche in den folgenden Sätzen die Nomen.
Schreibe dann den Text in richtiger Groß- und Kleinschreibung auf.

Fledermäuse sieht man vor allem am abend umherflattern. (2 Nomen)
In deutschland leben viele von ihnen im sommer auf dachböden. (3 Nomen)
Während ihres winterschlafs hängen sie mit dem kopf nach unten. (2 Nomen)
Am abend und in der nacht jagen sie insekten. (3 Nomen)

Fledermäuse sieht man ______________________________

____

____

____

____

Klasse: ______ Datum: __________ Name: ______________________

Wortfamilien und Wortarten

Übungen

1 Verbinde diejenigen Wörter im Kasten, die zu einer Wortfamilie gehören.

fliegen	hängen	saugen	jagen	beobachten	wohnen
	halten	gewohnt	geflogen	Flug	gejagt
Jagd	Beobachtung	Säugetier	Bewohner	Abhang	Halt

2 Ordne die richtigen Nomen mit Artikel in die Tabelle ein.

Verben	**Artikel + Nomen**
fliegen	der Flug
hängen	
saugen	
jagen	
beobachten	
wohnen	
halten	

3 Unterstreiche in den folgenden Sätzen die Nomen. Schreibe dann den Text in richtiger Groß- und Kleinschreibung in dein Heft. Beachte die Satzanfänge.

fledermäuse sieht man vor allem am abend umherflattern.

in deutschland leben viele von ihnen im sommer auf dachböden.

während ihres winterschlafs hängen sie mit dem kopf nach unten.

am abend und in der nacht jagen sie insekten.

die nachkommen saugen bei ihrer mutter die milch.

die jungtiere wachsen sehr schnell und jagen bald allein.

im folgenden jahr schon können sie eine eigene familie gründen.

Klasse: ______ Datum: __________ Name: ______________________________

Wortfamilien und Wortarten

Übungen

1 Verbinde diejenigen Wörter im Kasten, die zu einer Wortfamilie gehören.

fliegen	hängen	saugen	jagen	beobachten	wohnen
halten	wohnte	saugte	geflogen	Flug	gejagt
hing	hielt	beobachtete	Jagd	Beobachtung	Säugetier
		Bewohner	Abhang	Halt	

2 Ordne die Wörter aus dem Kasten in die Tabelle ein.

Verben	**Artikel + Nomen**
	der Flug
hängen	
	das Säugetier
jagen	
	die Beobachtung
wohnen	
halten	

3 Teile die einzelnen Wörter durch Striche ab. Schreibe dann den Text in richtiger Groß- und Kleinschreibung in dein Heft. Beachte die Satzanfänge.

fledermäuse|siehtmanvorallemamabendumherflattern.

indeutschlandlebenvielevonihnenimsommeraufdachböden.

amabendundindernachtjagensieinsekten.

währendihreswinterschlafshängensiemitdemkopfnachunten.

Klasse: ______ Datum: __________ Name: ____________________________

Nachschlagen im Wörterbuch

Fledermäuse

Fledermäuse sind gesellige T▢re. Sie wohnen oft in großen Gru▢en zusammen. Dicht an dicht h▢ngen sie an der Decke von Hö▢len oder unter dem Dach von gro▢en Häusern und Kirchen. In der Dämmerung fl▢gen die Fledermäuse aus. Sie sind auf der Jag▢ nach Insekten.

1 Suche die Wörter mit Lücken im Wörterbuch. Schreibe sie richtig auf. Notiere auch die Seitenzahl.

Tiere – S. ____   ______________ – S. ____

______________ – S. ____   ______________ – S. ____

______________ – S. ____   ______________ – S. ____

______________ – S. ____

Achte bei Wörtern mit gleichen Anfangsbuchstaben auf den zweiten oder dritten Buchstaben.

2 Findest du die Grundform?

er saugt: saugen – S. ____   sie wiegt: ______________ – S. ____

ich jage: ______________ – S. ____   du saugst: ______________ – S. ____

ich zeichne: ______________ – S. ____   du trinkst: ______________ – S. ____

Klasse: ______ Datum: __________ Name: ______________________

Verwandte Wörter kennen

b oder p, d oder t, g oder k?

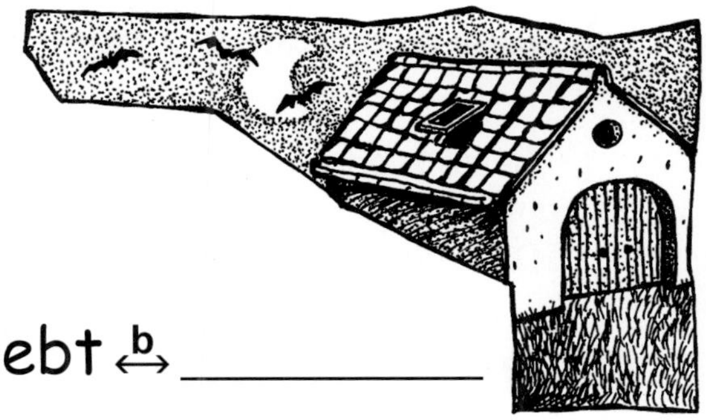

1 Setze **b** oder **p** ein. Schreibe so: gibt $\overset{b}{\longleftrightarrow}$ geben

Die Fledermaus lebt in der Stadt in Hohlräumen.

Fledermäuse leben in der Stadt in Hohlräumen. lebt $\overset{b}{\longleftrightarrow}$ ____________

Das Große Mausohr schwe___t durch die Nacht.

Die Großen Mausohren schwe___en durch die Nacht. ____________ ⟷ ____________

Der Mensch vertrei___t die Fledermäuse.

Die Menschen vertrei___en die Fledermäuse. ______________ ⟷ ______________

2 Setze d oder t ein. Schreibe so: Rand $\overset{d}{\longleftrightarrow}$ Ränder

Heute jagt die Fledermaus im Wal___.

Heute jagt die Fledermaus in den Wäl___ern. ______________ ⟷ ______________

Das Große Mausohr fliegt über das Fel___.

Das Große Mausohr fliegt über die Fel___er. ______________ ⟷ ______________

Ich habe ein Bil___ von einer Fledermaus.

Ich habe viele Bil___er von Fledermäusen. ______________ ⟷ ______________

3 Setze g oder k ein. Schreibe so: legt $\overset{g}{\longleftrightarrow}$ legen

Die Fledermaus hän___t kopfüber von der Decke.

Die Fledermäuse hän___en kopfüber von der Decke. ____________ ⟷ ____________

Die Fledermaus ja___t in der Nacht.

Fledermäuse ja___en in der Nacht. ______________ ⟷ ______________

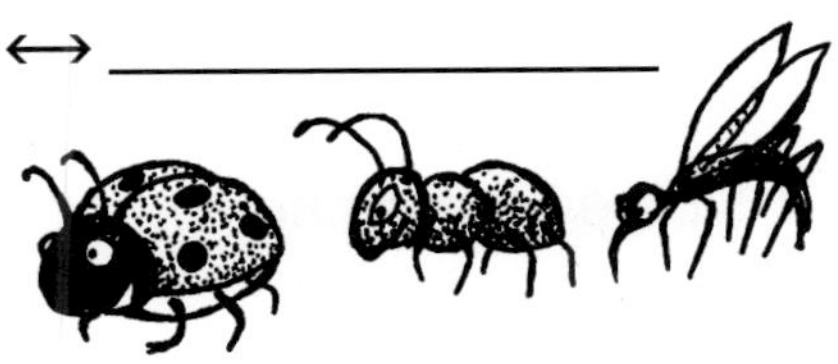

Klasse: ______ Datum: __________ Name: ____________________

Verwandte Wörter kennen

b oder p, d oder t, g oder k?

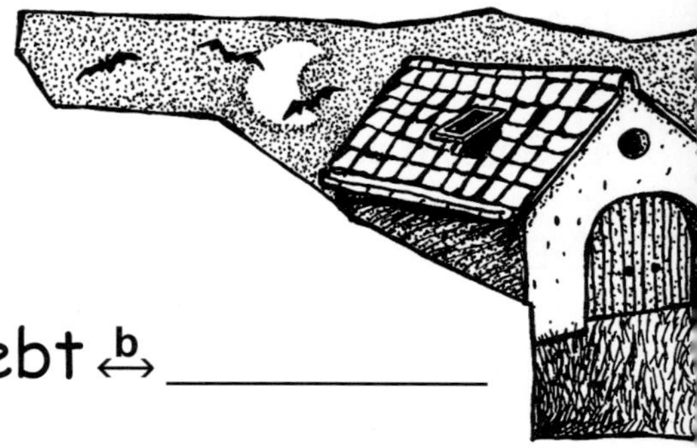

1 Setze **b** oder **p** ein. Schreibe so: gibt $\overset{b}{\longleftrightarrow}$ geben

Die Fledermaus lebt in der Stadt in Hohlräumen.

Fledermäuse leben in der Stadt in Hohlräumen. lebt $\overset{b}{\longleftrightarrow}$ ____________

Das Große Mausohr schwe___t durch die Nacht.

Die Großen Mausohren schwe___en durch die Nacht. ____________ $\longleftrightarrow$ ____________

2 Setze d oder t ein. Schreibe so: Rand $\overset{d}{\longleftrightarrow}$ Ränder

Heute jagt die Fledermaus im Wal___.

Heute jagt die Fledermaus in den Wäl___ern. ____________ $\longleftrightarrow$ ____________

Das Große Mausohr fliegt über das Fel___.

Das Große Mausohr fliegt über die Fel___ er. ____________ $\longleftrightarrow$ ____________

3 Setze g oder k ein. Schreibe so: legt $\overset{g}{\longleftrightarrow}$ legen

Die Fledermaus hän___t kopfüber von der Decke.

Die Fledermäuse hän___en kopfüber von der Decke. ____________ $\longleftrightarrow$ ____________

Die Fledermaus ja___t in der Nacht.

Fledermäuse ja___en in der Nacht. ____________ $\longleftrightarrow$ ____________

4 Vervollständige die Sätze und verwende diese Wörter:

schweben | leben | hängen | spuken

Auf unserem Dachboden ____________ eine Fledermausfamilie.

Wir dachten erst, es ____________.

Eine Fledermaus ____________ kopfüber am Dachbalken.

Ein Großes Mausohr ____________ durch die Nacht.

Klasse: ______ Datum: __________ Name: ____________________________

Verwandte Wörter kennen

b oder p, d oder t, g oder k?

1 Setze **b** oder **p, d** oder **t, g** oder **k** ein. Schreibe so: gibt $\overset{b}{\longleftrightarrow}$ geben

Die Fledermaus le___t in der Stadt in Hohlräumen. ______________ ↔ ______________

Das Große Mausohr schwe___t durch die Nacht. ______________ ↔ ______________

Der Mensch vertrei___t die Fledermäuse. ______________ ↔ ______________

Heute jagt die Fledermaus im Wal___. ______________ ↔ ______________

Das Große Mausohr fliegt über das Fel___. ______________ ↔ ______________

Ich habe ein Bil___ von einer Fledermaus. ______________ ↔ ______________

Die Fledermaus hän___t kopfüber von der Decke. ______________ ↔ ______________

Die Fledermaus ja___t in der Nacht. ______________ ↔ ______________

Die Fledermaus versteckt sich in einem alten Schran___. ___________ ↔ ___________

2 Vervollständige die Sätze und verwende diese Wörter:

schweben | leben | hängen | geben | jagen | spuken

Auf unserem Dachboden ________________ eine Fledermausfamilie.

Wir dachten erst, es ________________.

Eine Fledermaus ________________ kopfüber am Dachbalken.

Ein Großes Mausohr ________________ durch die Nacht.

Wie jede Nacht ________________ die Fledermäuse auch gestern Insekten.

Früher ________________ es viel mehr Fledermäuse in Deutschland.

Klasse: ______ Datum: __________ Name: ____________________

Märchentexte anhand von Merkmalen erkennen

Märchen

1 Es war einmal ein Kaufmann, der war so reich, dass er die ganze Straße und fast noch eine kleine Gasse dazu mit Silbergeld pflastern konnte. ☐

2 Und wie sie zu Asche verbrannt war, verwandelte sich das Rehkälbchen und erhielt seine menschliche Gestalt wieder. Schwesterchen und Brüderchen aber lebten glücklich zusammen bis an ihr Ende. ☐

3 In den alten Zeiten, wo das Wünschen noch geholfen hat, lebte ein König, dessen Töchter waren alle schön. Aber die jüngste war so schön, dass die Sonne selber, die doch so vieles gesehen hat, sich verwunderte, so oft sie ihr ins Gesicht schien. ☐

4 Der Mond ist unser nächster Nachbar im Weltall. Als unser ständiger Begleiter umkreist er die Erde. Die Schwerkraft der Erde hält ihn in seiner Bahn. ☐

5 Und Hans sandte dem Vater der Prinzessin den schnellsten Boten und zu seinen Eltern einen goldenen Wagen mit sechs Pferden bespannt. Und sie alle lebten herrlich und in Freuden. Und wenn sie nicht gestorben sind, leben sie noch heute. ☐

1 Lies die Texte.

2 Kreuze alle Texte an, die zu einem Märchen gehören.

3 Wie heißen die Märchen? Tausche dich mit einem Partnerkind aus.

Klasse: ______ Datum: __________ Name: ______________________

Den Inhalt von Texten erfassen

Alles total geheim

1 Beantworte die Fragen in vollständigen Sätzen.

- Wo wohnen **Michi und Gernot**?

Michi und Gernot wohnen ______________________

____

- Wohin geht **Gernots Vater** meist, wenn er aus dem Haus geht?

____

- Was arbeitet **Gernots Vater**?

____

- Welches Arbeitsgerät soll Gernots Vater **in seiner Wohnung** haben?

____

____

- Was arbeitet **Gernots Mutter**?

____

2 Was ist deiner Meinung nach Gernots Geheimnis?

Meiner Meinung nach ist ______________________

____

____

____

____

Klasse: ______ Datum: __________ Name: ____________________________

Den Inhalt von Texten erfassen

Nächtliche Besucher

Es ist Nacht. Kalle Blomquist, Eva-Lotta und Anders beobachten das Haus, in dem Professor Rasmusson und sein kleiner Sohn Rasmus wohnen.

„He, hört mal, können wir nicht noch ein Weilchen warten, um zu sehen, wer da kommt?“, fragte Kalle.

„Warum bloß?“, fragte Eva-Lotta. „Glaubst du, hier laufen Mondmörder herum?“ Sie hatte noch nicht ausgesprochen, als vor dem Zaun der Villa, ungefähr fünfundzwanzig Meter von ihnen entfernt, zwei Männer auftauchten. Man konnte die Gartentür schwach in ihren Angeln quietschen hören, als die beiden vorsichtig die Tür öffneten und hineingingen.

Ja, sie gingen tatsächlich hinein!

„Runter mit euch in den Graben!“, flüsterte Kalle erregt und Sekunden später schauten ihre Köpfe gerade noch so weit über den Grabenrand, dass ihre Augen verfolgen konnten, was im Garten des Professors geschah.

„Ach, so ein Quatsch – wenn die nun vom Professor eingeladen sind“, zischelte Anders.

„Denkst du“, sagte Kalle leise.

Wenn es tatsächlich Gäste des Professors waren, benahmen sie sich sehr merkwürdig. Wenn man ein Gast ist, schleicht man doch nicht, als hätte man Angst, ertappt zu werden. Man umkreist nicht das Haus. Man geht nicht hin und her und betastet Türen und Fenster. Ein lieber Gast, der das Haus verschlossen findet, stellt doch wohl keine Leiter gegen ein offenes Fenster im oberen Stockwerk und klettert dort hinein! Aber gerade all diese Dinge taten die nächtlichen Besucher.

„Ich gehe ein“, keuchte Eva-Lotta. „Die klettern durchs Fenster!“

Und das taten die Männer zweifellos.

Die drei lagen im Graben und starrten erschrocken auf das offene Fenster. Es dauerte eine Ewigkeit. Eine Ewigkeit an Warten. Eine Ewigkeit an Stille ohne andere Laute als ihre unruhigen Atemzüge und das schwache Rascheln des Nachtwindes in den Kirschbäumen. Endlich kam einer der beiden wieder auf die Leiter. Er trug etwas im Arm.

„Rasmus“, flüsterte Eva-Lotta und wurde schneeweiß im Gesicht. „Seht, sie rauben Rasmus!“

Astrid Lindgren

1 Lies die Geschichte leise.

2 Was haben die Kinder in der Nacht beobachtet? Tausche dich mit einem Partnerkind aus.

3 Was vermutest du, wie geht die Geschichte weiter?

Klasse: ______ Datum: __________ Name: ______________________

Einen Text musikalisch gestalten

Gespenster-Kanon

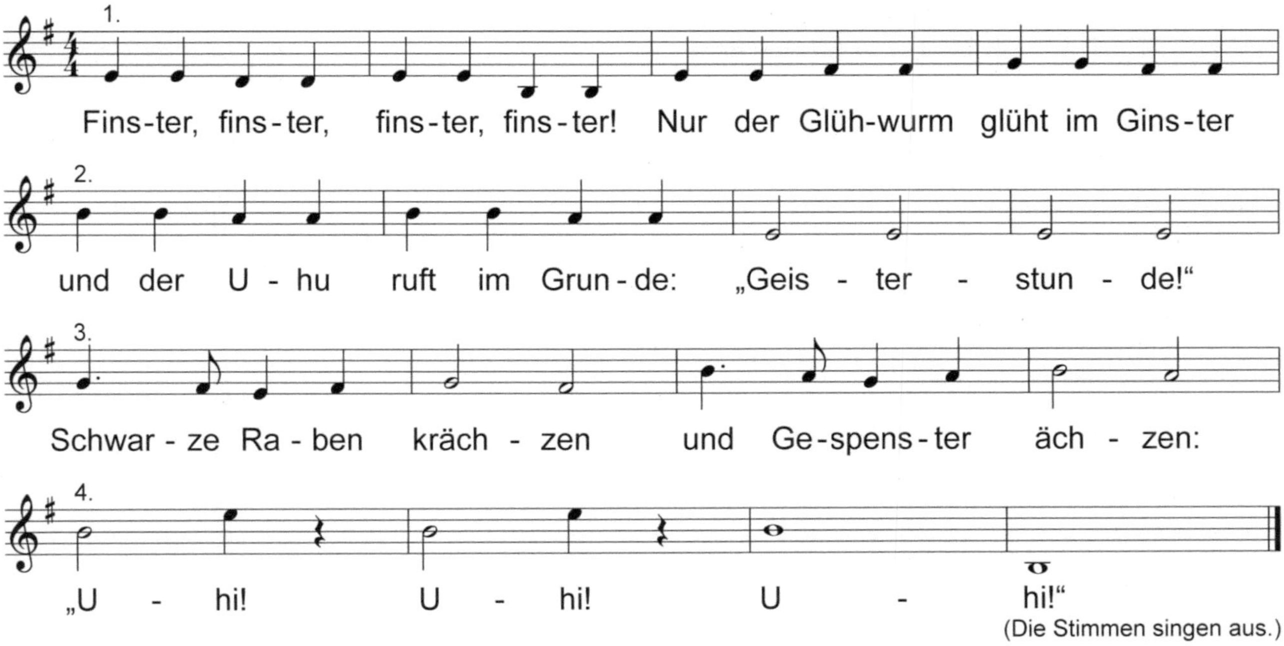

1 Lest zunächst den Gespenster-Kanon einander vor.
Betont den Text so, dass es gruselig und unheimlich klingt.

2 Übt das Lied gemeinsam ein.

3 Begleitet euren Liedvortrag mit passenden Geräuschen.

4 Nehmt euren Liedvortrag auf und spielt ihn anderen Kindern vor.

Klasse: ______ Datum: __________ Name: ____________________________

Ein Gedicht mit Betonung vorlesen

Gruselett

Der **Flügelflagel** gaustert
drohend flüsternd

durchs W i r u w a r u w o l z,
langsam

die rote **Fingur** plaustert,
wütend stockend

und g r a u s i g **gutzt** der Golz.
langsam drohend

Christian Morgenstern

1 Lies das Gedicht mit besonderer Betonung.
Die Hinweise unter einigen Wörtern helfen dir dabei.
Beachte auch die Schriftgröße einiger Wörter:
Lies sie besonders laut oder leise.

2 Trage das Gedicht einem anderen Kind oder in der Klasse vor.

3 Male ein Bild zu deinem Gruselett.

Klasse: ______ Datum: __________ Name: ____________________

Eine Geschichte zu einem Bild schreiben

Eine Fantasiegeschichte

1 Überlege dir Antworten zu folgenden Fragen:

- In deiner Geschichte steht jemand vor der Tür.
  Wer ist es?

____

- Wie ist die Person dorthin gelangt?

____

- Die Tür ist verschlossen. Wie könnte sie geöffnet werden?

____

- Was könnte hinter der Tür sein?

____

2 Wie geht die Geschichte weiter?

____

____

____

____

Klasse: ______ Datum: __________ Name: ____________________

Wörtliche Rede

Amaryllis und Kasperl

1 Setze in jeder Zeile die Zeichen für die wörtliche Rede.

2 Schreibe jede Zeile darunter noch einmal vollständig auf.

Die Unke quakte : „ Zauberer Zwackelmann hat mich verhext.“

Die Unke quakte: „

Kasperl fragte __ __ Und in Wirklichkeit bist du eine Fee? ___

Sie antwortete __ __ Ja, ich bin die Fee Amaryllis. ___

Kasperl fragte weiter __ __ Wie kannst du erlöst werden? ___

Die Unke flüsterte __ __ Hol mir das Feenkraut von der Hohen Heide. __

Klasse: ______ Datum: __________ Name: ____________________

Wörtliche Rede

Amaryllis und Kasperl

1 Setze in jeder Zeile die Zeichen für die wörtliche Rede.

2 Schreibe jede Zeile darunter noch einmal vollständig auf.

Die Unke quakte :_ „ Zauberer Zwackelmann hat mich verhext."___

____

____

Kasperl fragte _ _ Und in Wirklichkeit bist du eine Fee? ___

____

____

Sie antwortete _ _ Ja, ich bin die Fee Amaryllis. ___

____

____

Kasperl fragte weiter _ _ Wie kannst du erlöst werden? ___

____

____

Die Unke flüsterte _ _ Hol mir das Feenkraut von der Hohen Heide. _

____

____

3 Schreibe zu jeder wörtlichen Rede einen neuen Begleitsatz in dein Heft.

Klasse: ______ Datum: __________ Name: ____________________________

Wörtliche Rede

Amaryllis und Kasperl

1 Setze in jeder Zeile die Zeichen für die wörtliche Rede.

2 Schreibe jede Zeile darunter noch einmal vollständig auf.

Die Unke quakte Zauberer Zwackelmann hat mich verhext.

____

____

Kasperl fragte Und in Wirklichkeit bist du eine Fee?

____

____

Sie antwortete Ja, ich bin die Fee Amaryllis.

____

____

Kasperl fragte weiter Wie kannst du erlöst werden?

____

____

Die Unke flüsterte Hol mir das Feenkraut von der Hohen Heide.

____

____

3 Schreibe zu jeder wörtlichen Rede einen neuen Begleitsatz in dein Heft.

Klasse: ______ Datum: ____________ Name: ______________________________

Wörter trennen

Zubehör eines Geheimagenten

1 Schreibe die Wörter nach Silben getrennt auf.
Überprüfe mit dem Wörterbuch.

 Blei-stift

 ____ - ____ - ____

 ____ - ____

 ____ - ____ - ____

 ____ - ____ - ____

 ____ - ____ - ____

 ____ - ____

 ____ - ____ - ____ - ____

Lösungen: Hand-schu-he, Lu-pe, Pin-zet-te,
Funk-ge-rät, No-tiz-buch, Fern-rohr, Son-nen-bril-le

Bei Geheimagent Lupe zu Hause

Geheimagent Lupe saß in seinem Sessel. Er aß einen Teller Suppe und dachte über seinen Fall nach. Auf einmal holte er seinen geheimen Ordner aus dem Koffer und las darin. Oje, er hatte etwas Wichtiges im Büro vergessen! Schnell ging er zum Telefon und rief Oberagent Pfeife an. „Hallo“, sagte Geheimagent Lupe, „können Sie mir bitte das Foto von Herrn Müller vorbeibringen?“

2 Schreibe die unterstrichenen Wörter in Silben auf.
Markiere die Doppelkonsonanten gelb.
Kennzeichne den kurzen Vokal davor mit einem Punkt.
Achtung! Ein Wort kannst du nicht trennen.

Ses-sel, ________________________________

____

____

Klasse: ______ Datum: __________ Name: ____________________

Wörter trennen

Zubehör eines Geheimagenten

1 Schreibe die Wörter nach Silben getrennt auf.
Überprüfe mit dem Wörterbuch.

 Blei-stift

 ____________

 ____________

 ____________

 ____________

 ____________

 ____________

 ____________

ösungen: Hand-schu-he, Lu-pe, Pin-zet-te,
unk-ge-rät, No-tiz-buch, Fern-rohr, Son-nen-bril-le

Bei Geheimagent Lupe zu Hause

Geheimagent Lupe saß in seinem Sessel. Er aß einen Teller Suppe und dachte über seinen Fall nach. Auf einmal holte er seinen geheimen Ordner aus dem Koffer und las darin. Oje, er hatte etwas Wichtiges im Büro vergessen! Schnell ging er zum Telefon und rief Oberagent Pfeife an. „Hallo", sagte Geheimagent Lupe, „können Sie mir bitte das Foto von Herrn Müller vorbeibringen?"

2 Schreibe die unterstrichenen Wörter in Silben auf.
Markiere die Doppelkonsonanten gelb.
Kennzeichne den kurzen Vokal davor mit einem Punkt.
Achtung! Manche Wörter kannst du nicht trennen.

Ses-sel, ____________

____

____

Klasse: ______ Datum: __________ Name: ______________________________

Wörter trennen

Zubehör eines Geheimagenten

1 Schreibe die Wörter nach Silben getrennt auf. 
Überprüfe mit dem Wörterbuch.

 ______________________  ______________________

 ______________________  ______________________

 ______________________  ______________________

 ______________________  ______________________

Lösungen: Blei-stift, Hand-schu-he, Lu-pe, Pin-zet-te,
Funk-ge-rät, No-tiz-buch, Fern-rohr, Son-nen-bril-le

Bei Geheimagent Lupe zu Hause

Geheimagent Lupe saß in seinem Sessel. Er aß einen Teller Suppe und dachte über seinen Fall nach. Auf einmal holte er seinen geheimen Ordner aus dem Koffer und las darin. Oje, er hatte etwas Wichtiges im Büro vergessen! Schnell ging er zum Telefon und rief Oberagent Pfeife an. „Hallo“, sagte Geheimagent Lupe, „können Sie mir bitte das Foto von Herrn Müller vorbeibringen?“

2 Schreibe die unterstrichenen Wörter in Silben auf.
Markiere die Doppelkonsonanten gelb.
Kennzeichne den kurzen Vokal davor mit einem Punkt.
Achtung! Manche Wörter kannst du nicht trennen.

____

____

____

Einem Text Informationen entnehmen

Frau Quan schreibt Briefe

Frau Quan ist fit in EDV.
Sie kennt das Internet genau,
kann surfen, chatten, Mailbox leeren,
per Fax mit aller Welt verkehren.
Geschäftlich nutzt sie den PC,
denn das ist schließlich ihr Metier.

Doch wenn es um Privates geht,
dann hält sie nichts von dem Gerät.
Dann schreibt sie Briefe mit der Hand.
Die werden mit der Post versandt
und treffen sehr viel später ein,
doch, sagt sie, so viel Zeit muss sein.

Ihre beste Freundin Kitty
lebt weit weg in Kansas City
und Frau Quan schreibt häufig ihr
mit lila Tinte auf Papier,
das sie mit Comicstrips verziert,
mit bunten Stickern dekoriert.

In Kittys Briefen klebt am Rand,
was Kitty am Missouri fand:
gepresste Blumen oder Pflanzen,
über denen Mücken tanzen,
die Kitty hingezeichnet hat
als Gruß aus ihrer Kansasstadt.

Frau Quan hat solche Briefe gern.
„Hier kommt ins Haus, was sonst so fern.
Ich kann es riechen und berühren,
kann die Missouripflanzen spüren,
und Freundin Kitty ist mir nah,
als wäre sie tatsächlich da."

Natürlich braucht der Briefverkehr
mehr Zeit und fällt drum manchem schwer.
„Ich spare Zeit", sagt Frau Quan,
„damit ich sie genießen kann.
Und Briefe schreiben, Briefe kriegen
ist eines meiner Topvergnügen."

Irmela Brender

1 Lies den Text genau.

2 Beantworte die Fragen.
- Wann benutzt Frau Quan einen PC?
- An wen schreibt Frau Quan Briefe?
- Wo wohnt Kitty?
- Wie sehen die Briefe von Frau Quan und von Kitty aus?
- Warum schreibt Frau Quan lieber Briefe mit der Hand?

Klasse: ______ Datum: __________ Name: ____________________________

Einem Text Informationen entnehmen

Samuel Morse, der Erfinder des Morsealphabets

Der berühmte amerikanische Erfinder Samuel Morse wurde am 27. April 1791 in Charlestown, Massachusetts (USA), geboren. Seit seiner Kindheit interessierte er sich für Naturwissenschaften. An der Universität hat er viel über Elektrizität und Mechanik gelernt. Für seine Erfindungen war dieses Wissen später sehr nützlich.

Als er 46 Jahre alt war, erfand er den ersten elektrischen Schreibtelegrafen. Mit diesem Gerät und mit elektrischem Strom konnte Morse zum ersten Mal Nachrichten durch lange Drähte und über weite Entfernungen schicken.

Dazu musste Morse seine Nachrichten verschlüsseln. Drückte er auf dem Telegrafen eine Taste kurz, zeichnete der Schreibtelegraf beim Empfänger einen Punkt auf einen Papierstreifen. Drückte er die Taste lang, zeichnete der Schreibtelegraf einen Strich auf. Morse entwickelte dafür ein neues Alphabet, das sich aus Punkten und Strichen zusammensetzt. Wollte der Empfänger die verschlüsselten Nachrichten lesen und verstehen, musste er sie mit Hilfe des Morsealphabets entschlüsseln.

1843 baute Samuel Morse die erste Schreibtelegrafen-Verbindung zwischen den nordamerikanischen Städten Washington und Baltimore.

Am 2. April 1872 starb Samuel Morse.

Die bekannteste Nachricht, die auch heute noch auf Schiffen gemorst wird, sieht in Morsezeichen geschrieben so aus:

· · · — — — · · ·

Sie heißt entschlüsselt **SOS** (**S**ave **O**ur **S**ouls) und ist heute der internationale Notruf: Hilfe! Menschen in Not!

1 Lies den Text über Samuel Morse genau.

2 Beantworte folgende Fragen:
- Was hat Samuel Morse erfunden?
- Was musste Morse mit den Nachrichten machen?
- Woraus ist das Morsealphabet zusammengesetzt?
- Welche Nachricht wird heute noch gemorst?

Klasse: ______ Datum: __________ Name: ____________________________

Einem Text Informationen entnehmen

Ein Schnurtelefon basteln

Ein Schnurtelefon funktioniert fast wie ein echtes Telefon. Probiert es aus.

Das braucht ihr:

- zwei leere Konservendosen
- einen Handbohrer oder Schraubendreher
- 10 m Paketschnur

Bauanleitung:

- Bohrt in die Böden der Dosen ein Loch.
- Steckt zuerst in das Loch der einen Dose die Paketschnur und verknotet die Schnur. Nun steckt ihr das andere Ende der Schnur in das Loch der zweiten Dose und verknotet sie.

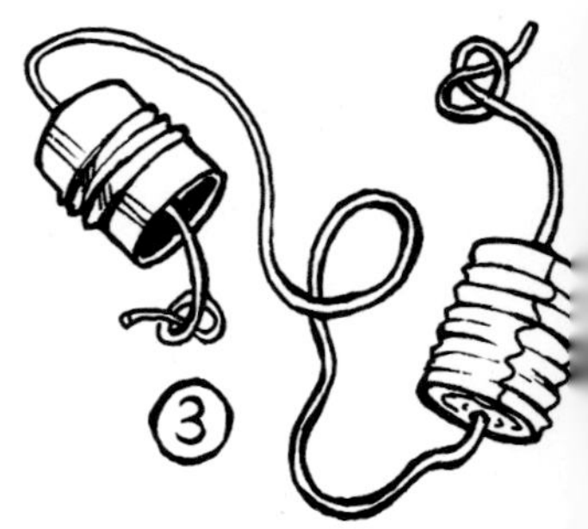

So telefoniert ihr mit dem Schnurtelefon:

- Stellt euch so weit auseinander, dass die Schnurr gespannt ist.
- Der Sender spricht in die Dose und der Empfänger hält sich die Dose an das Ohr.
- Die Schnur überträgt die Schwingungen eurer Stimme von einer Dose zur anderen.

Klasse: ______ Datum: __________ Name: ____________________

Informationen sammeln und präsentieren

Fragebogen „Computer“

	☺	☹	**Bemerkungen**
1. Hast du einen eigenen Computer?			
2. Würdest du gern einen eigenen Computer haben?			
3. Darfst du jeden Tag so lange am Computer spielen, wie du möchtest?			
4. Kannst du Geschichten auf dem Computer schreiben?			
5. Kannst du eine E-Mail über den Computer verschicken?			
6. Kannst du mit der Suchmaschine „Google“ umgehen?			
7. Kannst du Informationen im Internet suchen und finden?			
8.			
9.			

1 Führt eine Umfrage zum Thema „Computer“ durch.

2 Wertet eure Umfrage aus.
Ihr könnt eure Ergebnisse in einer Tabelle veröffentlichen.

Klasse: ______ Datum: __________ Name: ______________________

Zusammengesetzte Nomen

Rund um Kommunikation und Technik

1 Trenne die zusammengesetzten Nomen.

die Computertastatur	der	Computer	die	Tastatur
das Adressfeld	die	Adresse	das	
die Handyrechnung	das		die	Rechnung
die Telefonleitung	das	Telefon	die	
die Internetadresse	das		die	

2 Bilde aus den Silben zusammengesetzte Nomen.
Beginne immer mit der markierten Silbe.

- pu - spiel - Com - ter	das	Computer|spiel
- seh - Fern - dung - sen	die	
- le - fon - mer - Te - num	die	
- ter - pro - pu - gramm - Com	das	
- seh - an - ne - Fern - ten	die	

3 Trenne mit einem Strich die zusammengesetzten Nomen aus Aufgabe 2.

4 Bilde zusammengesetzte Nomen mit „Telefon".
Schreibe sie mit Artikel auf.

Leitung

Rechnung

Buch

Hörer

Kabel

Gespräch

Telefonkabel ______________________

Telefonleitung ______________________

______________________ ______________________

Klasse: ______ Datum: __________ Name: ______________________________

Zusammengesetzte Nomen

Rund um Kommunikation und Technik

1 Trenne die zusammengesetzten Nomen.

die Computertastatur	der	________________	die	________________
das Adressfeld	die	________________	das	________________
die Handyrechnung	das	________________	die	________________
die Telefonleitung	das	________________	die	________________
die Internetadresse	das	________________	die	________________

2 Bilde aus den Silben zusammengesetzte Nomen.
Beachte die Großschreibung.

- pu - spiel - com - ter	das	Computer|spiel
- seh - fern - dung - sen	die	________________
- le - fon - mer - te - num	die	________________
- ter - pro - pu - gramm - com	das	________________
- seh - an - ne - fern - ten	die	________________

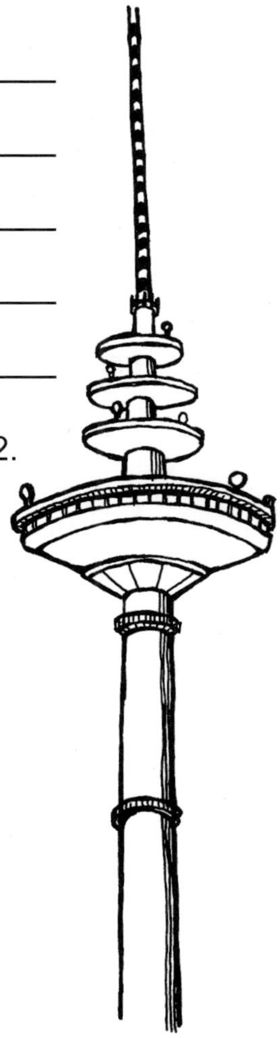

3 Trenne mit einem Strich die zusammengesetzten Nomen aus Aufgabe 2.

4 Bilde weitere zusammengesetzte Nomen mit „Telefon".
Schreibe sie mit Artikel auf.

Leitung

Rechnung

Buch

Hörer

Kabel

Gespräch

Telefonkabel ________________ ________________

________________ ________________

________________ ________________

Klasse: ______ Datum: __________ Name: ____________________

Zusammengesetzte Nomen

Rund um Kommunikation und Technik

1 Trenne die zusammengesetzten Nomen und ergänze den richtigen Artikel.

die Computertastatur der ____________ die ____________

das Adressfeld ____________ ____________

die Handyrechnung ____________ ____________

die Telefonleitung ____________ ____________

die Internetadresse ____________ ____________

2 Bilde aus den Silben zusammengesetzte Nomen. Ergänze den richtigen Artikel.
Beachte die Großschreibung.

- pu - spiel - com - ter das Computer|spiel

- seh - fern - dung - sen ____________

- le - fon - mer - te - num ____________

- ter - pro - pu - gramm - com ____________

- seh - an - ne - fern - ten ____________

3 Trenne mit einem Strich die zusammengesetzten Nomen aus Aufgabe 2.

4 Bilde sechs zusammengesetzte Nomen mit „Telefon".
Schreibe sie mit Artikel auf.

Leitung   Rechnung   Buch   Hörer   Kabel   Gespräch

____________ ____________

____________ ____________

____________ ____________

Klasse: ______ Datum: __________ Name: ____________________

Gegenwartsform und Vergangenheitsform

Telefonieren früher und heute

Früher musste (müssen) man zuerst eine Auskunft anrufen,

um zu telefonieren. Diese __________________ (verbinden)

einen dann erst mit der gewünschten Person.

Dies alles ______________ (lassen) einen

länger warten als heute. Bis vor einigen Jahren

_______________ (drehen) man eine Scheibe,

um die Nummer einzugeben.

Heute ______________ (tippen) man einfach auf Tasten

und ______________ (wählen) so die Nummer.

Man kann überall ____________________ (telefonieren),

denn das Handy funktioniert über Funk. Praktisch _________ (sein)

die Mailbox oder der Anrufbeantworter.

Hier kann man jemanden auch ______________ (grüßen),

wenn er gerade gar nicht erreichbar ist.

1 Setze die Verben richtig ein.

2 Unterstreiche die Wörter mit einem Lineal,
die auf die Vergangenheit oder die Gegenwart hinweisen.

Klasse: ______ Datum: __________ Name: ____________________

Gegenwartsform und Vergangenheitsform

Telefonieren früher und heute

Früher musste man zuerst eine Auskunft anrufen, um zu telefonieren. Diese ________________ einen dann erst mit der gewünschten Person, dies alles ____________ einen länger warten als heute. Bis vor einigen Jahren ____________ man eine Scheibe, um die Nummer einzugeben.

Heute ____________ man einfach auf Tasten und ____________ so die Nummer. Man kann überall __________________, denn das Handy funktioniert über Funk. Praktisch _________ die Mailbox oder der Anrufbeantworter. Hier kann man jemanden auch ____________, wenn er gerade gar nicht erreichbar ist.

1 Setze die Verben in der richtigen Form in den Text ein:

grüßen | drehen | lassen | sein | telefonieren | verbinden | müssen | tippen | wählen

2 Markiere die Wörter, die auf die Vergangenheit oder die Gegenwart hinweisen.

3 Wähle aus dem Text vier Verben aus. Ordne sie in die Tabelle ein. Schreibe in der Ich-Form.

Präsens (heute)	Präteritum (früher)
ich muss	ich musste
ich	

Klasse: ______ Datum: __________ Name: ____________________________

Gegenwartsform und Vergangenheitsform

Telefonieren früher und heute

Früher ____________ man zuerst eine Auskunft anrufen, um zu telefonieren. Diese ______________ einen dann erst mit der gewünschten Person, dies alles ____________ einen länger warten als heute. Bis vor einigen Jahren ____________ man eine Scheibe, um die Nummer einzugeben. Heute ____________ man einfach auf Tasten und ____________ so die Nummer. Man kann überall ________________, denn das Handy funktioniert über Funk.

1 Setze die Verben in der richtigen Form in den Text ein:

drehen | lassen | telefonieren | verbinden | müssen | tippen | wählen

2 Markiere die Wörter, die auf die Vergangenheit oder die Gegenwart hinweisen.

3 Wähle aus dem Text fünf Verben aus. Ordne sie in die Tabelle ein. Schreibe in der Ich-Form.

Präsens (heute)	Präteritum (früher)
ich muss	ich musste
ich	

4 Zeichne eine Tabelle wie in Aufgabe 3 in dein Heft. Schreibe mindestens zehn Verbformen in der Du-Form auf.

Klasse: ______ Datum: __________ Name: ____________________

Geheimschriften lesen und schreiben

Die Schlüsselscheibe

Du brauchst:
- eine spitze Schere
- eine Musterklammer

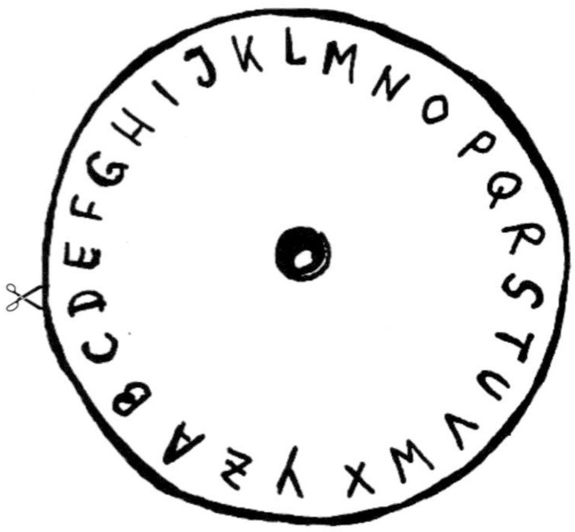

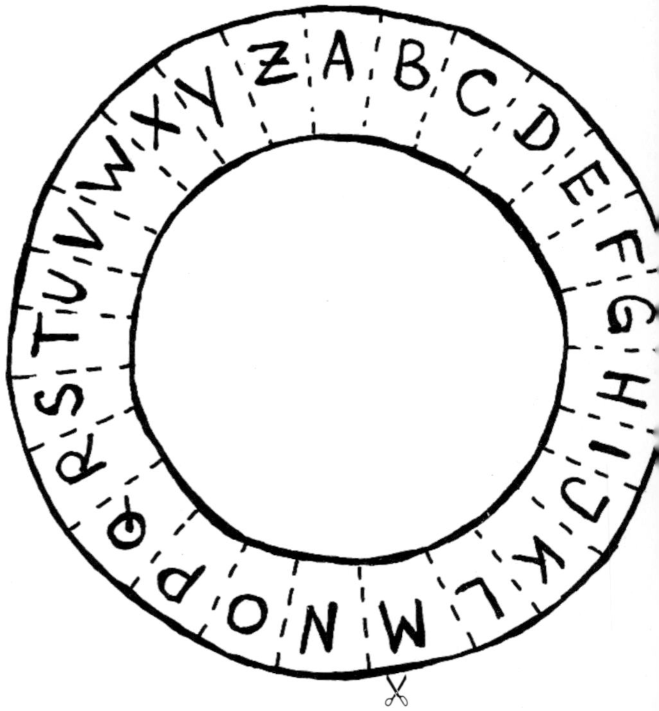

1 Schneide den großen und den kleinen Kreis aus.

2 Lege den kleinen Kreis auf den großen.
Bohre in die Mitte der Scheiben ein Loch.

3 Befestige die beiden Scheiben mit einer Musterklammer, sodass man sie drehen kann.

4 Lege nun deinen Schlüssel fest: Drehe die kleine Scheibe so, dass z. B. das D unter dem A der großen Scheibe steht.
Dein Schlüssel lautet nun D = A. Affe heißt jetzt: D I I H.

5 Schreibe jemandem eine verschlüsselte Botschaft.
Gib deinen Verschlüsselungscode an, z. B. D = A.
Kann der Empfänger die Botschaft entschlüsseln?

Klasse: ______ Datum: __________ Name: ______________________________

Geheimschriften lesen und schreiben

Morsen

A	· —	J	· — — —	S	· · ·
B	— · · ·	K	— · —	T	—
C	— · — ·	L	· — · ·	U	· · —
D	— · ·	M	— —	V	· · · —
E	·	N	— ·	W	· — —
F	· · — ·	O	— — —	X	— · · —
G	— — ·	P	· — — ·	Y	— · — —
H	· · · ·	Q	— — · —	Z	— — · ·
I	· ·	R	· — ·		

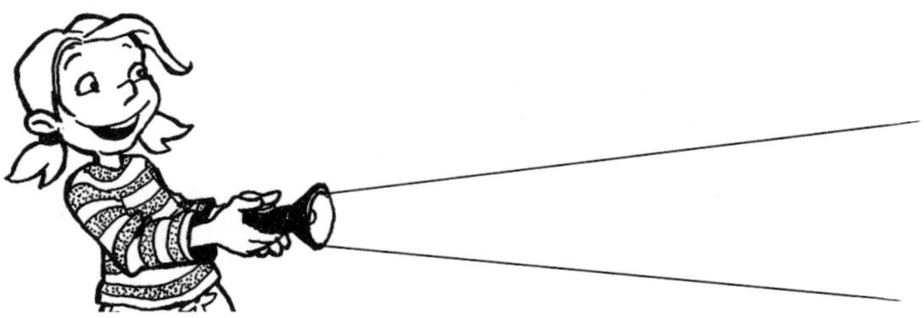

1 Mit Taschenlampen könnt ihr euch Nachrichten senden.
- Richtet eine Taschenlampe auf die Tafel oder auf einen anderen dunklen Hintergrund.
- Blinkt mit der Taschenlampe lang oder kurz. Macht nach jedem Buchstaben eine kurze Pause.
- Dein Partnerkind schreibt die Nachricht auf und entschlüsselt sie.

2 Erfindet Klopfzeichen. Unterhaltet euch, indem ihr auf eure Tische klopft oder eine Trommel benutzt.

3 Erfindet andere Möglichkeiten, wie man sich ohne Worte verständigen kann.

Klasse: ______ Datum: __________ Name: ____________________

W-Fragen stellen

Das Thing

Die Wikinger regierten ihr Land durch das Thing. Jedes Gebiet hatte sein eigenes Thing. Hier versammelten sich regelmäßig alle freien Männer. Sie trafen sich an bestimmten Plätzen und zu bestimmten Zeiten.

Während der Versammlung wurden Neuigkeiten ausgetauscht, Verbrecher bestraft und neue Gesetze beschlossen. Der Thingplatz war heilig und es herrschte Thingfrieden. Das Thing wurde vom Gesetzessprecher geleitet. Er musste die Gesetze des Gebietes auswendig wissen und vorlesen können, wenn es nötig war. Er musste die Beschlüsse des Things verkünden und durchsetzen.

1 Lies den Text genau.

2 Schreibe W-Fragen zum Text auf: Wer? Was? Wann? Wo? Zum Beispiel so:

Wer versammelte sich im Thing?

____

____

____

____

____

____

____

3 Unterstreiche mit einem Lineal die Antworten im Text.

Klasse: ______ Datum: __________ Name: ______________________________

Bildern Informationen entnehmen

Silbermünzen herstellen

In Haithabu wurden die Waren mit Silbermünzen bezahlt.
Dazu wurde das Silber gewogen.
Die gewogene Grammzahl des Silbers war der Preis.

So könnt ihr euch Silbermünzen herstellen:

Ihr braucht dazu: eine Münze
feste Pappe
Alufolie

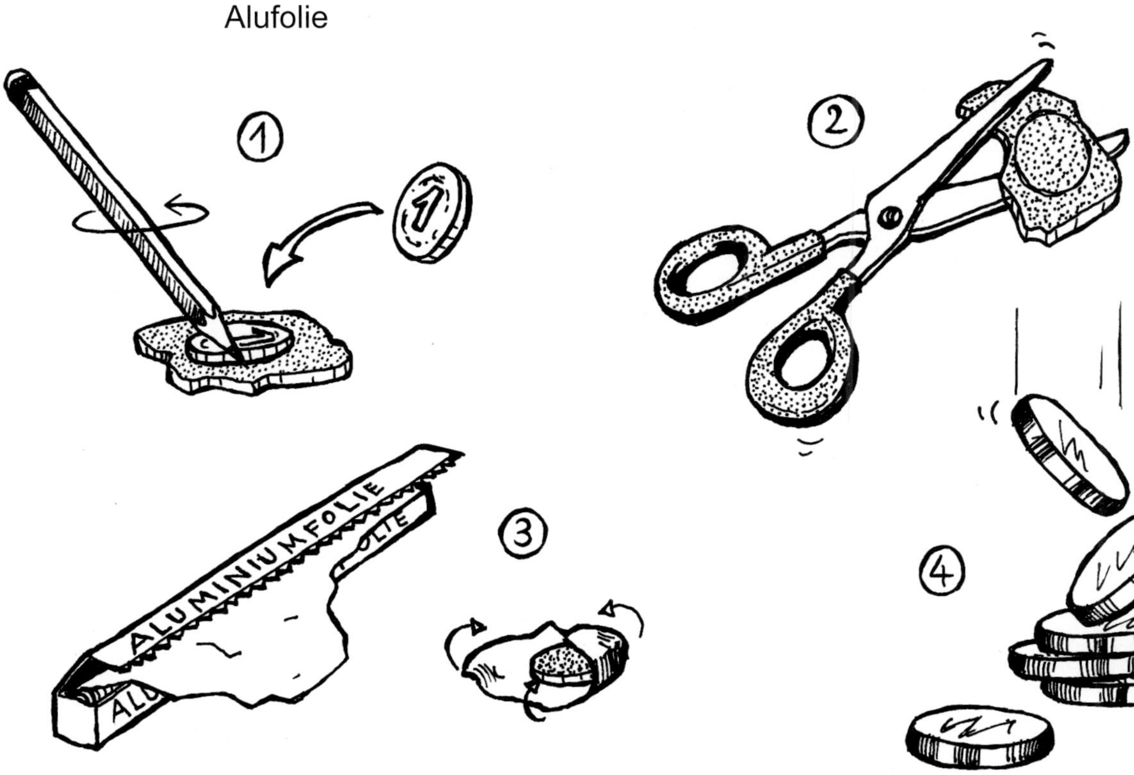

Klasse: ______ Datum: __________ Name: ____________________

Rollenspiel

Handel in Haithabu

Preisliste

Ware	Preis
Helm	390 g Silber
Schild	138 g Silber
Mantel	13 g Silber
Sklave	305 g Silber
Sklavin	208 g Silber
15 Hühner	4 g Silber
Kuh	138 g Silber
Pferd	488 g Silber
Schaf	15 g Silber
Kamm	2 g Silber
Kette	10 g Silber

1 Schreibe ein Gespräch vom Wikinger-Markt.
Verwende dabei diese Preisliste.

Kaufmann: „Komm doch näher. Schau, was ich für schöne Waren habe."

____

____

____

____

____

____

____

2 Spiele dein Gespräch mit einem Partnerkind.

Klasse: ______ Datum: __________ Name: ______________________

Treffende Adjektive finden

Das Langhaus der Wikinger

Die ______________________ Häuser der Wikinger — *weichen/großen/schönen*

bestanden aus ______________________ Holzwänden — *stabilen/zerbrechlichen/netten*

oder aus Zweigen. Die Dächer waren mit

______________________ Stroh oder Gras gedeckt. — *grünem/frischem/trockenem*

Das Wikingerhaus hatte nur einen ______________________ — *großen/runden/alten*

Raum. In ihm aßen, schliefen und spielten die Wikinger.

Wenn man einen ______________________ Teil — *gemütlichen/kleinen/sauberen*

abtrennen wollte, wurden ______________________ — *moderne/kurze/lange*

Kleider oder ______________________ Felle zwischen — *schmutzige/kurze/große*

den Balken aufgehängt. Im Bauernhaus war Platz

für eine ______________________ Familie. — *mehrköpfige/große/nette*

Die Wikingerhäuser hatten keine Fenster

und eine ______________________ Feuerstelle. — *versteckte/gefährliche/offene*

Es konnte schlecht gelüftet werden. Deshalb wohnten

die Wikinger in ______________________ Räumen. — *verrauchten/verbrannten/hellen*

1 Lies jeden Satz genau.

2 Wähle das passende Adjektiv aus und setze es in die Lücke ein.

3 Lies deinen Text noch einmal einem Partnerkind vor.
Sind alle Sätze verständlich? Hört sich dein Text gut an?

Klasse: ______ Datum: __________ Name: ____________________

Treffende Adjektive finden

Das Langhaus der Wikinger

Die ____________________ Häuser der Wikinger bestanden aus

____________________ Holzwänden oder aus Zweigen.

Die Dächer waren mit ____________________ Stroh oder Gras gedeckt.

Das Wikingerhaus hatte nur einen ____________________

Raum. In ihm aßen, schliefen und spielten die Wikinger.

Wenn man einen ____________________ Teil abtrennen wollte,

wurden ____________________ Kleider oder ____________________ Felle

zwischen den Balken aufgehängt. Im Bauernhaus war Platz

für eine ____________________ Familie. Die Wikingerhäuser hatten

keine Fenster und eine ____________________ Feuerstelle.

Es konnte schlecht gelüftet werden. Deshalb wohnten

die Wikinger in ____________________ Räumen.

1 Lies jeden Satz genau.

2 Setze in die Lücken treffende Adjektive ein.
Manche Adjektive kannst du zweimal verwenden.

lang | groß | stabil | mehrköpfig | trocken | verraucht | klein | offen

3 Lies deinen Text noch einmal einem Partnerkind vor.
Sind alle Sätze verständlich? Hört sich dein Text gut an?

Klasse: ______ Datum: __________ Name: ____________________

Treffende Adjektive finden

Das Langhaus der Wikinger

Die ______________________ Häuser der Wikinger bestanden aus

______________________ Holzwänden oder aus Zweigen.

Die Dächer waren mit ______________________ Stroh oder Gras gedeckt.

Das Wikingerhaus hatte nur einen ______________________

Raum. In ihm aßen, schliefen und spielten die Wikinger.

Wenn man einen ______________________ Teil abtrennen wollte,

wurden ______________________ Kleider oder ______________________ Felle

zwischen den Balken aufgehängt. Im Bauernhaus war Platz

für eine ______________________ Familie. Die Wikingerhäuser hatten

keine Fenster und eine ______________________ Feuerstelle.

Es konnte schlecht gelüftet werden. Deshalb wohnten

die Wikinger in ______________________ Räumen.

1 Lies jeden Satz genau.

2 Setze in die Lücken treffende Adjektive ein.

3 Lies deinen Text noch einmal einem Partnerkind vor.
Sind alle Sätze verständlich? Hört sich dein Text gut an?

Klasse: ______ Datum: __________ Name: ____________________________

Personen beschreiben

Leif Erikson wird vermisst

Name: Leif Erikson

Alter: 32 Jahre

Größe: 1,58 m

Haarfarbe: dunkelbraun

Augenfarbe: blau

Kleidung: graue Wollhose, rotes Hemd, blauer Umhang, Lederschuhe

Besondere Merkmale: Narbe auf der Wange, Bart

Vermisstenanzeige:

____

____

____

____

____

____

1 Leif Erikson wird vermisst.
Schreibe mit Hilfe des Steckbriefs eine Vermisstenanzeige.

Klasse: ______ Datum: __________ Name: ____________________

Pronomen

Vom Leben der Wikinger

1 Welches Nomen kannst du durch welches Pronomen ersetzen?
Suche zuerst das Nomen und unterstreiche es.
Ersetze nun das Nomen durch ein Pronomen.
Schreibe den neuen Satz auf.

ich | du | er | sie | es | wir | ihr | sie

Leif Haardraade baut ein Haus.

Er baut ein Haus.

Freyja Vilgerson näht ein Kleid.

Das Langschiff nähert sich der Küste.

Die Sklaven misten den Stall aus.

Die Schafe fressen viel Gras.

Die Familie lebt in einem Langhaus.

Das Kind läuft den Schafen hinterher.

2 Bilde Satzpaare mit einem Nomen und dem passenden Pronomen.

Thore und Leif spielen Hnefatafl. — Sie wollen beide gewinnen.

Nomen — Pronomen

Klasse: ______ Datum: __________ Name: ____________________

Satzglieder

Sätze umstellen

1 Schneide die Satzglieder aus.
Lege mit allen Satzgliedern unterschiedliche Sätze.

2 Probiere aus und entscheide: Wie klingen die Sätze am besten?
Wähle unterschiedliche Satzanfänge. Klebe sie in deiner Reihenfolge auf.

1	THORE	LÄUFT	MITTAGS	NACH HAUSE
2	ER	GEHT	MANCHMAL	EINEN UMWEG
3	AN EINEM HAUS	KOMMT	THORE	VORBEI
4	VOR DEM HAUS	SITZT	HEUTE	EIN SCHWARZER HUND
5	DER HUND	BELLT	PLÖTZLICH	
6	THORE	BLEIBT	ERSCHROCKEN	STEHEN
7	DER HUND	SPRINGT	ÜBER DEN ZAUN	
8	DER HUND	LÄUFT	AN THORE	VORBEI
9	DER HUND	BEGRÜẞT	FREUDIG	EINE FRAU
10	DIE FRAU	FRAGT	„WILLST DU MEINEN HUND STREICHELN?“	

Klasse: ______ Datum: __________ Name: ______________________________

Wörter mit aa, ee, oo

Übungen

1 Setze die fehlenden Wörter ein.

Der S c h ___ ___ ___ rieselt im Winter leise zu Boden. (ee)

Einen sehr großen Raum nennt man S ___ ___ ___. (aa)

Zwei Dinge, die zusammengehören, bilden ein P ___ ___ ___. (aa)

Wer Glück hat, findet K ___ ___ ___ mit vier Blättern. (ee)

Mit einem B ___ ___ ___ kann man auf dem Wasser fahren. (oo)

Das Wasser im M ___ ___ ___ schmeckt ganz salzig. (ee)

Im M ___ ___ ___ kann man versinken. (oo)

Die F ___ ___ ist in Geschichten und Märchen eine Zauberin. (ee)

Manchmal findet man ein H ___ ___ ___ in der Suppe. (aa)

Nicht nur die Engländer trinken gern heißen T ___ ___. (ee)

Im Z ___ ___ leben viele Tiere aus fernen Ländern. (oo)

2 Ordne die Wörter aus Aufgabe 1 nach dem Alphabet.

Boot, ____

____

3 Die Nomen sind durcheinandergeraten. Entschlüssle die Wörter und schreibe sie richtig auf. Kontrolliere mit dem Wörterbuch.

paarEhe	das	____________	sturmSchnee	der	____________
feeMärchen	die	____________	bootRuder	das	____________
blattKlee	das	____________	tasseTee	die	____________

Klasse: ______ Datum: __________ Name: ____________________________

Wörter mit aa, ee, oo

Übungen

1 Setze die fehlenden Wörter ein.

Der S ___ ___ ___ ___ ___ rieselt im Winter leise zu Boden.

Einen sehr großen Raum nennt man S ___ ___ ___.

Zwei Dinge, die zusammengehören, bilden ein P ___ ___ ___.

Wer Glück hat, findet K ___ ___ ___ mit vier Blättern.

Mit einem B ___ ___ ___ kann man auf dem Wasser fahren.

Das Wasser im M ___ ___ ___ schmeckt ganz salzig.

Im M ___ ___ ___ kann man versinken.

Die F ___ ___ ist in Geschichten und Märchen eine Zauberin.

Manchmal findet man ein H ___ ___ ___ in der Suppe.

Nicht nur die Engländer trinken gern heißen T ___ ___.

Im Z ___ ___ leben viele Tiere aus fernen Ländern.

2 Ordne die Wörter aus Aufgabe 1 nach dem Alphabet.

____

____

____

3 Entschlüssle die Wörter und schreibe sie richtig auf. Kontrolliere mit dem Wörterbuch.

Eheaapr das ____________________ Scheenstrum der ____________________

Mrächnefee die ____________________ Rduerboot das ____________________

Klasse: ______ Datum: __________ Name: ____________________

Wörter mit aa, ee, oo

Übungen

1 Setze die fehlenden Wörter ein.

Der S ___ ___ ___ ___ ___ rieselt im Winter leise zu Boden.

Einen sehr großen Raum nennt man S ___ ___ ___.

Zwei Dinge, die zusammengehören, bilden ein P ___ ___ ___.

Wer Glück hat, findet K ___ ___ ___ mit vier Blättern.

Mit einem B ___ ___ ___ kann man auf dem Wasser fahren.

Das Wasser im M ___ ___ ___ schmeckt ganz salzig.

Im M ___ ___ ___ kann man versinken.

Die ___ ___ ___ ist in Geschichten und Märchen eine Zauberin.

Manchmal findet man ein H ___ ___ ___ in der Suppe.

Nicht nur die Engländer trinken gern heißen ___ ___ ___.

Im ___ ___ ___ leben viele Tiere aus fernen Ländern.

2 Ordne die Wörter aus Aufgabe 1 nach dem Alphabet.

____

____

3 Entschlüssle die Wörter und schreibe sie richtig auf. Setze den richtigen Artikel hinzu. Kontrolliere mit dem Wörterbuch.

Hraabürtse die ____________	Keelbaltt ____________
Eheaapr ____________	Scheenstrum ____________
Mrächnefee ____________	Rduerboot ____________

Klasse: ______ Datum: __________ Name: ______________________

Unterschiedliche Textsorten kennen

Bauernregeln

1 Was ist mit diesen Bauernregeln gemeint?
Schreibe den Inhalt in kurzen Sätzen auf.

schön = warmes, sonniges Wetter;
Spektakel (es geht drunter und drüber) = Wetterwechsel;
Segen = Glück, gute Ernte

So heißt die Bauernregel:	**Das ist damit gemeint:**
Ist es schön zur Weihnachtsfeier, fällt der Schnee auf Ostereier. 	Wenn es zu Weihnachten __________ ist, dann __________ __________
Wenn der April Spektakel macht, gibt's Korn und Heu in voller Pracht. 	Wenn es __________ __________ __________ __________
Im März viel Regen, im Sommer wenig Segen. 	__________ __________ __________ __________
Geht die Sonne feurig auf, folgen Wind und Regen drauf. 	__________ __________ __________ __________

Klasse: ______ Datum: __________ Name: ____________________

Den Inhalt eines Sachtextes wiedergeben

Der Kreislauf des Wassers

Aus den Meeren, aus den Seen und aus den Flüssen verdunstet Wasser, das heißt, die unsichtbaren Wasserteilchen steigen wie Dampf in die Höhe.
Wenn dieser Wasserdampf in kältere Luftschichten kommt, verwandelt er sich wieder in Wasser, er kondensiert. Die winzig kleinen Wassertröpfchen können wir als Wolken sehen.

Die Tröpfchen vereinigen sich zu immer größeren Tropfen. Die können jedoch nicht mehr schweben und fallen als Regen zur Erde. Der Kreislauf kann von Neuem beginnen.

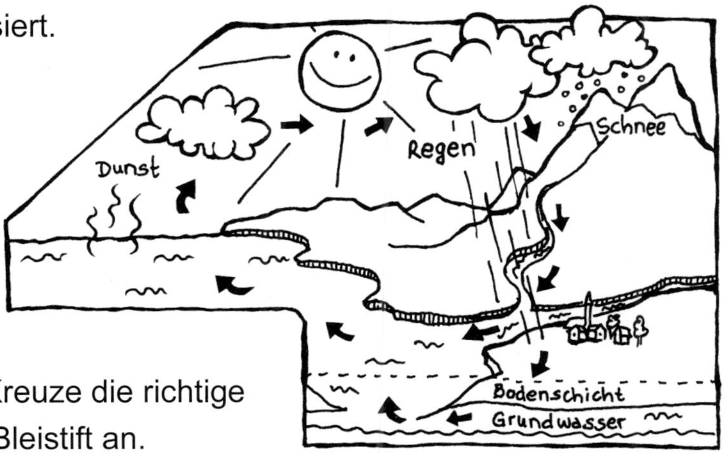

1 Lies den Text genau.

2 Lies die Fragen und Antworten. Kreuze die richtige Antwort auf die Frage mit einem Bleistift an.

(1) Was passiert, wenn unsichtbare Wasserteilchen in die Höhe steigen?

[a] sie verirren sich [b] sie verdunsten [c] sie verdursten

(2) Wo verwandelt sich der Wasserdampf wieder in Wasser?

[a] in kälteren Luftschichten [b] in wärmeren Luftschichten [c] in den Wolken

(3) Wie sehen wir die winzig kleinen Wassertropfen von der Erde aus?

[a] gar nicht [b] als Tröpfchen [c] als Wolken

(4) Woraus besteht ein Regentropfen?

[a] aus vielen winzig kleinen Wassertröpfchen [b] aus Wolken [c] aus Regen

Lösung: (1) b, (2) a, (3) c, (4) a

Klasse: ______ Datum: __________ Name: ______________________

Eine Geschichte schreiben

Die Radtour

1 Betrachte das Bild. Was könntest du über die Radtour erzählen?
Die Ideen-Wörter unten helfen dir dabei. Schreibe zu jeder Frage einen Satz.

Wer macht zusammen eine Radtour?

____

Wie ist das Wetter beim Start?

____

Wo ist das Ziel? Welche Wege führen dahin?

____

____

Was passiert plötzlich? Was ist der Höhepunkt der Geschichte?

____

____

____

Welches Ziel wird schließlich erreicht?

____

____

Ideen-Wörter

Radtour regnen Gewitter
strömen klatschnass Feldweg Gasthaus
krachen Bö ausrutschen matschig

Klasse: ______ Datum: __________ Name: ______________________________

Poetisches Schreiben zu einem Bild

Wortkarten

verborgen	Wolke	leuchtend	Licht
dunkel	________	________	________
________	________	________	________
________	________	________	________

1 Betrachte zuerst das Bild.
Schreibe die Wörter, die dir dazu einfallen, auf die leeren Karten.

2 Schneide dann die Wortkarten sauber aus.

3 Lege alle Karten aus. Lass die Wörter miteinander spielen.

4 Nimm immer zwei Karten und lege sie zusammen.

5 Probiere, bis dir die Reihenfolge gefällt. Schreibe die Wörter auf.

Klasse: ______ Datum: __________ Name: ____________________

Ein Wortfeld ordnen

Wetterwörter

kühl · Hitze · mild · bedeckt · Brise · Schnee · Tau · Abendrot · klar · Gewitter · Frost · Sturm · wehen · Wolkendecke · wolkenlos · kalt · bewölkt · Regenbogen · Blitz · Tornado · trübe · heiß · windig · Hagel · Donner · Regen · schneien · warm · nieseln · wolkig · Reif · Bö · Windstille

1 Ordne die Wetterwörter diesen Überschriften zu.

Temperatur: kühl, ____________________

____

Bewölkung: bedeckt, ____________________

____

Windstärke: Brise, ____________________

____

Niederschlag: Schnee, ____________________

____

Besondere Wettererscheinungen: Abendrot, ____________________

____

2 Ergänze die Listen durch weitere Wörter.

Klasse: ______ Datum: __________ Name: ______________________

Mit Adjektiven vergleichen

Kalt – kälter – am kältesten

1 Ergänze die folgenden Sätze:

Heute ist es kälter als gestern.

Der Himmel war am Freitag (wolkig) ________________ als heute.

In Afrika ist es viel (warm) ________________ als hier.

Nach dem Regen ist die Luft (frisch) ________________ als vorher.

2 Bilde die Vergleichsstufe (Mehrstufe). Setze die Adjektive richtig ein.

stark viel kalt laut hell

Vorigen Winter war es ____________ als in diesem Jahr.

Gestern hat es ____________ geregnet als im ganzen Monat April.

Der Donner war ____________, als ich dachte.

Er hatte nie einen ________________ Sturm erlebt als diesen.

Dieser Blitz war ____________ als alle anderen davor.

3 Ergänze die fehlenden Wörter.

windig		
		am wärmsten
	höher	

Klasse: ______ Datum: __________ Name: ______________________

Nomen in Adjektive verwandeln

Wörter mit -ig und -lich

1 Verwandle die Nomen in Adjektive.

Freund – freundlich

 – ____________________

Sommer – ____________________

Winter – ____________________

Herbst – ____________________

Schatten – schattig

Frost – ____________________

Eis – ____________________

Tag – ____________________

 – ____________________

2 Füge jedem Nomen ein passendes Adjektiv aus Aufgabe 1 hinzu.

der sonnige Tag

das ____________________ Wetter

die ____________________ Kälte

die ____________________ Stimmung

der ____________________ Morgen

der ____________________ Himmel

die ____________________ Temperaturen

die ____________________ Hitze

das ____________________ Plätzchen

der ____________________ Abend

3 Trage die Adjektive aus Aufgabe 1 in die richtige Spalte ein.

Adjektive mit -ig	Adjektive mit -lich
sonnig	freundlich

Klasse: ______ Datum: __________ Name: ______________________________

Nomen in Adjektive verwandeln

Wörter mit -ig und -lich

1 Verwandle die Nomen in Adjektive.

Freund – freundlich

 – ____________________

Sommer – ____________________

Winter – ____________________

Herbst – ____________________

Schatten – schattig

Frost – ____________________

Eis – ____________________

Tag – ____________________

 – ____________________

2 Finde zu jedem Adjektiv aus Aufgabe 1 ein passendes Nomen.
Schreibe die Wortgruppe auf.

der sonnige Tag ____________________

3 Trage die Adjektive aus Aufgabe 1 in die richtige Spalte ein.

Adjektive mit -ig	Adjektive mit -lich

Klasse: ______ Datum: __________ Name: ____________________

Nomen in Adjektive verwandeln

Wörter mit -ig und -lich

1 Verwandle die Nomen in Adjektive.

Freund – freundlich

Schatten – schattig

 – __________

Frost – __________

Sommer – __________

Eis – __________

Winter – __________

Tag – __________

Herbst – __________

 – __________

2 Finde zu jedem Adjektiv aus Aufgabe 1 ein passendes Nomen. Schreibe die Wortgruppe auf.

der sonnige __________   __________

__________   __________

__________   __________

__________   __________

__________   __________

3 Trage die Adjektive aus Aufgabe 1 in die richtige Spalte ein. Finde weitere Adjektive mit -ig und -lich und schreibe sie in dein Heft.

Adjektive mit -ig	**Adjektive mit -lich**

Klasse: ______ Datum: __________ Name: ______________________

Wörter mit ck

ck nach kurzem Vokal

1 Setze die fehlenden Buchstaben ck oder k ein.
Achte darauf, ob ein kurzer Vokal vor dem Buchstaben steht.

Graue Wol_k_en bede**ck**ten den Himmel.

Immer dun___ler wurde es. Katja und Janosch p**a**___ten

vorsichtshalber ihre Regenj**a**___en aus und zogen sie an.

Bald z**u**___te der erste Blitz am Himmel. Erschr**o**___en schauten beide hoch.

Star___er Regen strömte in Bächen nieder. Janosch entd**e**___te einen nicht weit

entfernten Felsvorsprung. „Komm mit!“, schrie er gegen den Wind und zog Katja mit sich.

Kurze Zeit später standen beide in einer kalten, aber tr**o**___enen Felshöhle.

Nur dun___el war es dort im Innern. Plötzlich huschte etwas an ihnen vorbei. „Ach, du

Schr**e**___!“ Katja pa___te Janosch am Ärmel. Sie r**ü**___ten näher aneinander, aber es

blieb still. „Wahrscheinlich wollte sich da noch jemand vor dem Regen verst**e**___en“,

lachte Katja. Janosch trat aus der Höhle und win___te Katja zu: „Komm, wir haben

gar nicht gemer___t, dass der Regen vorbei ist.“

2 Ordne die Wörter aus Aufgabe 1 richtig in die Tabelle.

eck	bedeckten,
ack	
uck/ück	
ock	

Klasse: ______ Datum: __________ Name: ______________________

Wörter mit ck

ck nach kurzem Vokal

1 Setze die fehlenden Buchstaben ck oder k ein.
Achte darauf, ob ein kurzer Vokal vor dem Buchstaben steht.

Graue Wol____en bede____ten den Himmel.

Immer dun____ler wurde es. Katja und Janosch pa____ten

vorsichtshalber ihre Regenja____en aus und zogen sie an.

Bald zu____te der erste Blitz am Himmel. Erschro____en schauten beide hoch.

Star____er Regen strömte in Bächen nieder. Janosch entde____te einen nicht weit

entfernten Felsvorsprung. „Komm mit!“, schrie er gegen den Wind und zog Katja mit sich.

Kurze Zeit später standen beide in einer kalten, aber tro____enen Felshöhle.

Nur dun____el war es dort im Innern. Neugierig bli____ten sie in die Tiefe der Höhle.

Plötzlich huschte etwas an ihnen vorbei. „Ach, du Schre____!“ Katja pa____te Janosch am

Ärmel. Sie rü____ten näher aneinander, aber es blieb still. „Wahrscheinlich wollte sich da

noch jemand vor dem Regen verste____en“, lachte Katja. Janosch trat aus der Höhle und

win____te Katja zu: „Komm, wir haben gar nicht gemer____t, dass der Regen vorbei ist.“

2 Ordne die Wörter aus Aufgabe 1 richtig in die Tabelle. Mache einen Punkt unter den kurzen Vokal vor dem ck.

eck	bedeckten,
ack	
uck/ück	
ock	
ick	

Klasse: ______ Datum: __________ Name: ____________________________

Wörter mit ck

ck nach kurzem Vokal

1 Setze die fehlenden Buchstaben ck oder k ein.

Graue Wol____en bede____ten den Himmel. Immer dun____ler wurde es.

Katja und Janosch pa____ten vorsichtshalber ihre Regenja____en aus und zogen sie an.

Wind kam auf, die Blätter an den Bäumen begannen zu wa____eln.

Bald zu____te der erste Blitz am Himmel. Erschro____en schauten beide hoch.

Star____er Regen strömte in Bächen nieder. Janosch entde____te einen nicht weit

entfernten Felsvorsprung. „Komm mit!“, schrie er gegen den Wind und zog Katja mit sich.

Kurze Zeit später standen beide in einer kalten, aber tro____enen Felshöhle.

Nur dun____el war es dort im Innern. Neugierig bli____ten sie in die Tiefe der Höhle.

Plötzlich huschte etwas an ihnen vorbei. „Ach, du Schre____!“ Katja pa____te Janosch am

Ärmel. Sie rü____ten näher aneinander, aber es blieb still. „Wahrscheinlich wollte sich da

noch jemand vor dem Regen verste____en“, lachte Katja. Janosch trat aus der Höhle und

win____te Katja zu: „Komm, wir haben gar nicht gemer____t, dass der Regen vorbei ist.“

Katja gab sich einen Ru____: „Weil wir so ein schönes Verste____ hatten“, murmelte sie.

2 Ordne die Wörter aus Aufgabe 1 richtig in die Tabelle.

eck	
ack	
uck/ück	
ock	
ick	

Klasse: ______ Datum: __________ Name: ____________________

Medien und Wirklichkeit vergleichen

Dino trifft T-Rex

Tina ist Lenkdrachen-Fan. Aber sie kann sich mit niemandem so recht über ihr Hobby austauschen. Das ist anders, wenn sie im Internet die Lenkdrachen-Seiten besucht. Im Chat kann sie andere Drachenlenker kennen lernen. Am Nachmittag trifft sie im Chat auf jemanden, der sich „T-Rex“ nennt. Sie selbst hat sich den Spitznamen „Dino“ gegeben.

„Dino betritt den Raum“, meldet der Chat. Und T-Rex reagiert: „Hallo, Dino! Sag bloß, dein Drachen ist auch ein Saurier?“ „Klar! Deiner auch?“, tippt Tina. „Ein himmelblauer Tyrannosaurus Rex – und er fliegt super!“, kommt die Antwort. „Wo lässt du ihn steigen? Wo wohnst du überhaupt?“, will Tina wissen.

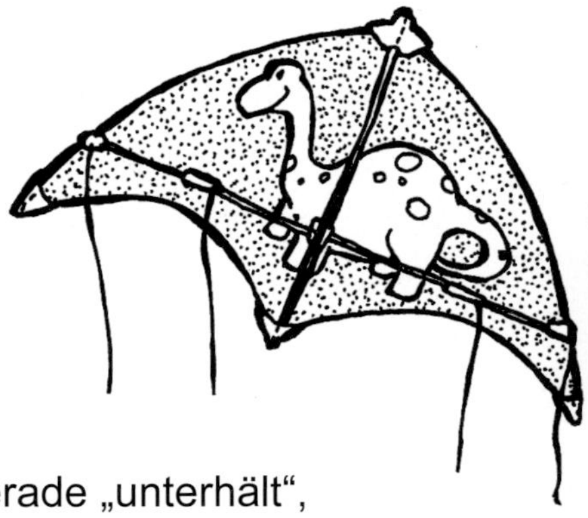

1 Lies den Text genau.

2 Wie ist das mit dem Chatten im Internet?
Kreuze die Aussagen an, die du für richtig hältst.

- [ ] Im Chat weiß man nie genau, mit wem man sich gerade „unterhält“, weil sich dort jeder einen Namen ausdenken kann.
- [ ] Im Chat schreiben alle immer die Wahrheit über sich.
- [ ] Du kannst im Chat ruhig schreiben, wie du wirklich heißt und wo du wohnst, weil alle Chatpartner nett sind.
- [ ] Du darfst im Chat niemals schreiben, wie du mit Nachnamen heißt und wo du genau wohnst, weil im Chat auch Betrüger mitmachen.
- [ ] Eltern sollten immer wissen, wann ihre Kinder im Internet sind und in welchem Chatroom sie sich mit anderen unterhalten.
- [ ] Chatten im Internet ist harmlos. Darüber müssen Eltern nichts wissen.

3 Vergleiche deine Antworten mit einem Partnerkind.

4 Wertet eure Antworten gemeinsam aus.
Sprecht mit den Lehrern und euren Eltern darüber.
Was würden sie ankreuzen?

Klasse: ______ Datum: __________ Name: ______________________________

Eine Geschichte weitererzählen

Kommt ein Skateboard geflogen

Tim bekommt zum Geburtstag das lang ersehnte Skateboard. Nun steht er am Kiefernweg. Gunnar sagt, dass man dort prima Skateboard fahren kann. Da traue ich mich nie runter, denkt Tim und will schon wieder gehen. Doch in diesem Augenblick saust Gunnar um die Straßenecke. Lässig steht er auf seinem Skateboard, den Schirm seiner Mütze hat er in den Nacken gedreht.
Tim springt erschrocken zurück, als Gunnar unmittelbar vor ihm stoppt.
Der lacht. „Was suchst du denn hier?“
„Na ja.“ Tim zeigt auf sein neues Skateboard. „Das war bestimmt im Sonderangebot“, sagt Gunnar, nachdem er das Brett fachmännisch untersucht hat. „Mit solchen Farben fährt heute kein Mensch mehr. Aber schlecht ist es nicht. Ich probier’ das Ding mal aus, ja?“
Bevor Tim antworten kann, ist Gunnar schon gestartet und kurvt in rasendem Tempo den Kiefernweg hinunter.
Auf seiner Fahrt muss er durch eine tiefe Bodenwelle. Ohne abzubremsen, flitzt er hinein.
Dann lässt er sich heraussegeln, als wäre er auf einer Sprungschanze.
Unten schwingt er locker aus, verlagert das Körpergewicht nach hinten, und das Skateboard fliegt ihm wie von selbst in die Hand. Kinderleicht hat alles ausgesehen, überhaupt nicht gefährlich.
Das kann ich auch, denkt Tim.
Und als Gunnar ihm das Brett zurückbringt, da rückt er Ellenbogen- und Knieschützer zurecht, steigt auf das Skateboard – und landet eine Sekunde später auf dem Hosenboden.
Das Brett saust quer über die Straße und verschwindet in einer Baugrube.
Gunnar hilft Tim hoch: „Ich fass’ es nicht!“ Tims Hintern brennt wie Feuer.
Vorsichtig tastet er über die Hose.
Ein Glück, die Jeans ist heil geblieben.
„Ich fass’ es nicht“, wiederholt Gunnar.
„Bist noch nie gefahren und willst gleich den Weltmeister spielen.
Das hast du jetzt davon!“
Ohne sich um Gunnar zu kümmern, humpelt Tim zur Baugrube. In zwei Meter Tiefe liegt sein schönes grün-rosafarbenes Skateboard im Matsch.

Jürgen Banscherus

1 Wie könnte die Geschichte weitergehen?
Schreibe in dein Heft.

Klasse: ______ Datum: __________ Name: ______________________________

Stimme und Körper einsetzen

Fußballreporter

„… van Bimmel läuft auf der Rechten bis hin zur Grundlinie und flankt. Der Ball kommt in den Strafraum und – der Torwart hechtet, aber er erwischt den Ball nicht – der Ball geht ins Aus. Olli Scholz legt sich den Ball zurecht, er läuft an und der Abschlag geht weit über die Mittellinie hinaus. Posalski gewinnt das Kopfballduell gegen Schubert, Schall verlängert auf Schopf und dem – springt der Ball vom Fuß ins Aus. Langsam läuft Posalski zum Ball, jaja, die Grünberger haben Zeit, die Uhr läuft für sie. Kein Wunder bei einem Spielstand von 1:0. Posalski wirft den Ball – weit wirft er ihn, und wie weit. Er landet am Fuß von Silatzek, der nimmt ihn gekonnt an und marschiert Richtung Seeburger Tor. Geschickt tanzt er den ersten Abwehrspieler aus, legt den Ball ab auf Tirolsen, der flankt von der rechten Seite. Danelson löst sich aus dem Schatten seines Gegenspielers, steigt hoch und – Tooooooor.“

1 Lies den Text genau.

2 Wie heißen die Spieler? Markiere alle Namen.

3 Welche Mannschaften spielen gegeneinander? Woher kommen sie? Markiere die Ortsnamen in einer anderen Farbe.

4 Übe, wie ein Fußballreporter zu sprechen:
- langsam und ruhig, wenn wenig auf dem Spielfeld los ist;
- laut und schnell, wenn es aufregend wird.

Übe vor allem, die Namen deutlich auszusprechen.

5 Trage danach den Text in der Klasse vor.

6 Wie geht es weiter? Spielt und sprecht.

Klasse: ______ Datum: __________ Name: ______________________

Über Freizeit nachdenken

Mein Freizeitprotokoll

Montag: ____

Dienstag: ____

Mittwoch: ____

Donnerstag: ____

Freitag: ____

Samstag: ____

____

Sonntag: ____

____

1 Schreibe eine Woche lang jeden Tag genau auf, was du in deiner Freizeit gemacht hast. Gib die Zeitdauer und die Tätigkeit an.

2 Zähle am Ende der Woche die Stunden für jede Tätigkeit zusammen.

Hausaufgaben: _____ Stunden ______________________

Lesen: _____ Stunden ______________________

Sportverein: _____ Stunden ______________________

Fernsehen: _____ Stunden ______________________

Computer: _____ Stunden ______________________

Klasse: ______ Datum: __________ Name: ____________________

Das Prädikat

Sportarten

1 Unterstreiche in jedem Satz das Prädikat.
Schreibe die Grundform auf.

Was tun die Kinder?	**Grundform**
a) Nadine springt über die Latte.	springen
b) Jan schlägt gegen den Puck.	
c) Amina rennt mit anderen um die Wette.	
d) Kevin schmettert den Ball über die Platte.	
e) Fritz stemmt das Eisen in die Höhe.	
f) Lina nimmt den Ball mit dem linken Fuß an.	annehmen
g) Marie wirft den Ball der Mitspielerin zu.	
h) Peter fährt mit seinem Fahrrad los.	

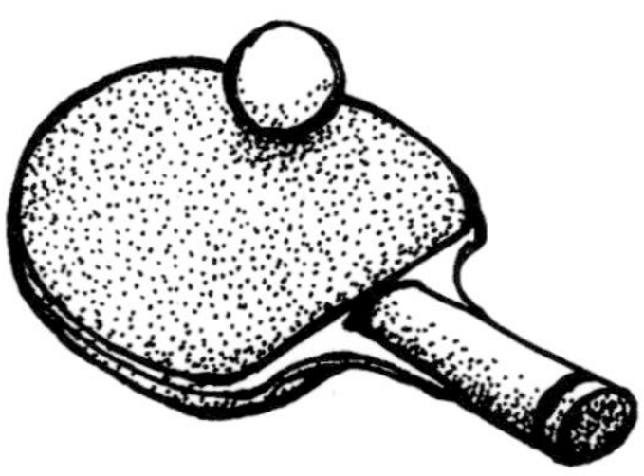

2 Um welche Sportarten handelt es sich in den Sätzen aus Aufgabe 1?

a) ____________________ e) ____________________

b) ____________________ f) ____________________

c) ____________________ g) ____________________

d) ____________________ h) ____________________

Lösungen: a) Hochsprung, b) Hockey, c) Wettrennen, d) Tischtennis,
e) Gewichtheben, f) Fußball, g) Handball, h) Fahrradfahren

Klasse: ______ Datum: ___________ Name: ______________________

Das Prädikat

Sportarten

1 Unterstreiche in jedem Satz das Prädikat.
Schreibe auf, wie du nach dem Prädikat fragst.

____

2 Unterstreiche in jedem Satz das Prädikat.
Schreibe die Grundform auf.

	Grundform
Nadine springt über die Latte.	springen
Jan schlägt gegen den Puck.	
Amina rennt mit anderen um die Wette.	
Kevin schmettert den Ball über die Platte.	
Fritz stemmt das Eisen in die Höhe.	

Unterstreiche in jedem Satz das zweiteilige Prädikat.

Lina nimmt den Ball mit dem linken Fuß an.	annehmen
Marie wirft den Ball der Mitspielerin zu.	
Peter fährt mit seinem Fahrrad los.	

Schreibe mit jedem Verb einen Satz.
Unterstreiche in jedem Satz das Prädikat.

schwimmen | tanzen | klettern | tauchen

____

____

____

____

Klasse: ______ Datum: __________ Name: ____________________

Das Prädikat

Sportarten

1 Schreibe auf, wie du nach dem Prädikat fragst.

____

2 Unterstreiche in jedem Satz das Prädikat.
Schreibe die Grundform auf.

	Grundform
Nadine springt über die Latte.	springen
Jan schlägt gegen den Puck.	
Amina rennt mit anderen um die Wette.	
Kevin schmettert den Ball über die Platte.	
Fritz stemmt das Eisen in die Höhe.	

3 Unterstreiche in jedem Satz das zweiteilige Prädikat.

Lina nimmt den Ball mit dem linken Fuß an.	annehmen
Marie wirft den Ball der Mitspielerin zu.	
Peter fährt mit seinem Fahrrad los.	

4 Schreibe mit jedem Verb einen Satz.
Unterstreiche in jedem Satz das Prädikat.

schwimmen | tanzen | klettern | abwerfen | ankommen

____

____

____

____

____

Klasse: ______ Datum: __________ Name: ____________________

Verben und Nomen zusammensetzen

Freizeit!

1 Bilde zusammengesetzte Nomen.

baden — der See, die Hose, der Anzug, die Wanne

der Badesee, ____________________

____

lesen — die Ecke, das Buch, die Lampe, die Brille

____

____

schwimmen — das Bad, die Weste, die Flossen, die Halle

____

____

2 Bilde möglichst viele sinnvolle Zusammensetzungen.
Schreibe jeweils den richtigen Artikel davor.

klettern | rennen | laufen | tauchen | wandern | die Strecke | das Rad

das Auto | der Baum | der Sport | die Schuhe | der Anzug | die Brille

der Kletterbaum, ____________________

____

____

____

____

____

Klasse: ______ Datum: __________ Name: ____________________

Wörter mit ie und i

In der Freizeit

1 Setze die Wörter mit ie passend ein. Unterstreiche das ie.

gießen | fliegen | schieben | sprießen | niesen | frieren

Das Papierflugzeug kann fliegen.

Das Spielzeugauto kann man sch__________.

Die Blumen muss man g__________.

Dann werden sie richtig sp__________.

Im Winter kann man leicht f__________.

Bei Schnupfen muss man __________.

2 Mache einen Punkt unter jedes kurze i.

In der Freizeit geht Britta gern in den Garten.

Dort findet das Mädchen jedes Mal etwas Interessantes.

Neulich lag eine Schnirkelschnecke im Beet.

Am Busch mit den blauen Blüten saßen Schmetterlinge.

Ganz hinten im Garten wächst das Gras hoch.

Dort legt sich Britta gern hin und schaut in den Himmel.

3 Schreibe alle Wörter mit kurzem i aus dem Text aus Aufgabe 2.
Mache einen Punkt unter das kurze i.

in, ____________________

____

____

____

Klasse: ______ Datum: __________ Name: ______________________

Wörter mit ie und i

In der Freizeit

1 Setze die Wörter mit ie passend ein. Unterstreiche das ie.

gießen | fliegen | schieben | sprießen | niesen | frieren

Das Papierflugzeug kann fliegen.

Das Spielzeugauto kann man ________________.

Die Blumen muss man ________________.

Dann werden sie richtig ________________.

Im Winter kann man leicht ________________.

Bei Schnupfen muss man ________________.

2 Finde die Wörter mit kurzem i. Mache einen Punkt unter jedes kurze i.

In der Freizeit geht Britta gern in den Garten.

Dort findet das Mädchen jedes Mal etwas Interessantes.

Neulich lag eine Schnirkelschnecke im Beet.

Am Busch mit den blauen Blüten saßen Schmetterlinge.

Ganz hinten im Garten wächst das Gras hoch.

Dort legt sich Britta gern hin und schaut in den Himmel.

3 Schreibe alle Wörter mit kurzem i aus dem Text heraus.
Mache einen Punkt unter das kurze i.

in, ____

____

____

____

Klasse: ______ Datum: __________ Name: ______________________

Wörter mit ie und i

In der Freizeit

1 Setze die Wörter mit ie passend ein. Unterstreiche das ie.

gießen | fliegen | schieben | sprießen | niesen | frieren

Das Papierflugzeug kann ________________.

Das Spielzeugauto kann man ________________.

Die Blumen muss man ________________.

Dann werden sie richtig ________________.

Im Winter kann man leicht ________________.

Bei Schnupfen muss man ________________.

2 Finde die Wörter mit kurzem i. Mache einen Punkt unter jedes kurze i.

In der Freizeit geht Britta gern in den Garten ihrer Omi.

Dort findet das Mädchen jedes Mal viele interessante Dinge.

Neulich lag eine kleine Schnirkelschnecke im Beet.

Am Busch mit den winzigen, blauen Blüten saßen Schmetterlinge.

Ganz hinten im Garten wächst das Gras riesig hoch.

Dort legt sich Britta gern hin, schaut in den Himmel und spürt den Wind.

3 Schreibe alle Wörter mit kurzem i aus dem Text heraus.
Mache einen Punkt unter das kurze i.

in, ______________________________

____

____

____

Klasse: ______ Datum: __________ Name: ______________________

Wörter mit Dehnungs-h

In der Bücherei

In der Bücherei wählt Lena Fantasiegeschichten aus. Die liest sie sehr gern. Das rote Buch im Regal hat sie schon mehrmals gelesen. Lena erzählt auch gern selbst Geschichten. Während Lena schmökert, sucht Jonas nach Büchern über Eisenbahnen. Mit seinem Vater hat er eine ganze Anlage für elektrische Bahnen gebaut. Jonas möchte noch mehr über dieses Thema erfahren. Am Regal mit den Bastelbüchern treffen sich Lena und Jonas. Sie wählen gemeinsam ein Buch aus, denn sie wollen für ihre Eltern ein Geschenk basteln. An der Ausleihe sagt die Bibliothekarin zu ihnen: „Seid vorsichtig, wenn ihr nach Hause fahrt. Es fängt gerade an zu regnen.“ Da beschließen die beiden, ihren Nachmittag in der Bücherei noch ein wenig auszudehnen.

1 Unterstreiche im Text die Wörter mit Dehnungs-h.

2 Schreibe aus dem Text die Wörter mit Dehnungs-h auf. Markiere das h und den langen Vokal davor.

wählt, ______________________________

____

____

3 Sortiere die drei Wortfamilien.

Gefühl | Fahrstuhl | Wohnzimmer | er fühlt | bewohnen | er fährt

Fahrrad | sie wohnt | ich fahre | mitfühlen | Fühler | Wohnung

fahren: ______________________________

wohnen: ______________________________

fühlen: ______________________________

Klasse: ______ Datum: __________ Name: ______________________________

Fragen zum Erzähltext beantworten

Linnéa im Garten des Malers

1 Kreuze alle richtigen Aussagen an. Manchmal sind auch mehrere Aussagen richtig.

(1) Wie kam es dazu, dass Linnéa den Garten von Monet besuchte?

[a] Es war Linnéas Idee. [b] Es war Monets Idee. [c] Es war Blümles Idee.

(2) Was erfährst du über Blümle? Er ist ein …

[a] Kunstliebhaber. [b] Gärtner im Ruhestand. [c] Maler.

(3) Claude Monet war ein …

[a] Maler. [b] Franzose. [c] Angler.

(4) Die Leute fanden Monet komisch, weil er …

[a] einen uralten Hut trug. [b] dieselbe Brücke immer wieder malte. [c] Seerosen abpflückte.

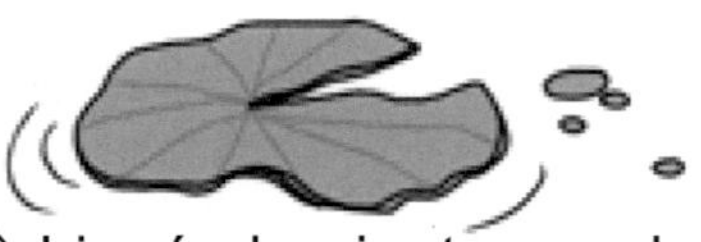

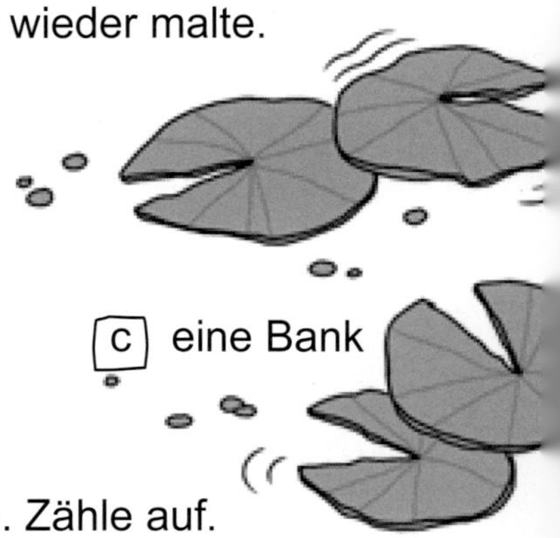

(5) Linnéa beginnt zu malen. Was zeichnet sie?

[a] eine Seerose [b] eine Brücke [c] eine Bank

2 Was entdecken Blümle und Linnéa alles am Seerosenteich. Zähle auf.

Sie entdecken ____

____

____

____

____

____

Lösung von Aufgabe 1: 1c, 2b, 3a und b, 4b, 5a

Klasse: ______ Datum: __________ Name: ______________________

Genau lesen

Tiere am und im Teich

Was für ein Gequake und Gezwitscher! Die verschiedensten Tiere bevölkern einen Teich. Wasserfrösche leben das ganze Jahr über in der Nähe eines Teiches. Im Frühling legen sie den Laich im Wasser ab. Daraus schlüpfen Kaulquappen, die im Teich aufwachsen.

Teichmolche leben meistens an Land. Auch sie legen ihre Eier im Wasser ab.

Fische verbringen ihr ganzes Leben im Teich. Hechte sind Raubfische und fressen kleinere Fische. Auf der Suche nach Krebsen, Insektenlarven und leckeren Wasserpflanzen wirbeln Karpfen viel Schlamm auf.

Auf dem Wasser schwimmen verschiedene Vogelarten. Blesshühner fressen Wasserpflanzen. Mit ihren spitzen Schnäbeln fangen Haubentaucher Fische, Frösche und Insekten.

Libellen wie die Smaragdlibellen können im Schwirrflug in der Luft an einer Stelle stehen. Sie sind nicht gefährlich, denn sie können nicht stechen. Wenn man versucht, sie zu greifen, wehren sie sich durch kräftige Bisse.

1 Unterstreiche unbekannte Wörter und kläre sie.

2 Lies den Text genau. Unterstreiche die Antworten im Text mit einer anderen Farbe.
- Wann legen Frösche ihren Laich im Wasser ab?
- Was fressen Hechte?
- Was fangen Haubentaucher?
- Was können Libellen?

3 Decke den Text ab. Schreibe die Antworten auf die Fragen aus dem Gedächtnis in dein Heft.

Klasse: ______ Datum: __________ Name: ______________________

Fabeln kennen lernen

Zwei Frösche

In einem außerordentlich heißen Sommer war ein tiefer Sumpf ausgetrocknet. Die Frösche, die bisherigen Bewohner desselben, mussten sich nach einem anderen Wohnort umsehen.
Zwei Frösche kamen auf ihrer Wanderschaft zu einem tiefen Brunnen, worin es noch Wasser gab.
„Ei! Sieh da!“, rief der eine. „Warum wollen wir weitergehen? Lass uns hier hineinhüpfen!“
„Halt!“, antwortete der andere, „das Hinunterkommen ist zwar ganz leicht, aber wenn auch der Brunnen eintrocknet, wie willst du dann wieder herauskommen?“

Was dir heute nutzt, das kann dir morgen schaden. Darum denke nach, bevor du handelst.

Äsop

1 Lies die Fabel. Beantworte die folgenden Fragen.
Unterstreiche zuerst im Text deine Antworten.
Schreibe dann ganze Sätze in dein Heft.
- Warum mussten sich die Frösche nach einem anderen Wohnort umsehen?
- Was fanden die Frösche auf ihrer Wanderschaft?
- Ein Frosch wollte am Brunnen bleiben. Warum wollte der andere weitergehen?
- Welche Lehre hat diese Fabel?

2 Male dazu.

Klasse: ______ Datum: __________ Name: ____________________________

Zum Nachdenken anregen

Enten füttern?

Am Wochenende unternehmen viele Familien einen Ausflug an einen Teich. Mit kleinen Brotstücken möchten die Kinder Enten füttern. Die Enten wirken hungrig und fressen fast alles. Viele zeigen keine Scheu und kommen dicht an die Menschen heran. Tierfreunde raten davon ab, Enten zu füttern. Die Tierschützer erklären: Die Enten werden zahm. Sie verlernen, selbst Futter zu suchen. Einige Brotstücke werden nicht gefressen. Sie sinken auf den Grund des Teiches. Dadurch können sich gefährliche Bakterien besonders gut vermehren. Diese Bakterien können für Wasservögel tödlich sein. Durch die Fütterung vermehren sich die Enten zu stark. Zu viele Enten bevölkern einen Teich. Andere Vogelarten haben zu wenig Platz. Durch den vielen Kot verändert sich das Wasser des Teiches. Algen können zu stark wachsen.

1 Lies den Text genau.

2 Umrahme im Text, was die Tierschützer erklären.

3 Schreibe auf, warum man Enten nicht füttern soll. Nenne mindestens drei Gründe.

Man soll Enten nicht füttern, weil ____________________________

____

____

____

____

____

____

Klasse: ______ Datum: __________ Name: ____________________________

Einem Steckbrief Informationen entnehmen

Steckbrief

Name	Grasfrosch
Größe:	bis 11 cm
Aussehen:	unterschiedliche Färbungen, Oberseite gelbbraun bis dunkelbraun, oft dunkle Flecken und v-förmige Zeichen im Schulterbereich, Unterseite häufig gefleckt
Alter:	bis 10 Jahre
Lebensraum:	zur Paarungszeit an Gewässern, sehr anpassungsfähig, Wiesen, Wälder bis zu hohen Bergen
Nahrung:	unterschiedliche Insekten, Schnecken oder Würmer
Natürliche Feinde:	Storch, Raubvogel, Forelle, Fuchs, Dachs, Wildschwein, Ringelnatter, Amsel, Iltis, Wanderratte

1 Lies den Steckbrief genau.

2 Schreibe einen Text zum Grasfrosch.
Nutze die Informationen aus dem Steckbrief.
Achte auf unterschiedliche Satzanfänge.

Der Grasfrosch kann bis zu 11 cm groß werden. Er ____________________

____

____

____

____

____

____

____

____

Klasse: ______ Datum: __________ Name: ______________________________

Treffende Verben finden

Das Fischlein im Weiher

Weißt du, was das Fischlein im Weiher **tut/macht/denkt**,
wenn es Langeweile **hat/verspürt/fühlt**?
Es **steht/sitzt/liegt** ganz still im Wasser.
Und nun **hab/gib** Acht!
Es **pustet/lässt/bläst** ein Bläslein aus seinem Mund.
Das **sprudelt/trudelt/schwebt** nach oben,
kugelrund, erst langsam, dann schneller,
und **platzt/zerspringt/verschwindet**.
Dann aber **bläst/schickt/pustet** das Fischlein
drei, vier und mehr silberne Bläslein dahinter her:
die **trudeln/sprudeln/schweben** geschwind,
wer das erste sei, bis sie oben sind.
So **hält/treibt/macht** es das Fischlein im Weiher.
Du **meinst/denkst/findest**, das sei ein seltsamer Brauch?
Aber wenn du ein Fischlein wärst –
du **machtest/tätest** es auch!

Josef Guggenmos

1 Lies das Gedicht.

2 Wähle aus, welches Verb deiner Meinung nach am besten passt. Unterstreiche es.

3 Lies dein Gedicht einem anderen Kind vor. Wie klingt es?

4 Vergleiche deine Lösung mit anderen. Welches Gedicht klingt am schönsten? Warum?

Guggenmos, Josef: Das Fischlein … Aus: Was denkt die Maus am Donnerstag? Beltz & Gelberg in der Verlagsgruppe Beltz, Weinheim & Basel 1998

Klasse: ______ Datum: __________ Name: ____________________________

Subjekt und Prädikat

Übungen

1 Schreibe die Sätze in die Tabelle.

Lisa	sitzt	am Tisch.
		auf der Schaukel.
	malt	einen Drachen.
		an die Tafel.

Subjekt (Wer? oder Was?)	**Prädikat** (Was tut jemand?)	**Ergänzung**
Lisa	sitzt	am Tisch.

2 Markiere das Subjekt und das Prädikat in unterschiedlichen Farben.

Marie geht ins Kino.
Holger isst ein Stück Schokolade.
Floriane hüpft über die Steine.
Nils sucht seine schwarzen Turnschuhe.

3 Schreibe die Sätze aus Aufgabe 2 als kurze Sätze auf, also nur mit Subjekt und Prädikat.

Marie geht.

____

____

Klasse: ______ Datum: __________ Name: ______________________________

Subjekt und Prädikat

Übungen

1 Schreibe die Sätze in die Tabelle.

Klas	spielt	im Sandkasten.
		ein Kartenspiel.
	liest	die Zeitung.
		abends im Bett.

Subjekt (Wer? oder Was?)	**Prädikat** (Was tut jemand?)	**Ergänzung**
Klas	spielt	im Sandkasten.

2 Frage nach dem Subjekt und dem Prädikat.
Schreibe die Fragen und die Antworten auf. Markiere das Subjekt und das Prädikat in unterschiedlichen Farben.

Lisa häkelt einen Schal.

Subjekt: Wer häkelt einen Schal? Lisa

Prädikat: Was tut Lisa? häkelt

Carina träumt von den Ferien.

Subjekt: Wer ______________________? ______________

Prädikat: Was tut ______________________? ______________

Lukas fischt im See.

Subjekt: Wer ______________________? ______________

Prädikat: Was tut ______________________? ______________

Klasse: ______ Datum: __________ Name: ____________________________

Subjekt und Prädikat

Übungen

1 Schreibe die Sätze in die Tabelle.

Anton liest das neue Buch.
alle Sportzeitschriften.
geht auf den Tennisplatz.

Subjekt	**Prädikat**	**Ergänzung**
Anton	liest	das neue Buch.

2 Frage nach dem Subjekt und dem Prädikat.
Schreibe die Fragen und die Antworten auf. Markiere das Subjekt und das Prädikat in unterschiedlichen Farben.

Florian springt über die Pfütze.

Subjekt: Wer springt über die Pfütze? Florian

Prädikat: Was tut Florian? springt

Im Sommer essen Ali und Ina Eis am Stiel.

Subjekt: Wer ______________________? ____________

Prädikat: Was tun ______________________? ____________

Heute gehen alle Kinder der 3c ins Kino.

Subjekt: Wer ______________________? ____________

Prädikat: Was tun ______________________? ____________

3 Bilde einen eigenen Satz. Frage auch hier nach Subjekt und Prädikat.

____

Subjekt: Wer ______________________? ____________

Prädikat: Was tut ______________________? ____________

Klasse: ______ Datum: __________ Name: ______________________

Wörter mit ck und tz

Übungen

1 Verbinde die Reimpaare.

die Backe — die Jacke
die Glocke
die Witze
die Sätze
die Brücke
die Pfütze
die Locke
die Mütze
die Hitze
die Mücke
die Plätze

2 Schreibe die Reimpaare in Silben zerlegt auf.

die Ba-cke ______ die Ja-cke ______ die Hit-ze ______ die ______

______ ______ ______ ______

______ ______ ______ ______

3 Verbinde die Reimpaare.

gucken — spucken
flitzen
backen
knacken
blitzen
nicken
kratzen
sitzen
zwicken
platzen
spritzen

4 Schreibe die Wörter in der Ich-Form auf.

ich gucke – ich ______ ich flitze – ich ______

______ ______

______ ______

Klasse: ______ Datum: __________ Name: ____________________

Wörter mit ck und tz

Übungen

1 Verbinde die Reimpaare.

die Schnecke — die Decke, die Brücke, die Spritze, die Mücke, die Schätze, die Spatzen, die Socken, die Sätze, die Katzen, die Hitze, die Locken

2 Schreibe die Reimpaare in Silben zerlegt auf.

die Schne-cke ______ die De-cke ______
die Sät-ze ______ die ______
______ ______
______ ______
______ ______
______ ______

3 Verbinde die Reimpaare.

zwicken — blicken, kleckern, knacken, backen, schützen, kritzeln, stützen, schnitzen, meckern, kitzeln, sitzen

4 Schreibe die Wörter in der Er- oder Sie-Form auf.

er zwickt – er blickt ______ sie schützt – er ______
sie ______ ______
______ ______

Klasse: ______ Datum: __________ Name: ____________________

Wörter mit ck und tz

Übungen

1 Verbinde die Reimpaare.

die Holzbrücke | die Schneeflocken | die Wasserpfütze | putzig

die Häuserecke | schmutzig | die Zahnlücke | die Heuschrecke

die Wollsocken | die Perserkatze | die Pudelmütze | die Luftmatratze

2 Schreibe die Reimpaare in Silben zerlegt auf.

die Holz-brü-cke ______ die Zahn-lü-cke ______

______ ______

______ ______

______ ______

______ ______

______ ______

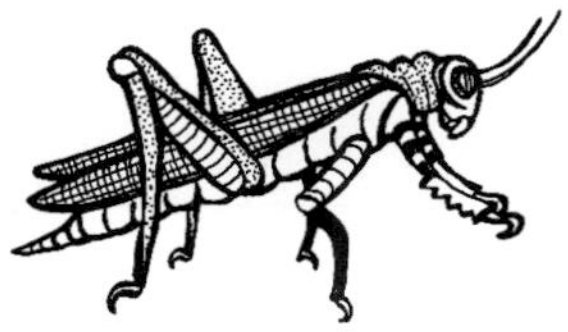

angucken | zerplatzen | abschicken | auskratzen

abpflücken | erschrecken | verpetzen | abspritzen

beglücken | beschützen | ablecken | bekritzeln

3 Schreibe die Wörter in der Du-Form auf.

du guckst an ______ du zerplatzt ______

du leckst ______ du ______

______ ______

______ ______

______ ______

______ ______

Klasse: ______ Datum: __________ Name: ____________________________

Kinderbücher kennen lernen

Ein Buch vorstellen

Titel: ____

Autorin / Autor: ____

Illustratorin / Illustrator: ____

Verlag: ____

Seitenzahl: ____

Das Buch hat ☐ viele Bilder ☐ ein paar Bilder ☐ keine Bilder.

In dem Buch geht es um ☐ Kinder ☐ Tiere ☐ Detektive ☐ ____________

Die Geschichte ist ☐ spannend ☐ lustig ☐ traurig ☐ langweilig ☐ ____________

Die wichtigsten Figuren sind: ____

____

Die fünf wichtigsten Wörter in dem Buch sind: ______________________________

____

Die lustigste Stelle im Buch ist ______________________________

____

Die traurigste Stelle im Buch ist ______________________________

____

Meine Lieblingsstelle im Buch ist ______________________________

____

und zwar, weil ____

Mein Smiley für das Buch: ☺ 😐 ☹

Klasse: ______ Datum: __________ Name: ____________________________

Eine Person vorstellen

Meine Lieblingsautorin/ Mein Lieblingsautor

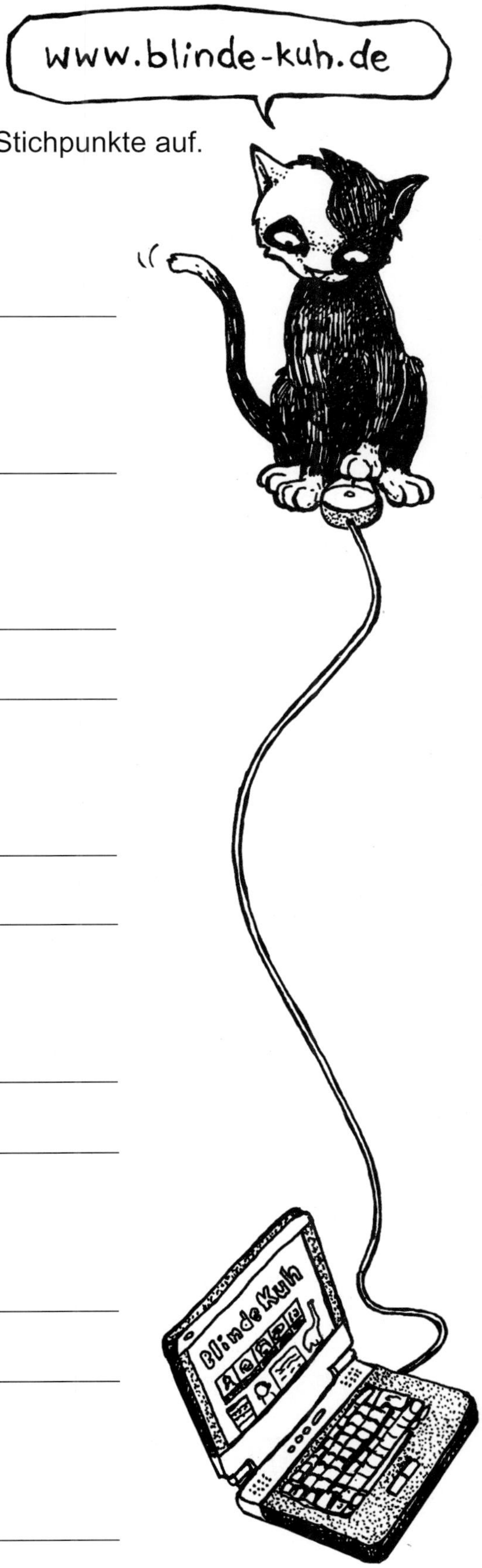

1 Sammle Informationen über deinen Lieblingsautor.
Nutze Nachschlagewerke oder das Internet. Schreibe Stichpunkte auf.

Name

____

Wann und wo geboren?

____

Schule / Ausbildung / Studium

____

____

Hobbys

____

____

Lieblingsmusik / Lieblingsessen

____

____

Familie

____

____

Meine Lieblingsbücher

____

____

Klasse: ______ Datum: __________ Name: ______________________

Kinderbuchfiguren kennen lernen

Ein Pferd namens Milchmann

1 Beantworte folgende Fragen zum Text.
Kreuze die richtige Antwort an.

- Wann spielt die Geschichte?

☐ im April ☐ im Herbst

☐ im Mai ☐ im Winter

- Was wollte Herman frühstücken?

☐ Rührei mit Tomate ☐ Butterbrot und Kakao

☐ Müsli und Obstsaft ☐ Brötchen und Honig

- Weshalb war Herman nicht in der Schule?

Herman durfte nicht in die Schule, weil er ______________________

____

- Wo begegneten sich Herman und Milchmann das erste Mal?

Das erste Mal begegneten sich die beiden ______________________

____

- Was trug das Pferd auf dem Kopf?

☐ ein Stirnband ☐ eine Kappe

☐ einen Federschmuck ☐ ein geflochtenes Band

- Was schätzten Hermans Eltern nicht?

Hermans Eltern schätzten es nicht, wenn er ______________________

____

Klasse: ______ Datum: ____________ Name: ______________________________

Kinderbuchfiguren kennen lernen

Herman und Milchmann

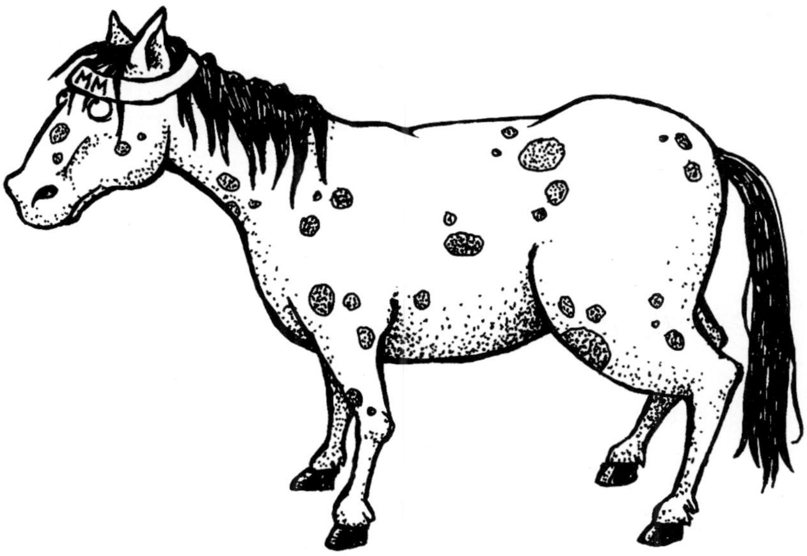

1 Sammle zu den beiden Hauptfiguren Herman und Milchmann passende Eigenschaften.

riesig · stark · schreckhaft · mutig · neugierig · dick · macht ungewohnte Geräusche · versteht schnell · passt auf sein Zuhause auf · bleibt allein zu Hause · frech · vorsichtig

Klasse: ______ Datum: __________ Name: ____________________

Einen Text sinnvoll ordnen

Einige Wochen mit Milchmann

1 Schneide die Textteile aus.
Klebe sie so auf, dass die richtige Reihenfolge entsteht.

A Den fertigen Text schickte ich an meine Lektorin Frau Schuldes. Der Text gefiel ihr, aber hier und da hatte sie noch Verbesserungsvorschläge. Sie hat auch einige Fehler gefunden. Den fertigen Text hat sie an die Illustratorin Anke Kuhl geschickt.
Die hatte die Aufgabe, die Geschichte von Milchmann zu zeichnen. Nachdem alle Bilder fertig waren, hat Frau Schuldes den Text zusammen mit den Bildern in die Druckerei gegeben.

B Ein paar Wochen später brachte der Postbote ein Päckchen mit dem fertigen Buch. Am Nachmittag radelte ich ins Dorf, um meiner Freundin das neue Buch zu zeigen. Da sah ich Milchmann. Ein Kind saß auf seinem Rücken. Ich erfuhr, dass das Pferd keinesfalls Milchmann heißt, so hatte ich es ja auch nur genannt. In Wirklichkeit heißt es Hercules. Es lebt in einem Reitstall ganz in meiner Nähe. Aber dafür hieß das Kind, das auf ihm ritt, wirklich Herman. Das fand ich ziemlich lustig.
Manchmal treffe ich Hercules im Dorf oder am Strand. Dann frage ich ihn, was er so vorhat. Er macht dann meistens „Phhhr". Das bedeutet: „Keine Ahnung! Und du?"

C Es war in einer Sommernacht. Was war das für ein Geräusch? Es kam aus dem Garten. Leise schlich ich nach draußen. Da sah ich das Pferd. Es stand in meinem Garten und weidete meine Blumen ab. Die meisten waren schon futsch.
„Was soll das?", rief ich. „Warum tust du das?" Das Pferd schaute mich an, als ob es etwas sagen wollte, aber Pferde können ja nicht sprechen. Was hat es zu bedeuten, wenn ein Pferd in den Garten einer Kinderbuchautorin eindringt und sie dann eindringlich anglotzt? Ich überlegte und überlegte und dann hatte ich es! Das Pferd wollte in einem Roman von mir vorkommen. Am Morgen setzte ich mich an meinen Computer und begann damit, das Buch zu schreiben. Manchmal schaute ich aus dem Fenster, aber Milchmann sah ich lange Zeit nicht wieder.

Klasse: ______ Datum: __________ Name: ______________________________

Zu Kinderbuchfiguren schreiben

Helden aus Kinderbüchern

1 Betrachte die Bilder.
Lies die Stichpunkte zu der jeweiligen Figur genau.

2 Suche dir eine der Figuren aus.
Schreibe eine Geschichte über diese Figur.
Beachte die Stichpunkte.

- lebt ohne Eltern in der Villa Kunterbunt
- ist sehr stark und ein bisschen frech
- hat ein Pferd und ein Äffchen
- hat immer tolle Ideen
- beste Freunde sind Thomas und Annika

- wurde von Frau Bartolotti in einer Konservendose bestellt
- wurde so hergestellt, dass er immer nett, brav, ordentlich und höflich ist
- passt nicht ganz zu Frau Bartolotti
- wurde an die falsche Adresse geliefert

- das Urmel, Dinosaurierkind
- lebt mit Professor Habakuk Tibatong und anderen sprechenden Tieren auf der Insel Titiwu
- ist grün, hat Flügel, kann unter Wasser atmen
- kann fliegen, schlüpfte aus einem Urzeitei

- lebt auf Burg Eulenstein
- ist schneeweiß, klein und niedlich
- geistert zwischen Mitternacht und ein Uhr morgens herum
- hat ein Bund mit 13 Schlüsseln, öffnet damit jede Tür
- wird schwarz, wenn es in die Sonne gerät

Klasse: ______ Datum: __________ Name: ____________________________

Nachgestellter Begleitsatz

Milchmann wird entdeckt

1 Setze die Satzzeichen ein. Unterstreiche den Begleitsatz.

__ Bei den Nachbarn stimmt etwas nicht __ __ dachte Frau Grünholz __

__ Auf der Terrasse riecht es so komisch __ __ murmelte sie vor sich hin__

__ Ich muss doch mal nachsehen, was da los ist __ __ sagte sie laut und machte sich auf den Weg __

2 Schreibe zu jedem Bild einen Satz mit wörtlicher Rede und nachgestelltem Begleitsatz.
Wähle aus den folgenden Verben für den Begleitsatz aus:

wiehern | sagen | sich vorstellen | meinen

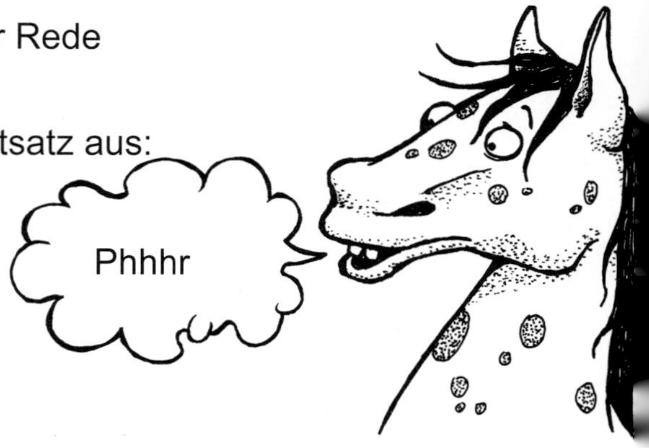

„Phhhr“, wieherte Milchmann.

„ Milchmann ist ______________________________ __

__ ______________________________ __

__ ______________________________ __

__ ______________________________ __

__ ______________________________ __

__ ______________________________ __

Nachgestellter Begleitsatz
„____ Wörtliche Rede ____ “, ____ Begleitsatz ____.

Klasse: ______ Datum: __________ Name: ____________________

Nachgestellter Begleitsatz

Milchmann wird entdeckt

1 Schreibe in den Merksatz die fehlenden Wörter **vor** und **nach.**

Der nachgestellte Begleitsatz steht __________________ der wörtlichen Rede.
__________________ dem Begleitsatz steht dann ein Komma.
Bei einer Aussage steht der Punkt erst __________________ dem Begleitsatz.

2 Setze die Satzzeichen ein. Unterstreiche den Begleitsatz.

__ Bei den Nachbarn stimmt etwas nicht __ __ dachte Frau Grünholz __

__ Auf der Terrasse riecht es so komisch __ __ murmelte sie vor sich hin __

__ Ich muss doch mal nachsehen, was da los ist __ __ sagte sie laut
und machte sich auf den Weg __

3 Schreibe zu jedem Bild einen Satz mit wörtlicher Rede
und nachgestelltem Begleitsatz.
Wähle aus den folgenden Verben für den Begleitsatz aus:

meinen | sagen | wiehern | sich vorstellen

„Phhhr", wieherte Milchmann.

„ Milchmann ist ______________________ __
__ ______________________ __

__ ______________________
__ ______________________ __

__ ______________________ __
__ ______________________ __

Klasse: ______ Datum: __________ Name: ____________________________

Nachgestellter Begleitsatz

Milchmann wird entdeckt

1 Schreibe in den Merksatz die fehlenden Wörter **vor** und **nach.**

Der nachgestellte Begleitsatz steht ________________ der wörtlichen Rede.
________________ dem Begleitsatz steht dann ein Komma.
Bei einer Aussage steht der Punkt erst ________________ dem Begleitsatz.

2 Setze die Satzzeichen ein. Unterstreiche den Begleitsatz.

__ Bei den Nachbarn stimmt etwas nicht __ __ dachte Frau Grünholz __

__ Auf der Terrasse riecht es so komisch __ __ murmelte sie vor sich hin __

__ Ich muss doch mal nachsehen, was da los ist __ __ sagte sie laut und machte sich auf den Weg __

3 Schreibe zu jedem Bild einen Satz mit wörtlicher Rede und nachgestelltem Begleitsatz.
Wähle aus den folgenden Verben für den Begleitsatz aus:

sagen | wiehern | schnauben | sich vorstellen | erzählen | meinen | denken | seufze

__ ______________________________________ __
__ ______________________________________ __

__ ______________________________________ __
__ ______________________________________ __

__ ______________________________________ __
__ ______________________________________ __

Klasse: ______ Datum: __________ Name: ____________________________

Rechtschreibstrategien anwenden

Verwandte Wörter finden

1 Suche zu jedem Lückenwort drei verwandte Wörter.

2 Schreibe die fehlenden Buchstaben richtig in die Lücken.

Satz	**Verwandte Wörter**
Die Katze fän__t die Maus. 	fangen, das Gefängnis, der Gefan____ene
Der Vogel flie__t in sein Nest. 	flie____gen, die Flie____e, der Papier__________________________
Die Bl___tter fallen vom Baum. 	das Bl____tt, umbl____tern, der Bl____tterteig
Die M___ ___se verstecken sich vor der Katze. 	die M______s, die ____________falle, das M______chen
Das Pfer__ wiehert im Stall. 	die ________________, das ____________chen, der ________________sattel
Er schrei__t die Geschichte auf. 	schrei______en, geschr______________, das ____________heft
Das Kind lie___t das Buch im Bett. 	le__en, vorge______________________, das ______________buch
Bald schl___ft das Kind ein. 	schl__fen, der ______________________, das __________________lied

Klasse: ______ Datum: __________ Name: ____________________________

Rechtschreibstrategien anwenden

Verwandte Wörter finden

1 Suche zu jedem Lückenwort drei verwandte Wörter.

2 Schreibe die fehlenden Buchstaben richtig in die Lücken.

Satz	Verwandte Wörter
Die Katze fän___t die Maus. 	fangen, das Gefängnis,
Der Vogel flie___t in sein Nest. 	
Die Bl___tter fallen vom Baum. 	
Die M___ ___se verstecken sich vor der Katze. 	
Das Pfer___ wiehert im Stall. 	
Er schrei___t die Geschichte auf. 	
Das Kind lie___t das Buch im Bett. 	
Bald schl___ft das Kind ein. 	

Klasse: ______ Datum: __________ Name: ____________________________

Rechtschreibstrategien anwenden

Verwandte Wörter finden

1 Schreibe die fehlenden Buchstaben richtig in die Lücken. Schreibe so:

Satz	**Verwandte Wörter**
Die Katze fän_g_t die Maus.	fängt ←g→ fangen
Der Vogel flie___ t in sein Nest.	______________________
Das Pfer___ wiehert im Stall.	______________________
Er schrei___t die Geschichte auf.	______________________
Das Buch lie___ t auf dem Bett.	______________________
Bald schl___ft das Kind ein.	______________________
Das Kind lie___t das Buch im Bett.	______________________
Er hält eine Blume in seiner Han___.	______________________
Der Schatz la___ direkt vor ihm.	______________________
Sie pfle___ t ihr Haustier.	______________________
Er gi___ t ihr einen guten Ra___.	______________________
Der Die___ fährt mit dem Ra___ davon.	______________________

Klasse: ______ Datum: __________ Name: ______________________

Gedichte kennen lernen

Frühling

Leise zieht durch mein Gemüt

Leise zieht durch mein Gemüt
liebliches Geläute,
klinge, kleines Frühlingslied,
kling hinaus ins Weite.

Kling hinaus bis an das Haus,
wo die Blumen sprießen.
Wenn du eine Rose schaust,
sag, ich lass sie grüßen.

Heinrich Heine

Das Ei

Das Huhn, das hat mich Stück für Stück
aus seinem Hühnerpo gedrückt.
Dann hat es mich stolz angesehn
und fand mich unbeschreiblich schön.
Und in mir ist ganz nebenbei
das Gelbe vom Ei.

Fredrik Vahle

1 Wähle ein Gedicht aus, das dir besonders gut gefällt.

2 Lerne das Gedicht auswendig. Diese Tipps helfen dir:

- Lies das Gedicht mehrmals leise.
- Schreibe die Reimwörter auf. Lerne sie zuerst auswendig.
- Stell dir vor, was in jeder Strophe passiert.
- Schreibe wichtige Wörter auf.
- Denke dir zu jeder Strophe eine Melodie aus und klatsche sie.
- Nimm das Gedicht beim Üben auf Kassette auf.

3 Trage das Gedicht einem Partnerkind oder der Klasse vor.

4 Male ein passendes Bild zu dem Gedicht auf ein extra Blatt.

Heinrich Heine. Sämtliche Gedichte in zeitlicher Folge. Insel Verlag, Frankfurt 2005; Fredrik Vahle: Das Huhn. Aus: Fischbrötchen beim Friseur. Middelhauve, München 1990

Klasse: ______ Datum: __________ Name: ______________________________

Gedichte kennen lernen

Wie sich das Galgenkind die Monatsnamen merkt

Jaguar	Januar
Zebra	____________________
Nerz	____________________
Mandrill	____________________
Maikäfer	____________________
Pony	____________________
Muli	____________________
Auerochs	____________________
Wespenbär	____________________
Locktauber	____________________
Robbenbär	____________________
Zehenbär	____________________

Christian Morgenstern

1 Suche dir ein Partnerkind und lest einander das Gedicht vor.
Was fällt euch auf?

2 Schreibt nun die richtigen Monatsnamen neben die Gedichtzeilen.

3 Lest abwechselnd die nebeneinanderstehenden Wörter vor.
Jaguar – Januar

4 Unterstreicht die Wortteile, die sich ähneln.
Jaguar – Januar

5 Was denkt ihr, warum schreibt ein Dichter so ein Gedicht?
Kreuzt alle Aussagen an, die ihr für richtig haltet:

☐ weil er es lustig findet ☐ weil er gern mit Sprache spielt

☐ weil er ähnlich klingende Wörter interessant findet ☐ weil es ihm Spaß macht

Klasse: ______ Datum: __________ Name: ____________________

Gedichte kennen lernen

Sommer

____

Über den Gartenzaun schob sie
ihr gelbes Löwenhaupt,
zwischen den Bohnen erhob sie
sich gold und gelb überstaubt.
Die Sonne kreiste im Blauen
nicht größer als ihr gelbes Rad
zwischen den grünen Stauden,
den Bohnen und dem Salat.

Georg Britting

____

____

lieben den Sonnenschein,
drum liegen sie
auf sonnigem Stein
und regen sich nicht.
Sie baden im Licht
und trinken die Sonne
in sich hinein.

Heinz Vonhoff

1 Lies beide Gedichte ganz in Ruhe.
Achte auf die Bilder, die in deinen Gedanken entstehen.

2 Male deine Gedankenbilder zu jedem Gedicht in das freie Feld.
Verwende auch Farben.

3 Finde nun zu jedem Gedicht eine Überschrift.
(Beim zweiten Gedicht wiederholt sich die Überschrift in der ersten Zeile.)

Georg Britting: Die Sonnenblume. Aus: Gedichte 1913–1933. Nymphenburger, München 1957 Heinz Vonhoff: Eidechsen. Aus: Ernst Bühler/Margrit Lobeck: Scheine, Sonne, Scheine. VFG, Stuttgart 1987

Klasse: ______ Datum: __________ Name: ______________________________

Gedichte kennen lernen

Der Herbst steht auf der Leiter

Der Herbst steht auf der Leiter
Und malt die Blätter an,
Ein lustiger Waldarbeiter,
Ein froher Malersmann.

Er kleckst und pinselt fleißig
Auf jedes Blattgewächs,
Und kommt ein frecher Zeisig,
Schwupp, kriegt der auch nen Klecks.

Die Tanne spricht zum Herbste:
Das ist ja fürchterlich,
Die anderen Bäume färbste,
Was färbste nicht mal mich?

Die Blätter flattern munter
Und finden sich so schön.
Sie werden immer bunter.
Am Ende falln sie runter.

Peter Hacks

1 Lies das Gedicht.

2 Male die Bilder passend zum Gedicht aus.

Klasse: ______ Datum: __________ Name: ______________________

Gedichte kennen lernen

Winter

Ein weißes Feld, ein stilles Feld.
Aus veilchenblauer Wolkenwand
hob hinten, fern am Horizont,
sich sacht des Mondes roter Rand.

Und hob sich ganz heraus und stand
bald eine runde Scheibe da,
in düstrer Glut. Und durch das Feld
klang einer Krähe heisres Krah.

Gespenstisch durch die Winternacht
der große dunkle Vogel glitt,
und unten huschte durch den Schnee
sein schwarzer Schatten lautlos mit.

Gustav Falke

1 Lies das Gedicht.

2 Welches dieser Wörter drückt am ehesten dein Gefühl zu diesem Gedicht aus? Markiere es.

gruselig | fröhlich | lustig | merkwürdig | traurig

unverständlich | romantisch | unheimlich

3 Unterstreiche in dem Gedicht die Wörter, die dieses Gefühl entstehen lassen.

Liebe Schülerin, lieber Schüler,

mit diesen Aufgaben kannst du herausfinden, was du schon gut kannst und was du noch üben solltest.

Bearbeite die Aufgabenblätter so:

1. Schreibe deinen Namen und das Datum oben auf jedes Blatt.
2. Lies dir die Aufgabe in Ruhe durch.
3. Bearbeite die Aufgabe.
4. Wenn du bei einer Aufgabe nicht weiterkommst, mache bei der nächsten weiter und versuche es später noch einmal. Du kannst auch jemanden um Hilfe fragen.
5. Wenn du eine Aufgabe bearbeitet hast, kreuze an, wie leicht oder wie schwierig du sie findest:

   Diese Aufgabe
   ☺ kann ich gut lösen
   😐 kann ich nur zum Teil lösen
   ☹ kann ich gar nicht lösen

Es gibt verschiedene Aufgabenarten:

Bei manchen Aufgaben sollst du die richtige Antwort ankreuzen.
Beispiel: Was hängt in der Schule? Kreuze an.

☐ Waffel ☒ Tafel ☐ Tante

Meistens ist nur eine Antwort richtig. Wenn mehrere Antworten richtig sind, steht in der Aufgabe: „Kreuze **alle** richtigen Antworten an."

Bei manchen Aufgaben sollst du etwas in einem Text **unterstreichen** oder ein falsches Wort **durchstreichen**.

Beispiele: <u>Wort</u> ~~Wort~~

Bei manchen Aufgaben sollst du die Antwort **aufschreiben**.
Bei Aufgaben mit einer kurzen Schreiblinie reicht es, ein oder zwei Wörter aufzuschreiben. Bei längeren Linien solltest du einen oder mehrere Sätze schreiben.

Viel Spaß und viel Erfolg!

Name: Datum:

Weihnachtsbäckerei

Schon den ganzen Vormittag backen Mama, Papa und Christin in der Küche Kekse für Weihnachten. Im ganzen Haus duftet es nach Schokolade, Mürbeteig und Zimtsternen.

„Mach doch mit!“, ruft Christin ihrem Bruder zu, als der in die Küche kommt. Aber Malte ist viel zu aufgeregt und zappelig. Ihn interessiert nur, ob er Skier zu Weihnachten bekommt. Doch Mama und Papa verraten nichts, und Malte geht enttäuscht wieder in sein Zimmer.

Christin dagegen findet es toll, heute zu backen. Die ganzen letzten Tage hat sie sich schon darauf gefreut und gedrängelt: „Wir müssen Kekse backen, sonst ist Weihnachten nicht richtig!“ Außerdem möchte sie unbedingt das Rezept für Vanillekipferl ausprobieren, das sie von ihrer Oma bekommen hat. Denn Oma und Opa werden an Weihnachten zu Besuch kommen und dann sollen sie gleich probieren!

Name: Datum:

Sonnenberg, 16. Dezember

Liebe Christin,

heute schicke ich dir das versprochene Rezept
für Vanillekipferl. Das sind kleine Hörnchen
aus Mürbeteig, die in Zucker gewälzt werden.

Für den Teig brauchst du 250 Gramm Weizenmehl,
200 Gramm Butter, 100 Gramm geriebene Mandeln und
80 Gramm Zucker. Du musst alle Zutaten gut verrühren
und dann daraus den Teig kneten. Den legst du für eine Stunde
in den Kühlschrank, damit er schön fest wird.
Anschließend formst du aus dem Teig kleine Rollen,
die ungefähr 4 cm dick sind. Die schneidest du in Stücke
und formst daraus kleine Hörnchen.
Die Hörnchen werden bei 200 Grad Celsius ungefähr
5 bis 7 Minuten gebacken, bis sie hellbraun sind.
Nach dem Backen musst du die Kipferl gleich in der
Zuckermischung wälzen, solange sie noch warm sind.
Für die Zuckermischung brauchst du 2 Päckchen Vanillezucker und
150 Gramm Puderzucker, die du einfach miteinander vermischst.

Ich wünsche dir viel Spaß beim Backen und
freue mich schon auf deine leckeren Weihnachtskekse!

Liebe Grüße auch von Opa!
Deine Oma Traudel

Name: Datum:

Wie ist mein Ergebnis?

1 Wo wohnt Christin? Schreibe ihre Adresse auf.

____

____

2 Wonach duftet es im ganzen Haus?
Schreibe einen ganzen Satz auf.

____

____

____

____

3 Woher hat Christin das Rezept? Kreuze an.

- ☐ Opa hat Christin einen Brief geschickt.
- ☐ Oma hat Christin einen Brief geschickt.
- ☐ Oma hat Christin eine E-Mail geschickt.

4 Was sind Vanillekipferl? Schreibe eine Erklärung auf.

____

____

____

Name: Datum:

Wie ist mein Ergebnis?

5 Welche Zutaten braucht Christin für den Teig? Kreuze an.

- ☐ 250 Gramm Weizenmehl
- ☐ 2 Päckchen Vanillezucker
- ☐ 200 Gramm Butter
- ☐ 150 Gramm Puderzucker
- ☐ 100 Gramm geriebene Mandeln
- ☐ 80 Gramm Zucker

6 In welcher Reihenfolge werden Vanillekipferl gebacken? Nummeriere.

- ___ Teig in den Kühlschrank legen
- _1_ Zutaten für den Teig verrühren
- ___ kleine Rollen formen
- ___ Teig kneten
- ___ kleine Hörnchen formen
- ___ Rollen in Stücke schneiden
- ___ Hörnchen backen
- ___ Hörnchen in Zuckermischung wälzen

Name: Datum:

Wie ist mein Ergebnis?

7 Warum will Malte nicht mitbacken? Schreibe es auf.

☺ 😐 ☹

8 Warum ist es für Christin wichtig zu backen?
Schreibe es auf.

☺ 😐 ☹

Gut gemacht! Jetzt hast du alles geschafft.

☺ kann ich gut lösen ☺ kann ich nur zum Teil lösen ☹ kann ich gar nicht lösen

Name: Datum:

Vorsicht, Feuer!

Wenn ein Feuer außer Kontrolle gerät, kann es großen Schaden anrichten. Es kann Häuser, Fahrzeuge oder ganze Wälder zerstören und unser Leben bedrohen.

Damit ein Feuer entstehen kann, sind drei Dinge notwendig: Sauerstoff, Brennstoff und Wärme.

Sauerstoff ist in der Luft vorhanden.

Brennstoffe sind alle Stoffe, die brennen können, zum Beispiel: Papier, Pappe, trockenes Laub, Äste oder Holz, Kohle, Öl, Benzin, Plastik oder Kleidungsstoff.

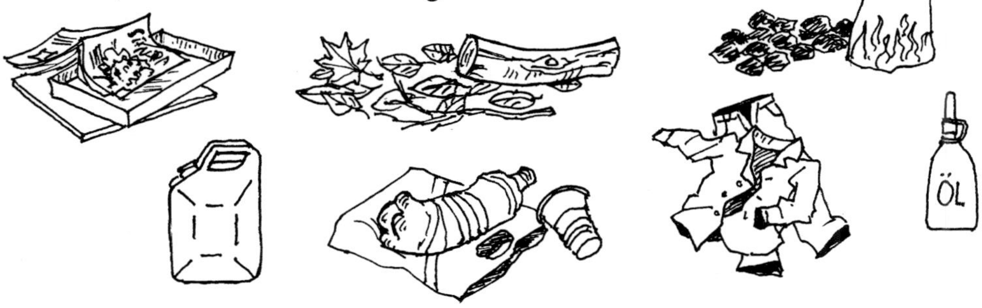

Für Wärme gibt es viele Quellen:
eine brennende Kerze,
ein abgebranntes Streichholz, das noch glüht,
ein heißer Grill,
eine heiße Herdplatte
oder ein heißes Bügeleisen.

Brände vermeiden

Ein Brand kann schnell durch Unachtsamkeit entstehen.
Deshalb darf man Feuer und heiße Gegenstände nie unbeaufsichtigt lassen!
Nach dem Kochen müssen die Herdplatten ausgeschaltet werden.
Ein heißes Bügeleisen muss erst abkühlen, bevor man es wegräumt.
Achte darauf, dass brennbare Stoffe nicht zufällig mit Feuer oder Wärme (Hitze) in Berührung kommen.

Name: Datum:

Einen Brand melden

Wenn du einen Brand entdeckst und kein Erwachsener in der Nähe ist, musst du selbst die Feuerwehr rufen.
Die Telefonnummer für einen Notruf bei der Feuerwehr lautet: **112**.
Du kannst die Feuerwehr aus jeder Telefonzelle oder vom Handy aus anrufen. Ein Notruf ist immer kostenlos.

In Kaufhäusern, Bahnhöfen, Krankenhäusern oder in der Schule gibt es häufig Feuermelder.

Um einen Brand zu melden, muss man die Scheibe einschlagen und den Knopf drücken.
Am besten nimmt man dafür einen Schuh, damit man sich nicht verletzt.

ACHTUNG: Die Feuerwehr darf man nie zum Spaß rufen!

Einen Brand löschen

Ein kleines Feuer kann man sofort selber löschen, wenn geeignete Löschmittel zur Verfügung stehen. Löschmittel sind:

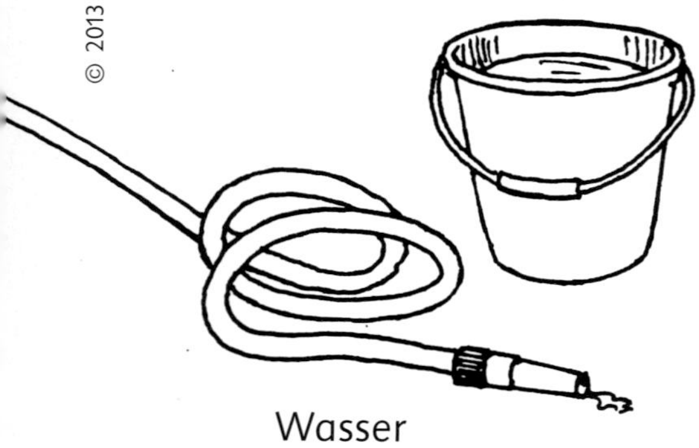
Wasser

Sand

Löschdecke

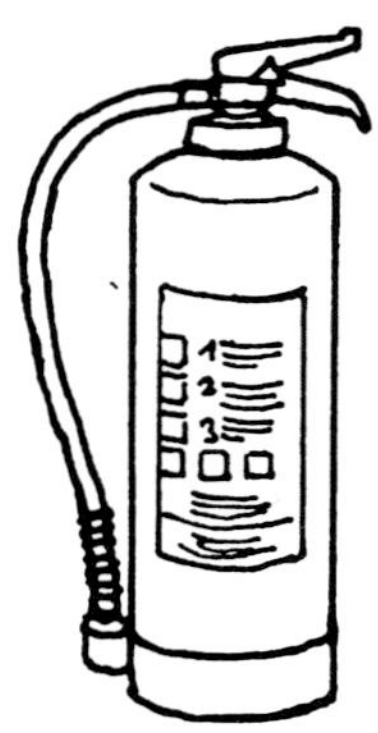
Feuerlöscher

ACHTUNG: Brennendes Öl oder Fett muss man mit einem Topfdeckel ersticken! Nicht mit Wasser löschen!

Name: Datum:

Wie ist mein Ergebnis?

1 Was muss zusammenkommen, damit ein Feuer entsteht? Kreuze **alle** richtigen Antworten an.

☐ Stickstoff ☐ Sand
☐ Wärme ☐ Brennstoff
☐ Sauerstoff ☐ Feuerwehr

☺ 😐 ☹

2 Schreibe mindestens drei Stoffe auf, die brennen können.

☺ 😐 ☹

3 Worauf musst du im Umgang mit brennbaren Stoffen achten?

☺ 😐 ☹

4 Kreuze **alle** richtigen Antworten an:

☺ 😐 ☹

Um einen Brand zu vermeiden, musst du

☐ nachts das Licht ausschalten.
☐ nach dem Kochen die Herdplatten ausschalten.
☐ die Kühlschranktür geschlossen lassen.
☐ ein Bügeleisen vor dem Wegräumen abkühlen lassen.
☐ eine brennende Kerze beaufsichtigen.

☺ kann ich gut lösen ☹ kann ich nur zum Teil lösen ☹ kann ich gar nicht lösen

Name: Datum:

Wie ist me
Ergebnis?

5 Suche die Antworten im Text
und trage sie in das Kreuzworträtsel ein.

~~1.~~ Was kann Feuer anrichten, wenn es außer Kontrolle gerät?
1. Was ist nötig, damit ein Feuer entstehen kann?
2. Womit kann man ein Feuer löschen?
3. Was muss vor dem Wegräumen erst abkühlen?
4. Welcher Telefonanruf ist immer kostenlos?
5. Was gibt es in Kaufhäusern, Bahnhöfen, Krankenhäusern oder Schulen?
6. Womit soll man brennendes Öl oder Fett ersticken, das in einer Pfanne brennt?
7. Womit kann man Feuer noch löschen?
8. Was muss man an einem Feuermelder drücken?

Gut gemacht! Jetzt hast du alles geschafft!

Auswertungsbogen Lernstandserhebungen Deutsch Lesen, Klasse 3

Name: ____________ Klasse: ____

Lernstandserhebung 1: ***Erzähltext verstehen*** durchgeführt am ____________

Aufgabe	Niveau	Fähigkeiten, Fertigkeiten und Kenntnisse	Lösungen	Beobachtungen und Notizen
1	1	• gezielt Informationen suchen und entnehmen	Platanenweg 74 16321 Börnike	
2	1	• gezielt Informationen suchen und entnehmen	Es duftet nach Schokolade, Mürbeteig und Zimtsternen.	
3	2	• Zusammenhänge erfassen	Oma hat Christin einen Brief geschickt.	
4	1	• gezielt Informationen suchen und entnehmen	Vanillekipferl sind kleine Hörnchen aus Mürbeteig, die in Zucker gewälzt werden.	
5	1, 2	• gezielt Informationen suchen, entnehmen und vergleichen • Zusammenhänge erfassen	250 Gramm Weizenmehl 200 Gramm Butter 100 Gramm geriebene Mandeln 80 Gramm Zucker	

Niveaustufen: **1** = „Wiedergeben" → erfordert grundlegende Fähigkeiten **2** = „Zusammenhänge herstellen" → erfordert erweiterte Fähigkeiten **3** = „Verallgemeinern, reflektieren und beurteilen" → erfordert fortgeschrittene Fähigkeiten

Auswertungsbogen Lernstandserhebungen Deutsch Lesen, Klasse 3

Name: ______________ Klasse: ____

Lernstandserhebung 1: *Erzähltext verstehen* durchgeführt am ________

Aufgabe	Niveau	Fähigkeiten, Fertigkeiten und Kenntnisse	Lösungen	Beobachtungen und Notizen
6	2, 3	• gezielt Informationen suchen, entnehmen, verknüpfen, bewerten • Zusammenhänge aus Text erschließen	2 Teig kneten 3 Teig in den Kühlschrank legen 4 kleine Rollen formen 5 Rollen in Stücke scheiden 6 kleine Hörnchen formen 7 Hörnchen backen 8 Hörnchen in Zuckermischung wälzen	
7	2, 3	• gezielt Informationen suchen und entnehmen • Text reflektieren • Zusammenhänge erschließen • zu einem Schreibanlass schreiben • verständlich, strukturiert, adressaten- und funktionsgerecht schreiben	*Malte ist viel zu aufgeregt und zappelig. Für ihn ist nur wichtig, ob er Skier zu Weihnachten bekommt.*	
8	3	• gezielt Informationen suchen, entnehmen, verknüpfen und bewerten • Text reflektieren • Zusammenhänge erschließen • zu einem Schreibanlass Sätze oder einen kurzen Text schreiben • verständlich, strukturiert, adressaten- und funktionsgerecht schreiben	*Christin hat sich darauf gefreut, Keske zu backen. Für Christin gehört Keksebacken zu Weihnachten. Sie möchte das Rezept für Vanillekipferl ausprobieren, das sie von ihrer Oma bekommen hat. Denn Oma und Opa werden an Weihnachten zu Besuch kommen und dann sollen sie gleich probieren.*	

Niveaustufen: **1** = „Wiedergeben“ → erfordert grundlegende Fähigkeiten **2** = „Zusammenhänge herstellen“ → erfordert erweiterte Fähigkeiten **3** = „Verallgemeinern, reflektieren und beurteilen“ → erfordert fortgeschrittene Fähigkeiten

Auswertungsbogen Lernstandserhebungen Deutsch Lesen, Klasse 3

Name: ____________ Klasse: ____

Lernstandserhebung 2: *Sachtext verstehen* durchgeführt am ________

Aufgabe	Niveau	Fähigkeiten, Fertigkeiten und Kenntnisse	Lösungen	Beobachtungen und Notizen
1	1	• gezielt Informationen suchen und entnehmen	Wärme Sauerstoff Brennstoff	
2	1	• gezielt Informationen suchen und entnehmen	Papier, Pappe, trockenes Laub, Äste, Holz, Kohle, Öl, Benzin, Plastik, Kleidungsstoff *und/oder andere*	
3	1, 2	• gezielt Informationen suchen und entnehmen • Zusammenhänge erschließen	*Ich muss darauf achten, dass sie nicht zufällig mit Feuer oder Wärme (Hitze) in Berührung kommen.*	

Niveaustufen: **1** = „Wiedergeben“ → erfordert grundlegende Fähigkeiten **2** = „Zusammenhänge herstellen“ → erfordert erweiterte Fähigkeiten **3** = „Verallgemeinern, reflektieren und beurteilen“ → erfordert fortgeschrittene Fähigkeiten

Auswertungsbogen Lernstandserhebungen Deutsch Lesen, Klasse 3

Name: ______________ Klasse: ____

Lernstandserhebung 2: *Sachtext verstehen* durchgeführt am ________

Aufgabe	Niveau	Fähigkeiten, Fertigkeiten und Kenntnisse	Lösungen	Beobachtungen und Notizen
4	2, 3	• gezielt Informationen suchen, vergleichen und bewerten • Informationen bewerten • Zusammenhänge erschließen	nach dem Kochen die Herdplatten ausschalten. ein Bügeleisen vor dem Wegräumen abkühlen lassen. eine brennende Kerze beaufsichtigen.	
5	2, 3	• gezielt Informationen suchen, entnehmen, verknüpfen, bewerten • Zusammenhänge aus Text erschließen	1 Sauerstoff 2 Sand 3 Bügeleisen 4 Notruf 5 Feuermelder 6 Deckel 7 Löschdecke 8 Knopf	

Niveaustufen: **1** = „Wiedergeben" → erfordert grundlegende Fähigkeiten **2** = „Zusammenhänge herstellen" → erfordert erweiterte Fähigkeiten **3** = „Verallgemeinern, reflektieren und beurteilen" → erfordert fortgeschrittene Fähigkeiten

Liebe Lehrerinnen und Lehrer,

die Tinto 3 Kopiervorlagen zu den Inhalten von Tinto 3 Basisbuch und Arbeitsordner beinhalten zu jedem thematischen Kapitel zwölf Kopiervorlagen, die alle Lernbereiche berücksichtigen und unterschiedlichste Arbeitsanregungen bieten.
Durch die Kapitelvignette ist jede Kopiervorlage leicht dem entsprechenden Themenkapitel des Basisbuchs zuzuordnen.
In den Bereichen „Sprache untersuchen“ und „Rechtschreiben“ werden zu jedem Kapitel dreifach differenzierte Aufgaben und Übungen angeboten, auf denen der jeweilige Schwierigkeitsgrad durch Punkte gekennzeichnet ist:

1 Punkt = leicht
2 Punkte = mittel
3 Punkte = schwierig

Die CD-ROM des Produkts enthält die Kopiervorlagen als veränderbare Microsoft® Word®-Dateien sowie zusätzlich didaktische Kopiervorlagen aus der Tinto 3 Handreichung (ISBN 978-3-06-083455-6). Diese unterstützen Sie bei der Planung und Durchführung des Unterrichts. Hier finden Sie Beobachtungsbögen zu den Lernbereichen, Wochen- und Arbeitspläne sowie Laufzettel für offene Unterrichtsformen und viele andere hilfreiche Materialien.
Auch diese Kopiervorlagen können Sie Ihren Unterrichtsideen anpassen. Zusätzlich finden Sie auf der CD-ROM die in den Tinto 3 Handreichung und in der Tinto 3 Kopiervorlagen-Sammlung angebotenen Lernstandsseiten als PDF-Dateien.

Wir wünschen Ihnen mit diesem Material guten Erfolg im Unterricht!
Ihr Cornelsen Verlag

Microsoft® Windows® – Systeme
- Windows® -PC mit CD-ROM-Laufwerk
- Windows® XP, 7, 8
- Microsoft® Office Word 2003, 2007, 2010, 2013

Apple® Macintosh® - Systeme
- Mac® mit CD-ROM-Laufwerk
- Mac® OS X ab Version 10.2.8
- Microsoft® Office Word 2004, 2008, 2011

Start:
Die CD-ROM startet automatisch nach Einlegen in das CD-ROM-Laufwerk. Wenn sie nicht von alleine startet, klicken Sie im CD-ROM-Verzeichnis auf das Datei-zeichen mit dem Namen „index.html“.

Materialien für den Unterricht

Tinto

Sprache · Lesen

3

Diesen Einsteckstreifen können Sie für den Cornelsen-Ordner (ISBN 978-3-06-080080-3) nutzen, in dem Sie Materialien zu Ihren Lehrwerken sammeln können.

Aufbau der CD-Rom „Tinto 3 Kopiervorlagen“

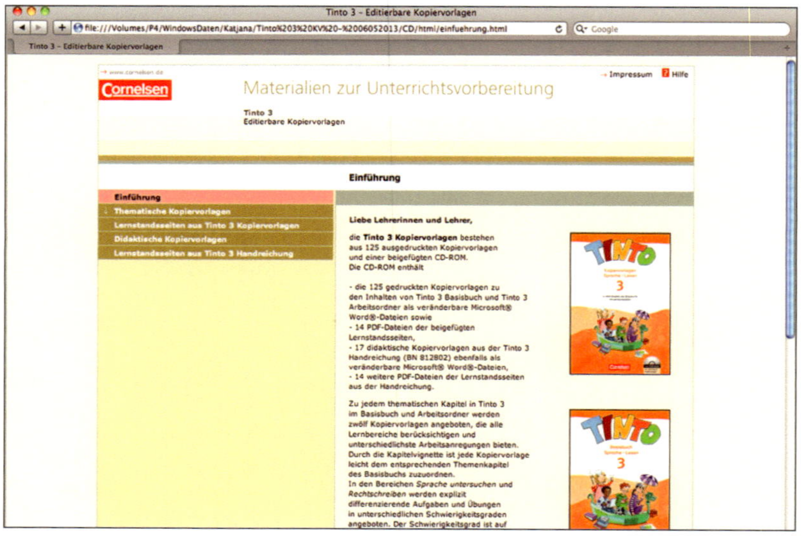

Auf der Startseite erhalten Sie unter dem Menüpunkt „Einführung“ Erläuterungen zum Inhalt und zum Umgang mit der CD-ROM.

Wie gelangen Sie zu den Kopiervorlagen?

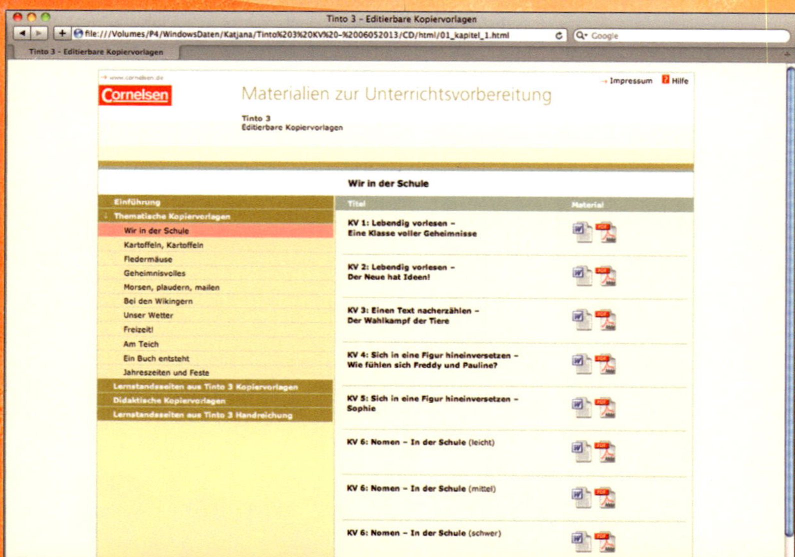

Klicken Sie auf eine der Überschriften im linken Auswahlmenü und wählen Sie im Untermenü die Seite aus, zu der Sie eine Kopiervorlage suchen.

Die zugehörigen Kopiervorlagen werden dann rechts im Auswahlfenster angezeigt. Per Klick auf das Dateiensymbol öffnen Sie die Datei. Drucken Sie die Kopiervorlage als PDF-Datei aus oder bearbeiten Sie sie in der Microsoft® Word®-Version nach Ihren Vorstellungen.

Cornelsen

ISBN 978-3-06-083456-3

9 783060 834563

TINTO

Sprache • Lesen

3

INKLUSION

Materialmappe für den Unterricht

Erarbeitet von
Martina Schramm

Cornelsen

TINTO

Sprache • Lesen

3

INKLUSION

Materialmappe für den Unterricht

Erarbeitet von	Martina Schramm
Redaktion	Martina Schramm
Illustrationen	Gabriele Heinisch
Layout und technische Umsetzung	tritopp, zweiband.media, Berlin
Umschlaggestaltung	Corinna Babylon

www.cornelsen.de

1. Auflage, 2. Druck 2015

Alle Drucke dieser Auflage sind inhaltlich unverändert
und können im Unterricht nebeneinander verwendet werden.

Druck: DBM Druckhaus Berlin-Mitte GmbH

ISBN 978-3-06-083429-7

Inhalt gedruckt auf säurefreiem Papier aus nachhaltiger Forstwirtschaft.

Inhaltsverzeichnis

Handreichungen für den Unterricht mit Kopiervorlagen

Wort- und Bildkartenmaterial

1. Allgemeine Einführung

Liebe Lehrerinnen, liebe Lehrer,

seit dem Inkrafttreten der UN-Konvention über die Rechte der Menschen mit Behinderung in Deutschland am 26. März 2009 stellen sich immer mehr Schulen den Herausforderungen, die ein inklusiver Bildungsweg in der praktischen Umsetzung fordert: Allen Schülerinnen und Schülern steht der Weg in die Regelschulen offen, alle Schülerinnen und Schüler haben das Recht, gemeinsam zu lernen und entsprechend ihrer individuellen Lernausgangslage gefördert und gefordert zu werden.

Für den Schulalltag bedeutet dies ein noch höheres Maß an Differenzierung und Individualisierung. Diese Praxismappe wurde erarbeitet, um Sie auf Ihrem Weg in einen inklusiven Unterricht mit dem **Sprachlesebuch Tinto 3** zu unterstützen.

Zur Konzeption des vorliegenden Differenzierungsmaterials

Das vorliegende Differenzierungsmaterial orientiert sich an den sprachdidaktischen Lernzielen des **Sprachlesebuches Tinto 3.** Ausgewählt nach ihrer Relevanz für das Lesen und Schreiben werden grundlegende Lernziele isoliert und didaktisch reduziert angeboten.

Das Material ist aufgebaut nach den verschiedenen **Sprachebenen Buchstaben, Wörter, Sätze und Texte.** Die Schülerinnen und Schüler erleben ihre Arbeitsmaterialien in einem sprachstrukturierenden Kontext, der metasprachliche Wissensstrukturen anbahnt und das Wiederaufnehmen eines Lernziels auf der nächsthöheren Sprachebene in einem umfassenderen Kontext ermöglicht.

Innerhalb einer Sprachebene strukturiert das Material sich nach den **Lernbereichen Sprache untersuchen, Lesen, Richtig schreiben und Texte schreiben** der Bildungsstandards. Innerhalb der einzelnen Lernbereiche werden grundlegende Lernziele in unterschiedlichen Handlungs- und Situationskontexten wiederholt.

Auf der vorliegenden Lernstufe zum **Sprachlesebuch Tinto 3** stehen die Sprachebenen Wörter und Sätze im Mittelpunkt.

Die Materialien arbeiten mit **haptischen Elementen,** haben einen hohen Aufforderungscharakter und unterstützen kognitiv das Umgehen mit und Begreifen von sprachlichen Einheiten und sprachlichen Zusammenhängen. Sie werden durch 32 Bögen farbiger Lernmaterialien ergänzt.

Lernziele

Für jeden Lernbereich auf jeder Sprachebene werden in den Erläuterungen zu den Kopiervorlagen und farbigen Beilagen kleinschrittige Lernziele formuliert. Aus diesen können übergeordnete Lernziele abgeleitet werden:

- Anbahnen von Rechtschreibstrategien,
- Steigerung der Lesegeschwindigkeit und Anbahnung erster Lesestrategien,
- Einsicht in die Funktion einfacher Sach-, Gebrauchs- und Erzähltexte,
- Anbahnung metasprachlichen Wissens, z. B. zu den Wortarten und ihrer Funktion bzw. zu Satzgliedern,
- Anbahnung von Schreibkompetenzen (freies Schreiben).

Aufgabenformate

Die Aufgabenformate orientieren sich an grundlegenden Prozessen, Wissen aufzubauen und zu erweitern. Sie zielen darauf ab, Kategorien und Analogien zunächst zu erkennen, dann zu nutzen und schließlich selbst zu bilden. Mit Blick auf unterschiedliche Förderschwerpunkte werden verschiedene Zugangsmöglichkeiten zu den Lerninhalten berücksichtigt.

- Sprechen, hören: Identifizieren und ordnen nach lautlichen Merkmalen. Förderung der auditiven Differenzierungsfähigkeiten und Festigen der phonologischen Bewusstheit.
- Sehen: Identifizieren und ordnen nach visuellen Merkmalen. Förderung der visuellen Differenzierungsfähigkeiten und Nutzen visueller Hilfestellungen.
- Ausschneiden, ordnen, aufkleben: Kategorien bilden und Lerninhalte reproduzieren bei gleichzeitiger Förderung feinmotorischer Koordination, auch im Hinblick auf die Motorik beim eigenen Schreiben von Bedeutung.

- Schreiben, verbinden, malen: Hinführung zu klassischen Aufgabenformaten, bei denen Lerninhalte übertragen werden müssen.
- Sprachhandeln: Individualisierende Aufgabenformate, die zur Reflexion über sprachsystematische Lerninhalte anregen und funktionale Aspekte der Lerninhalte aufzeigen.

Für alle Förderschwerpunkte relevant sind die konsequent **einheitlichen Formulierungen der Aufgaben,** die mit möglichst einfachen Wörtern auskommen. Sie befähigen die Kinder, nach einer kurzen Phase der Einarbeitung weitgehend selbstständig mit dem Material zu arbeiten.

Wortmaterial und Textsorten

Im vorliegenden Material wird durch sich wiederholendes Wortmaterial ein Lese- und Schreibwortschatz aufgebaut und gefestigt. Das Wortmaterial ist passend zum jeweiligen Lerninhalt vorstrukturiert und kindgerecht illustriert. Als Lesehilfe und zur Unterstützung silbischer Rechtschreibstrategien ist das Wortmaterial auf der Buchstaben- und Wortebene auch für Klasse 3 teilweise noch mit einem Silbenabstand versehen. Auf den Sprachebenen *Sätze* und *Texte* wird darauf geachtet, dass die ausgewählten Sach- und Gebrauchstexte inhaltlich an die Lebens- und Erfahrungswelt der Schülerinnen und Schüler anknüpfen und sie sowohl vom Inhalt als auch von der Form her zum Lesen motivieren.

Zum Einsatz im Unterricht

Nach einer Einführungsphase, in der die Schülerinnen und Schüler mit den Aufgabenformaten und Hilfsmitteln vertraut gemacht werden, kann das Material prinzipiell selbstständig bearbeitet werden. Selbstständiges Arbeiten fördert die Eigenverantwortlichkeit der Kinder und führt bei erfolgreichem Abschluss zu einem positiven Selbstwertgefühl. Es beinhaltet aber auch die Gefahr des Misslingens; hier gilt es, individuell über selbstständiges Arbeiten zu entscheiden. Sofern Schülerinnen und Schüler sehr selbstständig arbeiten, sind reflektierende Lerngespräche zu empfehlen.

Das Material eignet sich zum Einsatz in:
- der Tages- und Wochenplanarbeit,
- der Freiarbeit,
- Förderstunden.

Für Lehrkräfte bieten die Materialien durch **fachdidaktische Überschriften,** die **Verweise auf die Wort-Bild-Karten** und die **Anknüpfung zum Schülerbuch in der Fußzeile** eine schnelle Orientierung zu den Einsatzmöglichkeiten, die jedoch nach Bedarf individuell über die Empfehlungen hinaus ausgeweitet werden können.

Lernstandsbeobachtung

Bei der Lernbeobachtung im inklusiven Unterricht hat die **individuelle Lernentwicklung** jedes Kindes einen besonders hohen Stellenwert. Lernfortschritte können nicht mehr in Bezug auf die Klasse gesehen werden, sondern nur in Bezug auf den vorherigen Lernstand. Um die Leistung möglichst objektiv zu erfassen, wurde daher statt eines zeitlich punktuellen Diagnosebogens das Verfahren der unterrichtsbegleitenden Lernbeobachtung vorgezogen.

Zu jeder Sprachebene liegt ein **Beobachtungsbogen** mit sprachdidaktischen Kriterien und einer vierstufigen Einschätzungsskala als Kopiervorlage (KV A bis D) vor. Diese Bögen sind wiederholt einsetzbar und dokumentieren die individuellen Fortschritte des jeweiligen Kindes. Ergänzt werden die Beobachtungsbögen mit Hinweisen zu Fördermöglichkeiten, die auf der jeweiligen Sprachebene zur Erreichung eines Lernziels sinnvoll eingesetzt werden können.

Literatur

- Baumgartner, Stephan, und Iris Füssenich (Hrsg.): Sprachtherapie mit Kindern. Grundlagen und Verfahren. Ernst Reinhardt Verlag, München/Basel 1999.
- Füssenich, Iris, und Cordula Löffler: Schriftspracherwerb. Einschulung, erstes und zweites Schuljahr. Ernst Reinhardt Verlag, München/Basel 2005.
- Günther, Herbert: Sprache hören – Sprache verstehen. Sprachentwicklung und auditive Wahrnehmung. Beltz Verlag, Weinheim/Basel 2008.
- Weigl, Erich, und Klaus Metzger (Hrsg.): Inklusion – eine Schule für alle: Modelle – Positionen – Erfahrungen. Cornelsen Scriptor, Berlin 2010.

2. Stoffverteilung

Tinto Basisbuch 3		Sprachebene			
		Buch-staben	Wörter	Sätze	Texte
Wir in der Schule S. 4–19	S. 4/5 Wir in der Schule	KV 26	KV 72		
	S. 6 Wieder zurück!		KV 49		KV 99
	S. 8 Sofie vergisst eigentlich nichts			KV 91	
	S. 13 Post im Klassen-briefkasten			KV 76	KV 108, 113, 116
	S. 14 Auf der Schultreppe	KV 21–23, 25	KV 27–33	KV 94	
	S. 15 Elisa und Jan	KV 24	KV 41–43		
	S. 16 Schmuck für Klassenräume		KV 56, 57		
	S. 18 Geübt und gekonnt		KV 56, 57		
	S. 19 Geübt und gekonnt		KV 28, 29, 41–43, 45	KV 94	
Kartoffeln, Kartoffeln S. 20–33	S. 27 Bunter Kartoffelsalat				KV 99, 102
	S. 28 Kartoffeldruck		KV 52		
	S. 29 Ein leckeres Mittagessen			KV 73–75, 77, 79, 93	
	S. 30 Im Kartoffelrestaurant		KV 46, 63		
	S. 32 Geübt und gekonnt		KV 46, 63, 73–75, 77, 93		
	S. 33 Geübt und gekonnt		KV 45, 52		
Fledermäuse S. 34–49	S. 38/39 Das Ding am Fenster				KV 105
	S. 42 Informationen zu Fledermäusen suchen			KV 97	
	S. 44 Fledermäuse beobachten		KV 35, 37–39, 50, 51	KV 78, 86	
	S. 45 Das Große Mausohr		KV 60, 61		
	S. 46 Wörter im Wörterbuch finden	KV 13–17			
	S. 47 Fledermäuse bei Tag und Nacht	KV 6, 7	KV 53–55		

Tinto Basisbuch 3		Sprachebene			
		Buch-staben	**Wörter**	**Sätze**	**Texte**
Fledermäuse S. 34–49	S. 48 Geübt und gekonnt	KV 13–17			
	S. 49 Geübt und gekonnt	KV 6, 7	KV 38, 39, 50, 51, 53-55, 60, 61		
Geheimnis-volles S. 50–65	S. 58 Schaurig …			KV 70, 71	
	S. 59 Eine dunkle, dunkle Tür			KV 96	
	S. 60 Das Geheimnis der Unke			KV 84, 95	KV 100
	S. 61 Amaryllis und Kasperl			KV 85	KV 100
	S. 62 Besuch um Mitternacht	KV 8	KV 62		
	S. 63 Kapitän von Schultz erzählt		KV 46		
	S. 64 Geübt und gekonnt	KV 8			
	S. 65 Geübt und gekonnt	KV 8		KV 84, 85	KV 100
Morsen, plaudern, mailen S. 66–81	S. 68 Von Anruf bis Zeichensprache	KV 13			
	S. 69 Mit Rauchzeichen fing alles an				KV 104
	S. 71 Telefone heute			KV 87	
	S. 76 Bei der Post ist viel los		KV 32, 34		
	S. 77 Die Post früher und heute		KV 40		KV 103
	S. 80/81 Geübt und gekonnt		KV 34, 40		
Bei den Wikingern S. 82–97	S. 86 Die Wikingerzeit			KV 97	
	S. 92 Vom Leben der Wikinger				KV 114
	S. 93 Das Brettspiel Hnefatafl			KV 79, 83	
	S. 94 Runensteine		KV 68		
	S. 96 Geübt und gekonnt		KV 68		
	S. 97 Geübt und gekonnt				KV 114

Tinto Basisbuch 3		Sprachebene			
		Buch-staben	Wörter	Sätze	Texte
Unser Wetter S. 98–111	S. 98/99 Unser Wetter		KV 36	KV 89	
	S. 104 Regen				KV 101
	S. 106 Wetterbeobachtung		KV 44	KV 98	
	S. 107 Wettervorhersage		KV 58, 59		
	S. 108 Regenschauer	KV 10			
	S. 110 Geübt und gekonnt	KV 10	KV 44		
	S. 111 Geübt und gekonnt		KV 58, 59		
Freizeit! S. 112–127	S. 116/117 Ein langweiliger Tag				KV 107
	S. 121 Mein Lieblingsplatz		KV 69	KV 95	KV 117
	S. 122 Hobbys			KV 80	
	S. 124 Papierflieger basteln		KV 64		
	S. 125 In der Bücherei		KV 65, 66		
	S. 126 Geübt und gekonnt		KV 65, 66		
	S. 127 Geübt und gekonnt		KV 64		
Am Teich S. 128–143	S. 132 Kleine Gewässer mit großer Bedeutung		KV 48	KV 88, 90	KV 109
	S. 136 Teichmolche				KV 118
	S. 138 Naturforscher unterwegs			KV 81, 82	
	S. 139 Binsen			KV 80, 81, 83	
	S. 140 Am Teich	KV 10	KV 67		
	S. 142 Geübt und gekonnt	KV 10			
	S. 143 Geübt und gekonnt			KV 80, 81, 83	
Ein Buch entsteht S. 144–157	S. 144/145 Ein Buch entsteht				KV 112
	S. 153 Schreibkonferenz			KV 92	KV 111, 115
	S. 156 Pferdeäpfel!				KV 111
Jahreszeiten und Feste S. 158–167	S. 158/159 Jahreszeiten und Feste				KV 106
	S. 162 Frühling				KV 110

3. Erläuterungen zu Kopiervorlagen und Spielkarten

3.1. Sprachebene Buchstaben

Allgemeine Hinweise

Der Lernbereich *Sprache untersuchen – Buchstaben* knüpft an die entsprechende Einheit im Inklusionsmaterial für das zweite Schuljahr an. Dabei wird zum Teil in den Bereich des Erstlesens zurückgegriffen, um Kindern, die noch besondere Schwierigkeiten haben, **Sicherheit in der Buchstabenerkennung** zu vermitteln. Im Fokus stehen im dritten Schuljahr die Erkennung mehrgliedriger Grapheme **(au, ei, Eu/eu)** sowie die Unterscheidung von Groß- und Kleinbuchstaben.

Im Lernbereich *Lesen – Buchstaben* werden zur Verbesserung der Lesetechnik Buchstaben bzw. Buchstabenverbindungen, die erfahrungsgemäß bei der optischen Analyse Probleme bereiten, wiederholt und geübt. Beispielhaft sei hier die Unterscheidung von **b** und **d** genannt.

Zentral im Lernbereich *Richtig schreiben – Buchstaben* sind **Übungen zum Alphabet.** Darüber hinaus spielen wiederholende Seiten zu Selbst- und Zwielauten in dieser Einheit eine wichtige Rolle. Zudem geht es um **Wörter mit ch** und **sch.**

Der abschließende Lernbereich *Texte schreiben – Buchstaben* setzt das erworbene Wissen über Buchstaben in einen integrativen Zusammenhang und bietet kreative Schreibanregungen, wobei auch Aspekte der Schriftgestaltung einbezogen wurden.

Die Aufgaben sind so formuliert und strukturiert, dass sie von den Kindern gut erfasst werden können. Durch Wiederholungen und den Rückgriff auf vertraute Übungsformen wird zusätzlich Sicherheit bei der Bearbeitung aufgebaut. Darüber hinaus bieten Illustrationen Hilfestellungen und Motivation.

Ziele:
- Sicherheit bei der optischen Diskriminierung von Buchstaben und Buchstabenverbindungen gewinnen
- Anbahnung der Fähigkeit, das Alphabet als Ordnungshilfe zu nutzen
- Anregungen zum Schreiben und Gestalten von Buchstaben umsetzen

Kartenmaterial

Nr. 1 Silbenkernmemo 1.01–1.56
Einzel- oder Partnerarbeit
Die Karten werden vermischt ausgelegt. Zu jeder Silbenkernkarte soll nun das passende Wort gefunden werden. Dazu müssen die Karten nicht unbedingt wie bei einem Memospiel umgedreht werden, die Möglichkeit besteht allerdings differenzierend. Der Schwierigkeitsgrad kann individuell angepasst werden, indem z.B. nur mit einsilbigen oder/und zweisilbigen Wörtern gearbeitet wird. Wörter mit Umlaut oder Zwielaut können zunächst aussortiert werden. Die Wörter und die zugehörigen Silbenkerne können auch nach der Anzahl der Silben geordnet werden.

Nr. 2 Zwielautdomino 2.01–2.28
Einzel- oder Partnerarbeit
Die Start- und Ende-Spielkarten werden ausgelegt. Gespielt wird nach den bekannten Dominospielregeln.

Nr. 3 Anfangsbuchstabenmemo 3.01–3.52
Einzel-, Partner- oder Gruppenarbeit
Zu jedem Buchstaben des Alphabets gibt es zwei Nomen. Die Karten werden mit der Wortseite nach unten ausgelegt. Nun wird nach den bekannten Memospielregeln gespielt.
Die Karten können auch genutzt werden, um ein vollständiges Alphabet zu legen. Stärkeren Kindern gelingt es dabei, die Wörter, die paarweise den gleichen Anfangsbuchstaben haben, nach dem zweiten Buchstaben zu ordnen.

Nr. 4 Reimworttrios mit ng/nk 4.01–4.21
Einzel-, Partner- oder Gruppenarbeit
Gespielt werden kann nach den Memoregeln, allerdings mit drei Kärtchen. Ansonsten können die Kinder die Kärtchen gemäß den Reimen ordnen, wobei die Markierung der Signalgruppen hilfreich ist.

Kopiervorlagen

KV	Titel/Teilziel	Aufgabenformate					Weiterführende Übungsmöglichkeiten
Sprache untersuchen – Buchstaben **Lernziele:** Buchstaben und Buchstabenverbindungen optisch erfassen bzw. Bewusstsein für Phonem-/Graphemzusammenhänge festigen, Groß- und Kleinbuchstaben bewusst wahrnehmen und unterscheiden							
1	Groß- und Kleinbuchstaben erkennen		x		x		Nr. 2 Zwielautdomino Nr. 3 Anfangsbuchstabenmemo • Zeichen und Schrift in der Umgebung oder im Klassenraum finden und nach Zahlen und Buchstaben ordnen lassen • Buchstaben in einem Fühlbeutel ertasten lassen • Collagen zu bestimmten Buchstaben bzw. Buchstabenverbindungen wie Au/au oder Eu/eu erstellen lassen
2	Groß- und Kleinbuchstaben einsetzen		x		x		
3	Die Buchstabenverbindung ei erfassen		x		x		
4	Die Buchstabenverbindung au erfassen		x		x		
5	Die Buchstabenverbindungen Eu/eu erfassen		x		x		
Lesen – Buchstaben **Lernziele:** Bewusstsein für Phonem-/Graphemzusammenhänge festigen							
6	Buchstaben erkennen: d		x		x		Nr. 3 Anfangsbuchstabenmemo Nr. 3 Reimworttrios mit ng/nk • Buchstabenspiele (z. B. zu vorgegebenen Buchstaben bzw. Lauten Gegenstände sammeln, die mit diesem Buchstaben/Laut beginnen) • Wörter mit den Buchstaben bzw. Buchstabenverbindungen dieser Einheit aus Zeitungen und Zeitschriften ausschneiden und aufkleben
7	Buchstaben erkennen: b		x		x		
8	Buchstaben erkennen: ß		x	x	x		
9	Buchstaben erkennen: Qu und qu		x		x		
10	Buchstaben erkennen: tz	x	x	x	x		
11	Buchstaben erkennen: ng	x	x		x		
12	Buchstaben erkennen: nk	x	x		x		
Richtig schreiben – Buchstaben **Lernziele:** das Alphabet beherrschen und als Ordnungshilfe nutzen lernen, Selbst-, Zwie- und Umlaute kennen und unterscheiden können, Grundwortschatzwörter mit ch und sch kennen und richtig schreiben							
13	Das Abc kennen (1)		x		x		Nr. 3 Anfangsbuchstabenmemo • Namen der Kinder in der Klasse durch Aufstellen in alphabetischer Reihenfolge ordnen
14	Das Abc kennen (2)		x		x		
15	Das Abc kennen (3)		x		x		

KV	Titel/Teilziel	Aufgabenformate					Weiterführende Übungsmöglichkeiten
Richtig schreiben – Buchstaben **Lernziele:** das Alphabet beherrschen und als Ordnungshilfe nutzen lernen, Selbst-, Zwie- und Umlaute kennen und unterscheiden können, Grundwortschatzwörter mit ch und sch kennen und richtig schreiben							
16	Das Abc kennen (4)		x		x		Nr. 1 Silbenkernmemo Nr. 2 Zwielautdomino Nr. 3 Anfangsbuchstabenmemo
17	Wörter nach dem Abc ordnen		x	x			
18	Selbstlaute erkennen		x		x		
19	Zwielaute erkennen		x		x		
20	Selbstlaute und Zwielaute unterscheiden		x		x	x	
21	Umlaute erkennen		x	x		x	
22	Wörter mit ch üben	x	x	x	x		
23	Wörter mit sch üben		x	x	x		
Schreiben – Buchstaben **Lernziele:** produktiv mit dem Wissen über Buchstaben umgehen, Buchstaben in integrativem Zusammenhang erleben							
24	Anfangsbuchstaben gestalten		x		x	x	Nr. 3 Anfangsbuchstabenmemo • großformatige Buchstabencollagen mit verschiedenen Materialien erstellen • Buchstaben kneten, kleben oder bauen • Schriftgestaltungen mit verschiedenen Materialien bzw. am Computer erproben
25	Wörter zu Anfangsbuchstaben sammeln		x		x	x	
26	Mit Anlautbildern schreiben	x	x		x		

3.2. Sprachebene Wörter

Allgemeine Hinweise

Auf der Sprachebene *Wörter* liegen markante Stolperstellen im Schriftspracherwerb, die sich oft bis in die höheren Klassen der Sekundarstufen auswirken. Dazu gehört neben dem Unterscheiden der Wortarten und infolgedessen der Großschreibung der Nomen auch der Übergang von phonologischen Schreibungen zu morphologischen und orthografischen Prinzipien der Rechtschreibung. Beide Bereiche sind oft schwer zugänglich. Die vorliegenden Kopiervorlagen orientieren sich deshalb an

- impliziter Anwendung von Regelwissen durch vorstrukturiertes Wortmaterial,
- visuellen Hilfestellungen.

Im Lernbereich *Sprache untersuchen – Wörter* werden die Wortarten in Anlehnung an das Schülerbuch geübt. Da die Nichtbeachtung der Großschreibung der Nomen auch im dritten Schuljahr eine der häufigsten Fehlerquellen darstellt, bildet das Erkennen der Nomen einen Schwerpunkt. Den Schülerinnen und Schülern wird Wortmaterial angeboten, das nach den Definitionen im Schülerbuch vorstrukturiert ist. Mit dieser Wortauswahl wird handelnd umgegangen, um implizit das Wissen über Kategorien und Merkmale von Nomen zu festigen.
Einen weiteren Schwerpunkt stellen im dritten Schuljahr die Verben mit ihren Personal- und Zeitformen dar. Aufgabenformate zum Zuordnen bieten einen handlungsorientierten Zugang, der Inhalte motivierend und nachhaltig vermittelt. Neben den Verben stellen ausgewählte Kopiervorlagen die Wortart Adjektive mit ihren Bildungs- und Steigerungsformen in den Mittelpunkt, wobei stets an das Schülerbuch angeknüpft wird.

Der Lernbereich *Lesen – Wörter* trainiert das sinnverstehende Lesen auf der Wort- und Wortgruppenebene. Dabei stellt die silbische Gliederung, die auf vielen Kopiervorlagen angeboten wird, nach wie vor eine Hilfe dar.

Zentral im Lernbereich *Richtig schreiben – Wörter* sind die Rechtschreibstrategien Ableiten und Verlängern, die in das morphologische Prinzip der Rechtschreibung einführen, ohne begriffliches Wissen abzufragen.
Übungen zum silbischen und morphologischen Prinzip der Rechtschreibung sollten im Unterricht strikt getrennt werden. Das silbische Prinzip segmentiert Wörter nach artikulatorischen, das morphologische nach bedeutungstragenden Kriterien. Die daraus resultierenden Einheiten sind unterschiedlich.
Der Lernbereich *Richtig schreiben – Wörter* bietet auch Kopiervorlagen zu schwierigen Wörtern (mit h, mit Doppelvokal) sowie zur Arbeit mit Wortfamilien.

Der Lernbereich *Texte schreiben – Wörter* bereitet (reduziert auf die Wortebene) das kriteriengeleitete Schreiben vor. Die Aufgabenformate bieten klar umrissene Übungsschwerpunkte, auf die im Folgenden aufgebaut werden kann.

Das Wortmaterial in den verschiedenen Lernbereichen wird zur Übung und Vertiefung auf verschiedenen Kopiervorlagen wiederholend aufgegriffen.

Ziele:

- Erkennen und Unterscheiden der Wortarten Nomen, Adjektiv und Verb
- Begriffe „Grundform“ und „Personalform“ kennen
- Verben in verschiedenen Personal- und Zeitformen verwenden
- Kenntnisse über die Wortart Adjektive vertiefen (Steigerung)
- Verbesserung der Lesekompetenz
- die Rechtschreibstrategien Ableiten und Verlängern an ausgewähltem Wortmaterial anwenden und verstärkt auch für das eigene Schreiben nutzen
- Einsichten in die Wortbildung vertiefen (Arbeit mit Wortfamilien)
- schwierige Wörter gesondert üben und rechtschreiblich sichern
- auf der Wortebene Anregungen zum freien Schreiben nutzen

Kartenmaterial

Nr. 5 Ableitungsdomino 5.01–5.28
Einzel- oder Partnerarbeit
Die Start- und Ende-Spielkarten werden ausgelegt. Gespielt wird nach den bekannten Dominospielregeln. Die Wortkarten sollten nach Möglichkeit als lange „Kette" ohne Änderung der Leserichtung gelegt werden.

Nr. 6 Personalformentriomino 6.01–6.16
Einzel- oder Partnerarbeit
Der richtige Gebrauch der Personalformen muss meist besonders intensiv geübt und vertieft werden. Dies gelingt mit diesem Puzzle auf spielerische Weise, indem die Einzelteile mit der ersten und zweiten Person Singular aneinandergelegt werden. Die Randmarkierung stellt dabei eine zusätzliche Hilfe dar.

Nr. 7 Zeitformentriomino 7.01–7.16
Einzel- oder Partnerarbeit
Hier wird jeweils die erste Person Singular im Präsens und im Imperfekt aneinandergelegt. Gewählt wurden Verben, bei denen sich der Stammvokal im Imperfekt ändert, die also einer besonderen Übung bedürfen. Die Formen sollten anschließend nach Möglichkeit in eigenen Sätzen schriftlich verwendet werden.

Nr. 8 Zeitformenmemo 8.01–8.56
Einzel-, Partner- oder Gruppenarbeit
Verbformen im Präsens und im Imperfekt bilden jeweils ein Paar. Gespielt wird nach den bekannten Memoregeln. Zur Differenzierung kann zunächst mit einer reduzierten Anzahl Kartenpaare gespielt werden. Ausgewählt wurden ausschließlich Verben, bei denen das Imperfekt regelmäßig durch Anfügen von te gebildet wird.

Nr. 9 Leseschieber 9.01
Einzelarbeit
Der Leseschieber, dessen innere Felder an den gestrichelten Linien mit einem Cuttermesser einzuschneiden sind, kann besonders vielfältig verwendet werden. Er dient der Bewusstmachung der Wort- und Satzbildung, indem verschiedene Wort- bzw. Satzteile durch die Fenster gezogen werden. Dies ist am sinnvollsten in Einzelarbeit möglich. Durch die starke Handlungsorientierung ist ein besonders intensives Lernen möglich. Gefundene Wörter bzw. Sätze können sowohl laut gelesen als auch aufgeschrieben werden.
Der Leseschieber kann auf der Lernebene „Wörter" mit den Lesestreifen zu 9.1 und mit den Verben zu 9.2 verwendet werden.

Nr. 9.1 Personalformenschieber 9.1.01–9.1.06
Einzelarbeit
Die Streifen mit Personalpronomen, Wortstämmen einiger Verben und Personalendungen im Präsens sind für die Verwendung im Leseschieber (s. Nr. 9) konzipiert. Die Anordnung der Streifen entspricht der Art und Weise, wie sie durch den Schieber zu führen sind. Die Kinder können in Einzelarbeit erproben, welche Verbformen sie bilden können, und erlangen durch lautes Lesen und anschließendes Aufschreiben gefundener Formen zu vertieften Kenntnissen der Wortbildung. Besonderes Augenmerk sollte der zweiten Person Singular gelten, die erfahrungsgemäß die größten Probleme bereitet.

Nr. 9.2 Verbenschieber 9.2.01–9.2.03
Einzel- oder Partnerarbeit
Mit Hilfe der Streifen und des Leseschiebers (s. Nr. 9) können die Schülerinnen und Schüler probieren, welche Verben mit einer Vorsilbe sich sinnvoll bilden lassen. Gefundene Verben sollten auch aufgeschrieben bzw. in eigenen Sätzen verwendet werden. Die inhaltliche Überprüfung der Verben in einem Kontext ist auch mündlich möglich, z. B. in Partnerarbeit (Ein Kind sagt ein Verb in der Grundform, ein anderes Kind verwendet das jeweilige Verb in einem Satz.).

Nr. 10 Gegenteilspiel 10.01
Partner- oder Gruppenarbeit
Das Spiel sollte von 2–3 Personen gespielt werden. Man benötigt den Spielplan und für jeden Spieler eine Spielfigur und einen Würfel.
Das Spiel fokussiert Adjektive und ihr jeweiliges Gegenteil. Wer die höchste Zahl würfelt, darf beginnen. Er würfelt nochmals, zieht mit seiner Spielfigur zum entsprechenden Feld und von dort sucht er sich das entsprechende Gegenteilwort auf dem Spielplan und zieht mit seiner Spielfigur dorthin.
Nun ist der nächste Spieler an der Reihe und verfährt ebenso. Der Reiz des Spiels liegt auch darin, dass man gezwungen sein kann, seine Spielfigur zurückzusetzen.
In das Spielfeld sind fünf besondere Felder (z. B. Wald oder Zaun) eingefügt, die ein Hindernis darstellen sollen und den betreffenden Spieler einmal aussetzen lassen. Gewonnen hat, wer mit der passenden Würfelaugenzahl das Zielfeld erreicht.

Kopiervorlagen

KV	Titel/Teilziel	Aufgabenformate					Weiterführende Übungsmöglichkeiten
Sprache untersuchen – Wörter **Lernziele:** Wortarten und ihre Merkmale kennen lernen, morphematische Sprachstrukturen anbahnen							
27	Nomen unterscheiden		x		x		Nr. 6 Personalformentriomino Nr. 7 Zeitformentriomino Nr. 8 Zeitformenmemo Nr. 9/9.1 Leseschieber/ Personalformenschieber Nr. 9/9.2 Leseschieber/Verbenschieber Nr. 10 Gegenteilspiel • Bildcollagen zu den verschiedenen Wortarten oder Merkmalen von Wortarten erstellen (z. B. Nomen nach dem Artikel sortiert; Dinge, die süß oder sauer sind) • Gegenstände im Klassenraum mit selbstklebenden Notizzetteln beschriften und ihnen dabei auch Eigenschaften (Adjektive) zuordnen • Gegenstände vergleichen (Adjektive bzw. Steigerungsformen verwenden) • Rätselspiele, die sich auf grammatische Kategorien beziehen lassen (z. B. „Ich sehe was, was du nicht siehst, …“ zu Farbadjektiven; Spiel: Koffer packen) • mit einem Partner einen Ball hin und her werfen bzw. rollen, dabei z. B. Verben im Präsens konjugieren
28	Nomen für Gefühle kennen lernen		x	x			
29	Nomen in der Mehrzahl schreiben		x		x		
30	Großschreibung von Nomen beachten		x		x		
31	Nomen erkennen		x	x		x	
32	Bestimmte Artikel zuordnen		x		x	x	
33	Unbestimmte Artikel zuordnen		x	x			
34	Zusammengesetzte Nomen bilden		x		x		
35	Verben inhaltlich zuordnen (1)		x		x	x	
36	Verben inhaltlich zuordnen (2)		x	x			
37	Personalformen von Verben erkennen		x		x		
38	Personalpronomen und Verbform zuordnen		x	x			
39	Personalform und Grundform zuordnen		x	x			
40	Zeitformen des Verbs zuordnen		x	x			
41	Adjektive inhaltlich zuordnen		x		x		
42	Adjektive vor Nomen setzen		x		x		
43	Zusammengesetzte Adjektive kennen lernen		x		x		
44	Adjektive steigern		x	x			
45	Wortarten unterscheiden		x		x		

KV	Titel/Teilziel	Aufgabenformate					Weiterführende Übungsmöglichkeiten
Lesen – Wörter **Lernziele:** Lesetechnik auf der Wort- bzw. Wortgruppenebene verbessern, sinnentnehmendes Lesen trainieren, Silben als Strukturhilfe beim Lesen nutzen							
46	Nomen mit doppeltem Mitlaut lesen	x	x		x		Nr. 1 Silbenkernmemo Nr. 9/9.2 Leseschieber/ Verbenschieber • lange Wörter aus Zeitungen ausschneiden und in Silben gliedern • eine Liste mit Lieblingswörtern erstellen, ggf. dazu malen • Wörter mit Konsonantenverdoppelung aus Zeitungen oder Kinderzeitschriften ausschneiden; Collagen bzw. Bilder damit herstellen
47	Passende Nomen ankreuzen		x		x		
48	Wörter lesen und malen		x		x		
49	Wortgruppen lesen und malen		x		x		
50	Silben zu Verben verbinden	x	x		x		
51	Passende Verben finden		x		x		
52	Verben mit Vorsilbe lesen		x		x		
Richtig schreiben – Wörter **Lernziele:** Silben als Rechtschreibhilfe nutzen, Rechtschreibstrategien immer sicherer anwenden (verlängern, ableiten, Arbeit mit Wortfamilien bzw. verwandten Wörtern)							
53	Nomen mit d am Wortende schreiben	x	x		x		Nr. 1 Silbenkernmemo Nr. 5 Ableitungsdomino • rhythmische Sprachspiele zur Silbenwahrnehmung (z. B. Abzählverse, Reime, Kinderlieder) • auf Plakaten in Gruppenarbeit Wortfamilien zusammenstellen
54	Nomen mit g am Wortende schreiben	x	x		x		
55	Verben mit ng und nk verlängern		x		x		
56	Wörter mit ä ableiten		x		x		
57	Wörter mit äu ableiten		x	x			
58	Adjektive mit -ig kennen lernen	x	x		x		
59	Adjektive mit -lich kennen lernen	x	x		x		
60	Nomen von Verben ableiten und zuordnen		x		x	x	
61	Die Wortfamilie „backen“ finden		x	x			

KV	Titel/Teilziel	Aufgabenformate					Weiterführende Übungsmöglichkeiten
Richtig schreiben – Wörter **Lernziele:** Silben als Rechtschreibhilfe nutzen, Rechtschreibstrategien immer sicherer anwenden (verlängern, ableiten, Arbeit mit Wortfamilien bzw. verwandten Wörtern)							
62	Zwei Wortfamilien ordnen		x		x		Nr. 1 Silbenkernmemo Nr. 5 Ableitungsdomino • rhythmische Sprachspiele zur Silbenwahrnehmung (z. B. Abzählverse, Reime, Kinderlieder) • Plakate mit Nomen anlegen, die alle einen Doppelvokal besitzen • Plakate mit Wortfamilien erstellen (als Häuser, in denen verschiedene Wörter „wohnen“)
63	Lange und kurze Selbstlaute unterscheiden	x	x		x		
64	Reimwörter mit ie finden	x	x		x		
65	Verwandte Merkwörter mit h ordnen		x	x			
66	Merkwörter mit h ordnen		x		x		
67	Wörter mit lk, nk, rk und lz, nz, rz schreiben		x		x		
68	Merkwörter mit aa und ee schreiben	x	x		x		
Schreiben – Wörter **Lernziele:** Funktion unterschiedlicher Textsorten kennen lernen, Schreibstrategien zur Vorbereitung des Textschreibens anbahnen							
69	Über sich selbst schreiben		x		x	x	• einen Steckbrief über sich selbst schreiben und gestalten • Wörtersammlungen zu individuellen Themen erstellen
70	Wörter zu einem Bild schreiben		x		x	x	
71	Eine Wörtersammlung anlegen		x		x		
72	Passende Wörter ergänzen		x		x	x	

3.3. Sprachebene Sätze

Allgemeine Hinweise

Im Lernbereich *Sprache untersuchen – Sätze* werden neben den grundlegenden Satzmerkmalen die Satzarten unterschieden. Ihre sprecherische Absicht und Funktion gehören zum impliziten Wissen der meisten Schülerinnen und Schüler.
Im dritten Schuljahr wird auch das Verständnis von Satzgliedern und ihrer Funktion angebahnt. Auf einigen Seiten wird darüber hinaus die wörtliche Rede behandelt, um in dieses Thema, das auch für das eigene Schreiben von Bedeutung ist, einzuführen.

Im Lernbereich *Lesen – Sätze* nehmen die Anforderungen an Verstehensprozesse und Informationsverarbeitung zu. Grundlage dafür ist neben der Lesegeschwindigkeit zunehmend auch das Vermögen, Informationen als richtig oder falsch einzuschätzen. Im vorliegenden Material wird deshalb das Finden, Ordnen und Umsetzen von Informationen geübt.

Sätze, Satzzeichen, die Großschreibung am Satzanfang und die Großschreibung von Nomen sind im Lernbereich *Richtig schreiben – Sätze* zentral.

Der Lernbereich *Schreiben – Sätze* trainiert das Schreiben von Sätzen, wobei die Kinder Hilfen in Form von Lückensätzen, Satzmustern oder Illustrationen erhalten.

Ziele:

- die kommunikative Funktion von Sprache erfahren
- Strukturwissen anbahnen
- Satzbildungsgespür fördern
- die Lesetechnik weiterentwickeln und das Lesetempo steigern

Kartenmaterial

Nr. 11 Satz-Bild-Memo 11.01–11.48
Partner- oder Gruppenarbeit
Die Karten werden gemischt und verdeckt ausgelegt. Gespielt wird dann nach den bekannten Regeln, nach denen jeweils ein Paar zusammengehöriger Karten gefunden werden muss. Alternativ können die Kinder sich auch in Einzelarbeit mit den Karten beschäftigen, wobei die Karten nicht verdeckt, sondern als Paare geordnet werden.

Nr. 12 Würfelsätze 12.01–12.48
Partner- oder Gruppenarbeit
Der linke Teil der Karten mit dem Subjekt und dem Prädikat liegt offen auf einem Stapel, der rechte Teil der Karten liegt auf einem anderen Stapel. Nun wird abwechselnd je zweimal gewürfelt. Mit dem ersten Wurf bekommt man eine Karte aus dem linken Stapel, mit dem zweiten Wurf eine Karte aus dem rechten. Wer einen sinnvollen Satz legen kann, darf die Karten behalten. Wer mit einem Wurf keine passende Karte mehr bekommen kann, weil alle entsprechenden bereits vergeben sind, versucht sein Glück in der nächsten Runde. Es gewinnt der Spieler, der die meisten sinnvollen Sätze bilden konnte. Es kann aber auch Spaß machen, die Spielanleitung dahin gehend zu verändern, dass gezielt Unsinnsätze erwürfelt werden sollen.

Nr. 13 Satzschieber 13.01–13.06
Einzelarbeit
In Verbindung mit dem Leseschieber (Nr. 9) können die Kinder hier durch Schieben verschiedene Sätze bilden. Sie erleben dabei auch unmittelbar, dass Subjekt und Prädikat im Satz eng aufeinander bezogen sind. Der Wortstamm der Verben ist zur besseren Visualisierung farbig markiert. Die Sätze können auch aufgeschrieben werden. Ergänzend können die Kinder ggf. eigene Streifen für den Leseschieber basteln und sie einem Partner vorführen.

Nr. 14 Satzquartett 14.01–14.32
Gruppenarbeit
Gespielt wird nach den bekannten Quartettregeln. Jeweils vier Sätze zu einem Thema bilden ein Quartett und können abgelegt werden, wenn ein Spieler sie vollständig vorliegen hat. Die Bilder auf den Karten dienen als Hilfe beim sinnentnehmenden Lesen.

Kopiervorlagen

KV	Titel/Teilziel	Aufgabenformate					Weiterführende Übungsmöglichkeiten
Sprache untersuchen – Sätze **Lernziele:** Satzgrenzen und Satzbestandteile erkennen, Funktion verschiedener Satzarten kennen, Satzglieder kennen und unterscheiden (Anbahnung), wörtliche Rede kennen lernen							
73	Aussagesätze erkennen		x		x		Nr. 11 Satz-Bild-Memo Nr. 12 Würfelsätze Nr. 13 Satzschieber Nr. 14 Satzquartett • Gruppenschreibspiele, bei denen Schreibblätter im Kreis herumgegeben werden. Jedes Kind schreibt den Satz des Vorgängers weiter (z. B. Spalten auf einem Blatt: Wer? Tut was? Wie?) • Sätze anfangen und logisch beenden lassen (mündlich und schriftlich möglich) • zu Reizwörtern Sätze erfinden • in einfachen Lesetexten Satz für Satz Subjekte bzw. Prädikate ermitteln lassen • eigene Sätze schreiben und darin Subjekte und Prädikate unterstreichen
74	Satzgrenzen erkennen		x		x		
75	Aussagesätze und Fragen unterscheiden		x		x		
76	Fragen bilden		x		x		
77	Aufforderungssätze zuordnen		x	x	x		
78	Verben im Satz verwenden		x	x			
79	Verwürfelte Sätze ordnen		x		x		
80	Prädikate im Satz erkennen		x		x	x	
81	Das Subjekt kennen lernen		x	x	x		
82	Subjekte im Satz durch Fragen erkennen		x		x		
83	Sätze aus Satzgliedern bilden		x		x		
84	Wörtliche Rede kennen lernen		x	x	x		
85	Redezeichen einsetzen		x		x	x	
Lesen – Sätze **Lernziele:** Lesegeschwindigkeit und Lesegenauigkeit trainieren, Informationen aus Bildern, Bildfolgen und Sätzen entnehmen							
86	Satzhälften verbinden		x		x		Nr. 11 Satz-Bild-Memo Nr. 12 Würfelsätze Nr. 13 Satzschieber Nr. 14 Satzquartett
87	Zu Bildern passende Sätze ankreuzen		x		x		
88	Zutreffende Sätze ankreuzen		x		x	x	
89	Sätze lesen und dazu malen		x		x	x	
90	Sätze genau lesen		x		x		
91	Fragen und Antworten zuordnen		x	x			

KV	Titel/Teilziel	Aufgabenformate					Weiterführende Übungsmöglichkeiten
Richtig schreiben – Sätze **Lernziele:** Großschreibung von Nomen und Satzanfängen beachten, Satzschlusszeichen setzen							
92	Sätze verbessern		x		x		• eigene Sätze und Texte auf die richtigen Satzschlusszeichen hin überprüfen und Satzschlusszeichen markieren • witzige Frage- und Antwort-Spiele mit vermischten Frage- und Antwortkarten herstellen und damit spielen
93	Satzschlusszeichen setzen		x		x		
94	Groß- und Kleinschreibung beachten		x		x		
Schreiben – Sätze **Lernziele:** Sätze sinnvoll ergänzen, grammatikalisch und semantisch korrekte Aussagen und Fragen aufschreiben, Sätze mit Vergleichen schreiben							
95	Über sich selbst schreiben		x		x	x	• Leporellos zu unterschiedlichen Themen schreiben und ein Klassenlesebuch erstellen • je nach Jahreszeit und Themenanbindung Briefe an fiktive Figuren (z. B. Weihnachtsmann, Osterhase) adressieren und schreiben
96	Sätze zu Bildern schreiben		x		x	x	
97	Fragen zu einem Tier aufschreiben		x		x	x	
98	Sätze mit Vergleichen schreiben		x		x		

3.4. Sprachebene Texte

Allgemeine Hinweise

Die Sprachebene *Texte* steht ganz im Zeichen des Sprachverstehens und Sprachhandelns. Texte sind sowohl formal als auch in ihrer Intention oft recht komplex und für Schülerinnen und Schüler metasprachlich schwer zugänglich. Deshalb geht es darum, das Wissen über unterschiedliche Textsorten, deren Funktion und Struktur zu sichern und zu erweitern.
In dem vorliegenden Material erfolgt dies durch
- gezielte Reduktion auf einzelne Lernschritte,
- Auswahl von Sach-, Gebrauchs- und Erzähltexten aus vertrauten Lebensbereichen.

Der erste Lernbereich *Sprache untersuchen – Texte* greift einige Textsorten (Rätsel, Brief, Rezept, Erzähltext, Anleitungstext) und strukturelle Merkmale auf. Zudem wird dazu angeregt, einen Text im Imperfekt aufzuschreiben. Auch das Thema „wörtliche Rede“ wird aufgegriffen, wenn die Kinder aufgefordert werden, diese in einem Text zu erkennen.

Den Übergang zum Lernbereich *Lesen – Texte* bilden Aufgaben zum verstehenden Lesen. Viele Aufgaben trainieren jedoch gleichermaßen das genaue Lesen.

Der Lernbereich *Richtig schreiben – Texte* nimmt die Lernziele der Sprachebene Sätze auf und stellt sie in einen größeren Kontext.

Abschließend erhalten die Kinder im Lernbereich *Schreiben – Texte* gezielte Hilfen zu konkreten Schreibanlässen, um das kriterienbezogene Schreiben weiter zu trainieren.

Ziele:
- Funktion von Gebrauchs-, Sach- und Erzähltexten kennen lernen und diese Textsorten unterscheiden
- verstehende Lesestrategien und kriterienbezogene Schreibstrategien anbahnen

Kartenmaterial

Nr. 15 Textdomino 15.01–15.24
Einzel- oder Partnerarbeit
Mit Hilfe des Dominos kann das sinnentnehmende, verstehende Lesen geübt bzw. überprüft werden. Die Anfangskarte wird ausgelegt, der Rest vermischt. Es werden jeweils die Textteile angelegt, die eine sinnvolle Geschichte entstehen lassen, sodass am Schluss die Ende-Karte passt.

Nr. 16 Geschichtenpuzzle
Einzel- oder Partnerarbeit
Die Einzelteile der kleinen Geschichte werden verwürfelt und sollen reorganisiert werden. Die Teile sind nicht nummeriert, damit die Kinder sich beim Legen nicht an den Zahlen orientieren. Zur Überprüfung, ob alles stimmig ist, bietet es sich an, den Text laut vorlesen zu lassen. Danach muss ggf. Zeit für eine Korrektur zur Verfügung stehen.

Nr. 17 Pflanzenrätselmemo 17.01–17.16
Einzel-, Partner- oder Gruppenarbeit
Das Memo besteht aus kurzen Steckbriefen, zu denen die passende Pflanze aufgedeckt werden soll. Die Steckbriefe enthalten ähnlich lautende oder auf Satzebene identische Beschreibungen, um die Kinder nicht zu überfordern. Gespielt wird nach den bekannten Memoregeln.

Kopiervorlagen

KV	Titel/Teilziel	Aufgabenformate					Weiterführende Übungsmöglichkeiten
Sprache untersuchen – Texte **Lernziele:** ausgewählte Textsorten und ihre Merkmale kennen, Strukturmerkmale von erzählenden Texten kennen und benennen können (Einleitung, Hauptteil, Schluss), Zeitformen in Texten wahrnehmen und beachten							
99	Textsorten kennen		x	x	x		Nr. 15 Textdomino Nr. 16 Geschichtenpuzzle Nr. 17 Pflanzenrätselmemo • verschiedene Textsorten aus Zeitungen und Zeitschriften ausschneiden und deren Merkmale besprechen (Geschichte, Rezept, Rätsel, Brief etc.)
100	Wörtliche Rede in einem Text finden		x		x		
101	Einleitung, Hauptteil und Schluss finden		x	x			
102	Einen Anleitungstext ordnen		x	x			
103	Einen Text in der Vergangenheit aufschreiben		x		x		

KV	Titel/Teilziel	Aufgabenformate					Weiterführende Übungsmöglichkeiten
Lesen – Texte **Lernziele:** Lesestrategien anbahnen bzw. vertiefen							
104	Kleine Sachtexte verstehen		x	x			Nr. 15 Textdomino Nr. 16 Geschichtenpuzzle Nr. 17 Pflanzenrätselmemo • Lieblingsbücher mitbringen lassen und in der Klasse vorstellen bzw. daraus auch vorlesen (lassen) • Geschichten sammeln, ordnen und zu einem Klassenlesebuch zusammenstellen • zu Texten passende Illustrationen in Zeitschriften finden • verschiedene jahreszeitliche Gedichte für Kinder lesen bzw. den gestaltenden Vortrag einüben
105	Einen Text lesen und dazu malen		x		x		
106	Unsinnwörter finden		x		x	x	
107	Stolperwörter finden		x		x	x	
108	Einer Einladung Informationen entnehmen		x		x		
109	Zahlen in einem Sachtext finden		x		x		
110	Ein Gedicht lesen		x	x		x	
Richtig schreiben – Texte **Lernziele:** variierende Satzanfänge in einem Text wahrnehmen, Anredepronomen richtig schreiben, beim vergleichenden Lesen einzelne Rechtschreibfehler ermitteln							
111	Vergleichend lesen, Fehler finden		x		x		• einen offiziellen Brief schreiben, dabei förmliche Anredepronomen farbig kennzeichnen
112	Satzanfänge einfügen		x		x		
113	Anredepronomen richtig schreiben		x		x		
Schreiben – Texte **Lernziele:** kriterienbezogenes Schreiben anbahnen							
114	Nomen durch Pronomen ersetzen		x		x		• zu Schreibanlässen Stichwörter erstellen und eine kleine Geschichte schreiben • mit Hilfe einer Musterklammer einen Fächer mit verschiedenen Satzanfängen erstellen (Dann, Darauf, Plötzlich, Zuerst, Bald darauf, Nun, Endlich, Zum Schluss ...); den Fächer beim Schreiben eigener Geschichten nutzen • einen Brief schreiben, einen Briefumschlag richtig beschriften
115	Texte überarbeiten: Satzanfänge ändern		x		x	x	
116	Teile eines Briefes kennen		x		x		
117	Zu einem Bild schreiben		x		x	x	
118	Einen Steckbrief schreiben		x		x		

4. Förderhinweise und Kopiervorlagen zur Lernbeobachtung

4.1. Förderhinweise

Allgemeine Hinweise

- Eine Förderung sprachlicher Auffälligkeiten sollte immer in Kooperation mit sprachtherapeutischen und medizinischen Fachleuten erfolgen.
- Schülerinnen und Schüler mit Auffälligkeiten in der Sprachproduktion reagieren sehr sensibel auf Korrekturen. Gleichzeitig zeigen sie häufig den Hang, Sprachäußerungen von Gesprächspartnern zu imitieren. Es wird empfohlen, falsche Sprachäußerungen richtig gesprochen zu wiederholen.

Sprachebene Buchstaben

- Bei Kindern mit phonetisch-phonologischen Störungen bietet es sich an, weiterhin Übungen zur Förderung der auditiven Wahrnehmung bzw. Lautdiskriminierung, wie sie aus dem Anfangsunterricht bekannt sind, in den Unterricht zu integrieren. Immer wieder sollte auch die bedeutungsunterscheidende Funktion von Lauten bewusst gemacht werden, z. B. mit Hilfe von Minimalpaartraining zu Lautpaaren. Wird der Unterschied nicht wahrgenommen, hilft der Zugang über das unterscheidbare Schriftbild.
- Bei Problemen in der optischen Analyse sollten die Kinder immer wieder die Gelegenheit haben, mit haptischem Material zu arbeiten (Buchstaben kneten, in den Sand schreiben, erfühlen etc.). Ein besonderes Augenmerk sollte auch mehrgliedrigen Graphemen gelten (Au/au, Äu/äu, Eu/eu etc.).
- Bei Unsicherheiten in der Lautproduktion oder der Graphomotorik ist der Rückgriff auf Lautgebärden bzw. Schwungübungen des Anfangsunterrichts zu empfehlen.

Sprachebene Wörter

- Das Erkennen der Wortarten beruht auf Kategorienbildung. Je mehr Elemente in einer Kategorie gesammelt werden (z. B. auf Postern), umso stärker bilden sich Schemata und Routinen. Dabei können die unterschiedlichen Merkmale (z. B. zu Nomen: *Namen für Dinge, haben eine Einzahl und Mehrzahl)* schrittweise kombiniert werden.
- Silbenanalyse und Silbensynthese lassen sich über verbreitete rhythmisierende Übungen fördern (z. B. Abzählverse, Reime, Kinderlieder). Das rhythmische Sprechen kann motorisch unterstützt werden (z. B. Silben schwingen oder schreiten).
- Fällt das sinnverstehende Wortlesen schwer, sollten die Leseübungen in einer Fördereinheit mit der Lehrkraft gemeinsam erarbeitet werden.

Sprachebene Sätze

- Die unterschiedlichen Funktionen von Satzarten lassen sich über dialogische Rollenspiele trainieren. Zeigen die Schülerinnen und Schüler Sprechhemmungen, können Handpuppen helfen.
- Ein Training des korrekten Satzbaus über Modellsätze ist sinnvoll. Im Alltag können z. B. bestimmte Sätze Rituale und Regeln verdeutlichen (z. B. Wer etwas sagen möchte, hebt seine Hand. Wer ein anderes Kind bei der Arbeit stört, ...). Auch kann die Lehrkraft Antworten der Schülerinnen und Schüler korrekt wiederholen bzw. beim Aufgreifen ein Satzglied einfügen.

Sprachebene Texte

- Einsichten in die Funktion von Texten beruhen auf Erfahrungen aus der Lebenswelt der Kinder. Ihre Interessen und Erfahrungen sollten als Anknüpfungspunkte genutzt werden. Aus der sowohl rezeptiven als auch produktiven Arbeit mit Texten können kleine Projekte entstehen (z. B. Rezepte sammeln, ein Witze- oder Jahreszeitenbuch gestalten etc.).
- Ein Einstieg in die Textproduktion gelingt über die Reduktion bzw. Nachahmung des zu schreibenden Materials (z. B. zunächst Lückentexte anbieten, wie es in dieser Mappe der Fall ist, oder kleine Analogtexte schreiben lassen).

Klasse: Datum: Name:

4.2. Lernbeobachtung – Buchstaben

	Die Schülerin/ der Schüler kann	**unsicher**	**teilweise**	**meist**	**sicher**	**Förderempfehlung**
Sprache untersuchen	Buchstabenformen erkennen					
	Groß- und Kleinbuchstaben unterscheiden					
	mehrgliedrige Grapheme erkennen					
Lesen	Lauten passende Buchstaben zuordnen					
	ähnliche Buchstabenformen unterscheiden (b/d)					
	seltenere Buchstaben und Buchstabenverbindungen lesen (ng/nk, Qu/qu, ß)					
Richtig schreiben	Vokale erkennen					
	Zwielaute erkennen					
	Umlaute erkennen					
	mehrgliedrige Grapheme unterscheiden und verschriften (z. B. ch/sch)					
	das Abc aufsagen					
	Wörter nach dem 1. Buchstaben alphabetisch ordnen					
Schreiben	Gestaltungsideen auf der Buchstabenebene umsetzen					
	zu Anfangsbuchstaben selbstständig Wörter schreiben					
	Sätze aufschreiben, die mit Hilfe von Anlautbildern gebildet wurden					

Klasse: Datum: Name:

4.3. Lernbeobachtung – Wörter

	Die Schülerin/ der Schüler kann	unsicher	teilweise	meist	sicher	Förderempfehlung
Sprache untersuchen	Nomen erkennen					
	Nomen passende Artikel zuordnen und die Mehrzahl bilden					
	Personalformen von Verben erkennen bzw. selbst bilden (Präsens)					
	verschiedene Zeitformen des Verbs erkennen (Präsens, Imperfekt)					
	Adjektive inhaltlich zuordnen					
	Adjektive mit regelmäßiger Bildung steigern					
Lesen	Silben lesen und zu Wörtern zusammenfügen					
	Wörter und Wortgruppen sinnverstehend lesen					
Richtig schreiben	Nomen mit d und g am Ende verlängern					
	Verben mit ng und nk in der Personalform verlängern					
	Nomen mit ä und äu ableiten					
	Wörter nach Wortfamilien ordnen					
	Merkwörter richtig auf- bzw. abschreiben (z. B. mit Doppelvokal)					
Schreiben	Wörter zu einem Schreibanlass sammeln					

Klasse: Datum: Name:

4.4. Lernbeobachtung – Sätze

	Die Schülerin/ der Schüler kann	unsicher	teilweise	meist	sicher	Förderempfehlung
Sprache untersuchen	Satzanfang und Satzende erkennen					
	Satzarten und ihre Funktionen unterscheiden					
	das Subjekt im Satz durch Fragen erkennen					
	das Prädikat im Satz erkennen					
	verwürfelte Sätze syntaktisch richtig reorganisieren					
	wörtliche Rede erkennen					
Lesen	zunehmend größere Einheiten erlesen					
	Sätzen Informationen entnehmen					
	Sätze genau lesen					
	Fragen und Antworten einander zuordnen					
Richtig schreiben	Nomen erkennen und großschreiben					
	den Satzanfang großschreiben					
	das Satzende erkennen und Satzschlusszeichen setzen					
Schreiben	Sätze über sich selbst schreiben					
	Sätze zu Bildern schreiben					
	Fragesätze zu einem Thema aufschreiben					
	Sätze mit Vergleichen schreiben					

Klasse: Datum: Name:

4.5. Lernbeobachtung – Texte

	Die Schülerin/ der Schüler kann	unsicher	teilweise	meist	sicher	Förderempfehlung
Sprache untersuchen	verschiedene Textsorten unterscheiden (Brief, Rätsel, Rezept)					
	wörtliche Rede in einem Text erkennen					
	Textteile ordnen					
	Einleitung, Hauptteil und Schluss in einem Text erkennen					
Lesen	einfache Sachtexte verstehen und Informationen wiedergeben					
	Unsinnwörter finden					
	Stolperwörter finden					
	einer Einladung Informationen entnehmen					
	ein Gedicht lesen und verstehen					
Richtig schreiben	Satzenden erkennen und Satzschlusszeichen setzen					
	beim vergleichenden Lesen Rechtschreibfehler finden					
Schreiben	Teile eines Briefes benennen bzw. zuordnen					
	zu einem Schreibanlass eine Geschichte schreiben					
	Satzanfänge überarbeiten					
	zu einem Bild schreiben					
	einen Steckbrief schreiben					

Klasse: Datum: Name:

Sprache untersuchen – Buchstaben

Groß- und Kleinbuchstaben erkennen

❶ Immer zwei Buchstaben gehören zusammen.
Male in der gleichen Farbe aus.

G	h	K	j
H	y	B	f
R	c	F	x
N	g	X	z
Y	r	J	b
C	n	Z	k

❷ Schreibe die Buchstaben als Paare auf.

G g

Klasse: Datum: Name:

Sprache untersuchen – Buchstaben

Groß- und Kleinbuchstaben einsetzen

❶ Welche großen Buchstaben fehlen hier?
Setze ein.

 A ffe

 __nte

 __amel

 __iger

 __und

 __gel

 __iege

 __aus

 __ase

 __ama

❷ Welche Buchstaben fehlen nun?
Setze ein.

I g el   __ama   __lefant

M__s   Zie__e   H__nd

Has__   T__g__r   Ka__e__

Klasse: Datum: Name:

Die Buchstabenverbindung ei erfassen

❶ Setze **ei** in die Nomen ein.
Schreibe die Wörter.

B ei n das Bein

T __ l

Am __ se

Papag __

S __ l

L __ ter

❷ Setze **ei** in die Verben ein.
Schreibe die Wörter dreimal.

t ei len teilen,

r __ ten

b __ ßen

Klasse: Datum: Name:

Sprache untersuchen – Buchstaben

Die Buchstabenverbindung au erfassen

1 Setze **au** in die Nomen ein.
Schreibe die Wörter.

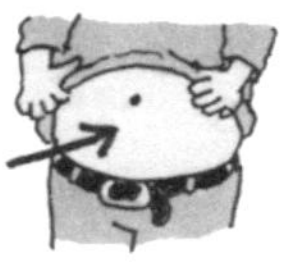

B au ch — der Bauch

M ___ s — ______________________

L ___ s — ______________________

B ___ m — ______________________

Nikol ___ s — ______________________

D ___ men — ______________________

2 Setze **au** in die Verben ein.
Schreibe die Wörter dreimal.

l au fen — laufen,

b ___ en — ______________________

k ___ fen — ______________________

Klasse: Datum: Name:

Sprache untersuchen – Buchstaben

Die Buchstabenverbindungen Eu/eu erfassen

❶ Setze **Eu** in die Nomen ein.
Schreibe die Wörter.

 Eu ter — das Euter

___ ro — ___

 ___ le — ___

❷ Setze **eu** in die Nomen ein.
Schreibe die Wörter.

 F eu er — das Feuer

 B ___ le — ___

 Sch ___ ne — ___

 Flugz ___ g — ___

 B ___ tel — ___

 Kr ___ z — ___

Klasse: Datum: Name:

Buchstaben erkennen: d

❶ Kreise alle **d** ein.

d g p o d o p d a d i

r d o p g d o p d g e d f

d i o e f d k p g d l k d p d i

d i o e f d k p g d l k d p d i d o p i e d p d l w

❷ Kreise alle Wörter mit **d** ein.

dunkel	Hund	Hase	dicht
das	diese	dann	dort
damit	deshalb	weiß	reiten
leider	nicht	da	denken

Klasse: Datum: Name:

Buchstaben erkennen: b

1 Kreise alle **b** ein.

b g p b l o b e k b p

k b u b h b o p b h l f b l

i h b e b f k b g b p b p h b

b l b e f b h b g p b h b p l h h b p i e b h b l b

2 Kreise alle Wörter mit **b** ein.

baden	halten	helfen	bringen
bald	bunt	aber	gern
hoppeln	bitte	Rabe	Apfel
lieb	Perle	Liebe	groß

Klasse: Datum: Name:

Buchstaben erkennen: ß

❶ Male alle Felder mit **ß** aus.

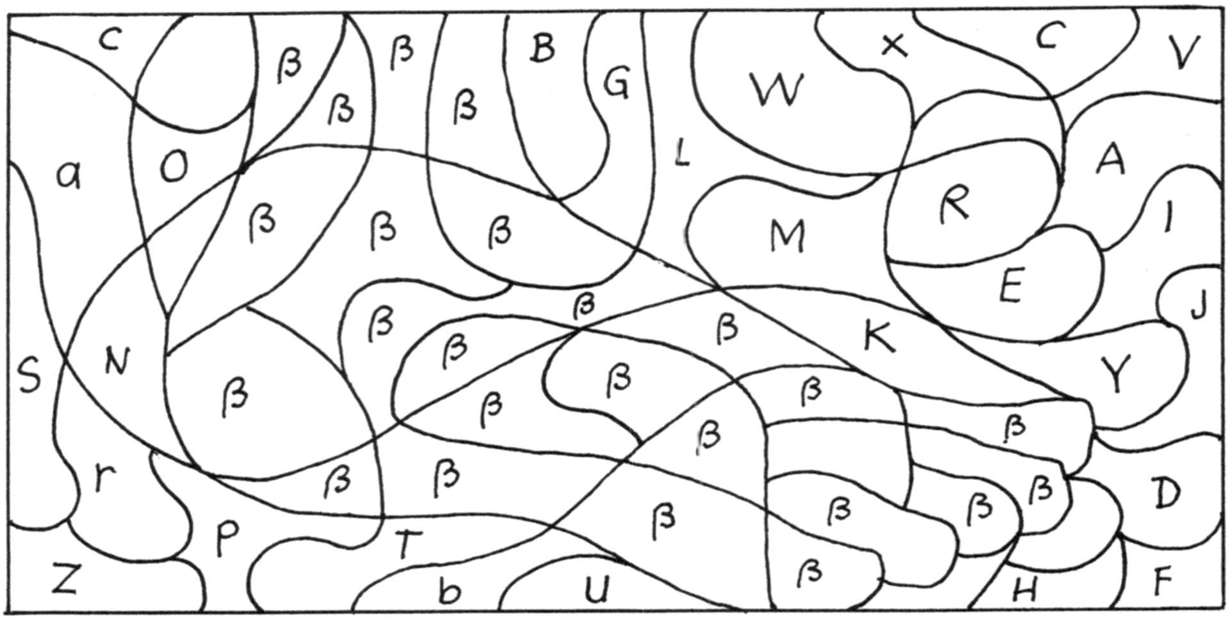

❷ Spure **ß** nach. Klebe die Bilder passend ein.

Fuß Straße Soße

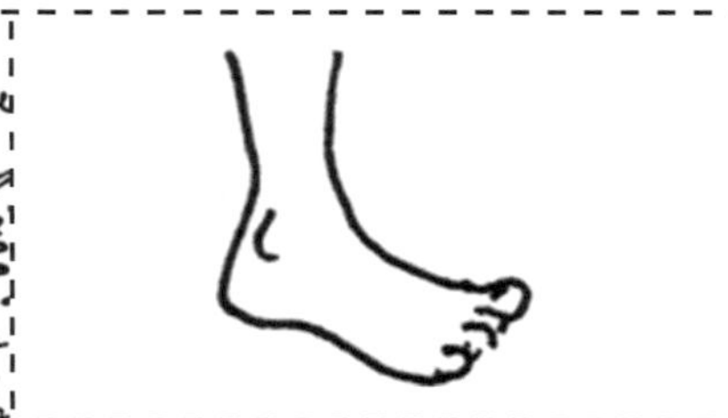

Klasse: Datum: Name:

Lesen – Buchstaben

Buchstaben erkennen: Qu und qu

❶ Kreise **Qu** und **qu** ein.

l Qu b g G Qu

h i qu V p

qu v Qu P qu s qu

❷ Spure **Qu** nach. Verbinde.

Quadrat ○	○ 
Quelle ○	○ 
Qualle ○	○ 
Querflöte ○	○ 
Quartett ○	○ 
Quark ○	○ 

Klasse: Datum: Name:

Lesen – Buchstaben

Buchstaben erkennen: tz

❶ Kreise **tz** in allen Wörtern ein.

❷ Schneide die Kärtchen aus.
Lege zu jedem Wort ein Reimwort.

Katze	Witz	hetzen	nützen
schützen	petzen	Tatze	kotzen
Plätzchen	Platz	Hitze	Kätzchen
Sitze	Blitz	motzen	Satz

Klasse: Datum: Name:

Buchstaben erkennen: ng

❶ Kreise **ng** in allen Wörtern ein.

singen	klingen	springen
fangen	angeln	hängen
bringen	ringen	bangen

❷ Sprich die Wörter. Wo hörst du **ng?**
Male die entsprechenden Bilder aus.

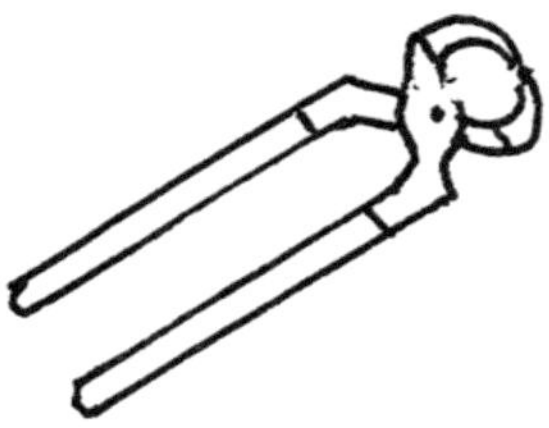
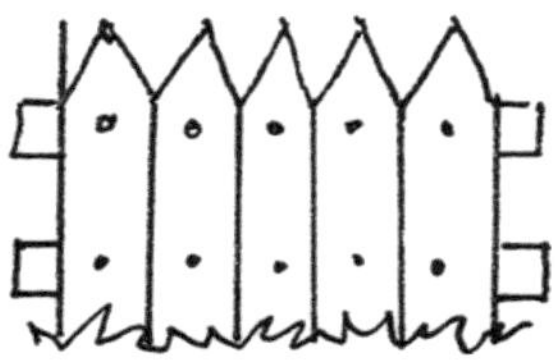

Klasse: Datum: Name:

Buchstaben erkennen: nk

❶ Kreise **nk** in allen Wörtern ein.

winken	lenken	schenken
denken	Dank	Krankheit
Schrank	Onkel	dunkel

❷ Sprich die Wörter. Wo hörst du **nk?**
Male die entsprechenden Bilder aus.

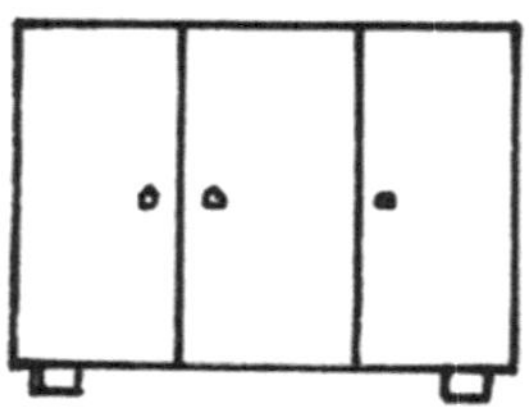

Klasse: Datum: Name:

Das Abc kennen (1)

A B C D E F G H I J K L M N
O P QU R S T U V W X Y Z

❶ Welche Buchstaben fehlen? Ergänze große Buchstaben.

A B ___ D ___ F ___ H ___

___ K L ___ N O ___ QU ___

S ___ U ___ W ___ Y ___

a b c d e f g h i j k l m n
o p qu r s t u v w x y z

❷ Welche Buchstaben fehlen? Ergänze kleine Buchstaben.

a ___ c ___ e f ___ ___ i j

___ l ___ ___ o ___ ___ ___

s ___ ___ v ___ x ___ z

Klasse: Datum: Name:

Richtig schreiben – Buchstaben

Das Abc kennen (2)

❶ Spure im Abc alle **Mitlaute blau** nach.
Spure alle **Selbstlaute rot** nach.

A B C D E F G H I
J K L M N O P Q U
R S T U V W X Y Z

a b c d e f g h i
j k l m n o p qu
r s t u v w x y z

Richtig schreiben – Buchstaben

Das Abc kennen (3)

❶ Welcher Buchstabe kommt danach?
Ergänze.

A	B		I	J		O	P	
E	F		K	L		B	C	
D	E		G	H		S	T	
K	L		Qu	R		T	U	
X	Y		U	V		M	N	

❷ Welcher Buchstabe fehlt hier im Abc?
Schreibe auf.

Dieser Buchstabe fehlt:

Klasse: Datum: Name:

Das Abc kennen (4)

❶ Welche Buchstaben kommen davor?
Ergänze.

	C	D		I	J		O	P
	X	Y		U	V		M	N
	E	F		K	L		B	C
	D	E		G	H		S	T
	Y	Z		Qu	R		T	U

❷ Welche Buchstaben fehlen?
Ergänze.

	H			T			Y	
	R			C			F	

Richtig schreiben – Buchstaben

Wörter nach dem Abc ordnen

❶ Schneide die Wörter unten aus.
Klebe sie passend in das Abc.

A		F	
B		G	
C		H	
D		I	
E		J	

Hose	Flasche
Dose	Junge
Apfel	Ball
Ente	Gras
Igel	Computer

Klasse: Datum: Name:

Selbstlaute erkennen

Selbstlaute sind **A/a, E/e, I/i, O/o, U/u.**

❶ Kreise alle Selbstlaute in den Wörtern ein.

Blatt Nest Ball Mond

Bett Topf Wal Uhr

Schiff Buch Koch Ring

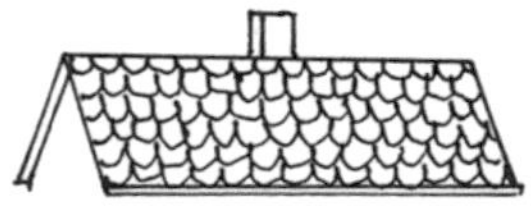

Hut Glas Dach Schirm

❷ Setze die richtigen Selbstlaute ein.

 der M[a]nt[e]l

 die L[ ]p[ ]

 die B[ ]rn[ ]

 die T[ ]m[ ]t[ ]

 die R[ ]s[ ]

 die N[ ]s[ ]

Klasse: Datum: Name:

Richtig schreiben – Buchstaben

Zwielaute erkennen

Zwielaute sind **Au/au, Eu/eu, Ei/ei, Äu/äu.**

❶ Kreise alle Zwielaute in den Wörtern ein.

Haustür Eulen träumen Scheunentor

Beutel neu Raum Baumhaus

teilen Leiter draußen Mäuse

Äuglein leicht teuer aufräumen

❷ Setze **eu** oder **au** ein.

die M au s

der B ___ tel

der D ___ men

das Kr ___ z

der Tr ___ m

der B ___ m

Klasse: Datum: Name:

Selbstlaute und Zwielaute unterscheiden

❶ Male alle Felder mit einem **Selbstlaut rot** aus.
Male alle Felder mit einem **Zwielaut grün** aus.

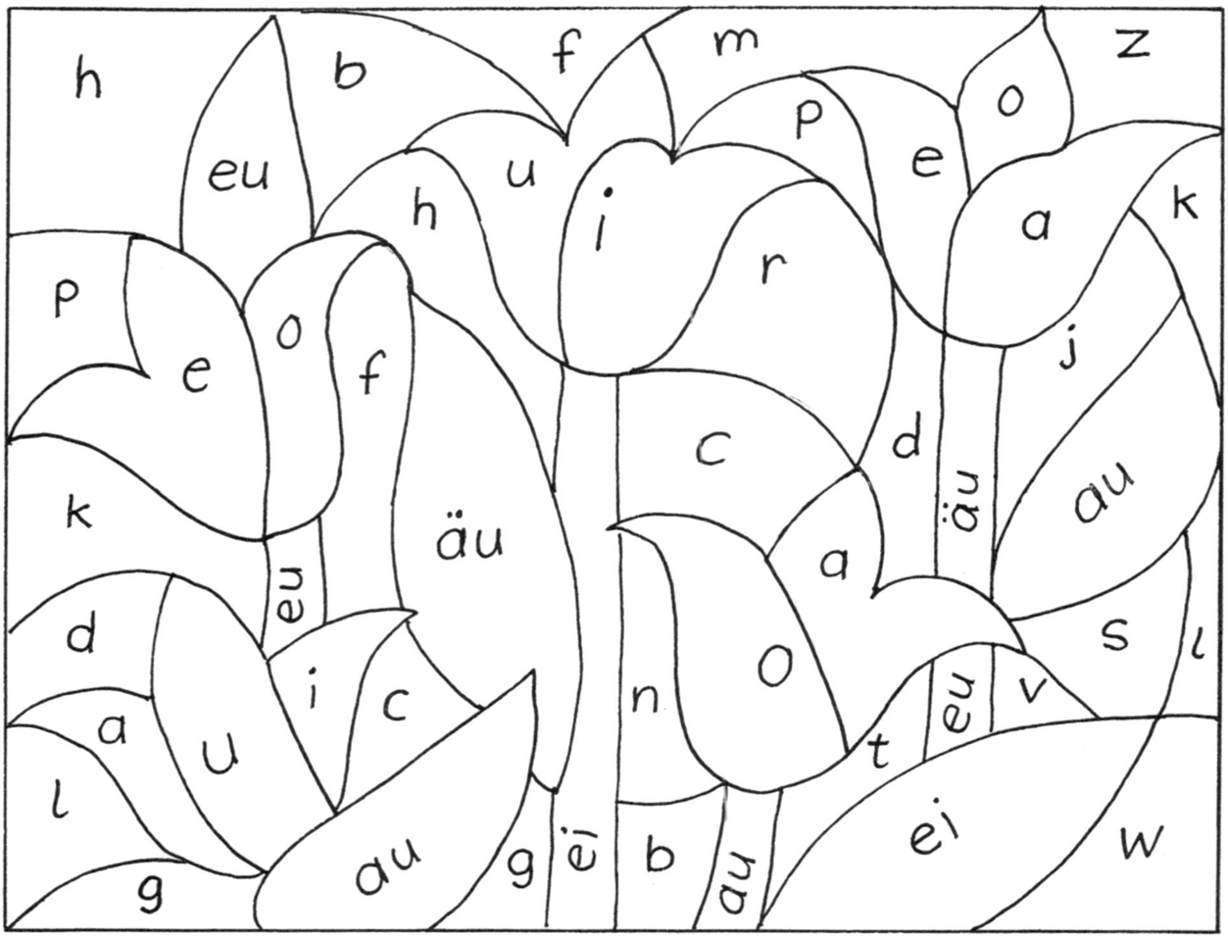

❷ Schreibe Wörter mit einem **Zwielaut** auf.
Kreise die Zwielaute ein.

Klasse: Datum: Name:

Umlaute erkennen

Umlaute sind **Ä/ä, Ö/ö, Ü/ü.**

❶ Lies die Wörter.
Übermale gelb alle **Umlaute.**

der Ofen	die Hand	das Rad	die Füße
der Hut	die Gläser	der Ton	die Hüte
der Fuß	die Töne	die Öfen	der Ball
das Glas	die Hände	die Bälle	die Räder

❷ Schneide die Kärtchen aus.
Lege Paare: Einzahl und Mehrzahl.

Klasse: Datum: Name:

Wörter mit ch üben

❶ Lies die Wörter.
Übermale **ch** gelb.

Nächte	Licht	Sache	Dach
Woche	Dächer	Lichter	Loch
Nacht	Bach	Wochen	Fach
Löcher	Fächer	Sachen	Bäche

❷ Schneide die Kärtchen aus.
Lege Paare: Einzahl und Mehrzahl.

Klasse: Datum: Name:

Wörter mit sch üben

1. Klebe die Wörter ein.
   Kreise **sch** ein.

2. Schreibe die Wörter in die Linien.

der Tisch

Mensch	Tisch
Tasche	Fisch

Klasse: Datum: Name:

Anfangsbuchstaben gestalten

❶ Schreibe den ersten Buchstaben
deines Vornamens und deines Nachnamens in die Rahmen.

❷ Verziere die Buchstaben.
Male die Rahmen bunt.

Klasse: Datum: Name:

Schreiben – Buchstaben

Wörter zu Anfangsbuchstaben schreiben

❶ Schreibe Nomen zu den Buchstaben.

A Affe

R

B

S

D

T

Klasse: Datum: Name:

Schreiben – Buchstaben

Mit Anlautbildern schreiben

❶ Schreibe die Buchstaben zu den Bildern.

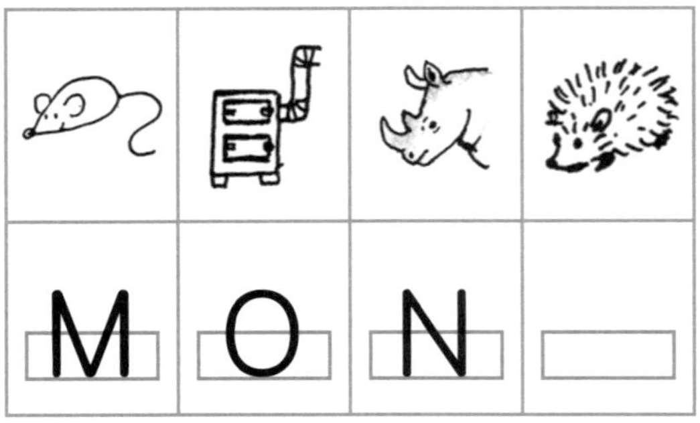

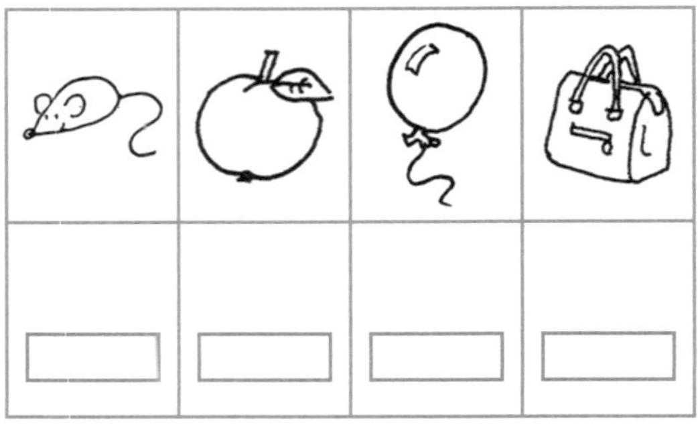

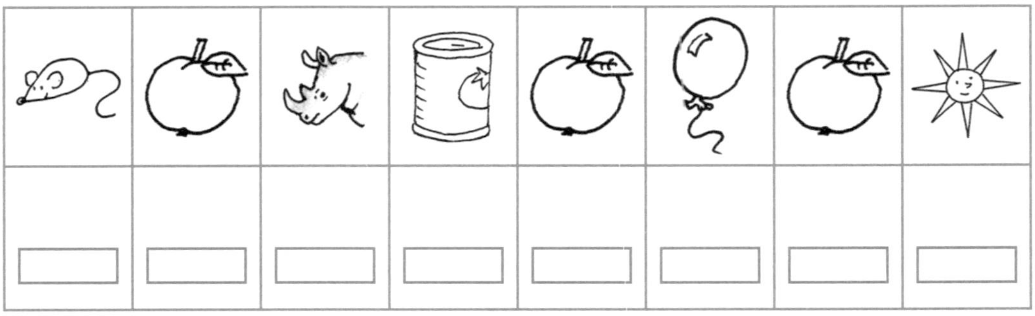

.

,

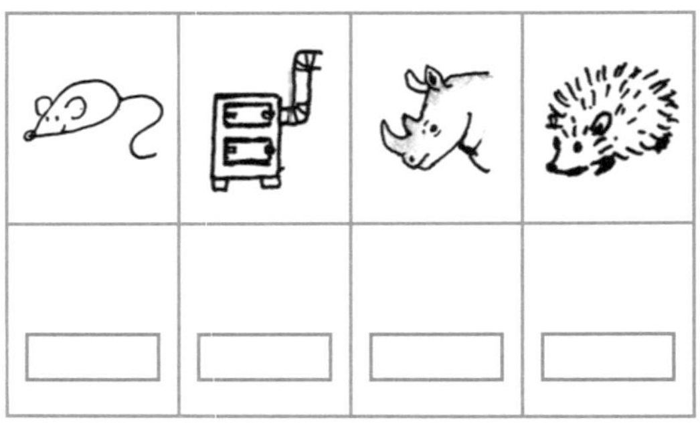

!

!

❷ Lies die Sätze.

Klasse: Datum: Name:

Nomen unterscheiden

❶ Verbinde jedes Nomen mit einem Bild.

Lehrerin | Buch | Schüler | Esel

Blume | Zebra | Tasche | Baum

❷ Ordne die Wörter passend ein.

Menschen	Tiere
Lehrerin	

Pflanzen	Dinge

Klasse: Datum: Name:

Nomen für Gefühle kennen lernen

Wörter für Gefühle wie die **Angst,** die **Sorge,** die **Freude,** die **Wut** sind auch Nomen. Man schreibt sie groß.

❶ Welches Gefühl passt?
Schneide die Karten unten aus. Klebe sie ein.

die Wut	die Angst	die Neugier
die Freude	die Trauer	der Stolz

Klasse: Datum: Name:

Nomen in der Mehrzahl schreiben

1 Welches Nomen in der Mehrzahl passt?
Ergänze.

Stifte	Bücher	Kinder	Häuser
Stühle	Tische	Autos	~~Ringe~~

ein Ring → viele Ringe

ein Haus → viele ______

ein Kind → viele ______

ein Tisch → viele ______

ein Buch → viele ______

ein Stift → viele ______

ein Stuhl → viele ______

ein Auto → viele ______

Klasse: Datum: Name:

Großschreibung von Nomen beachten

❶ Setze immer einen großen Buchstaben ein.

❷ Schreibe ab. Zeichne Silbenbögen ein.

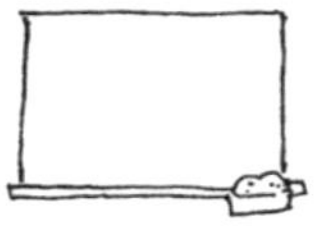 die T afel

die Tafel

 das ___uch

____

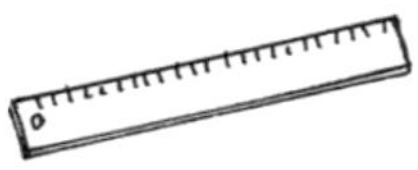 das ___ineal

____

 der ___isch

____

 das ___eft

____

 die ___ose

____

 das ___ild

____

 der ___insel

____

 der ___üller

____

 der ___all

____

Klasse: Datum: Name:

Nomen erkennen

1 Vor welche Wörter passt **der, die** oder **das?** Es sind **Nomen.**
Klebe sie in das Haus ein.

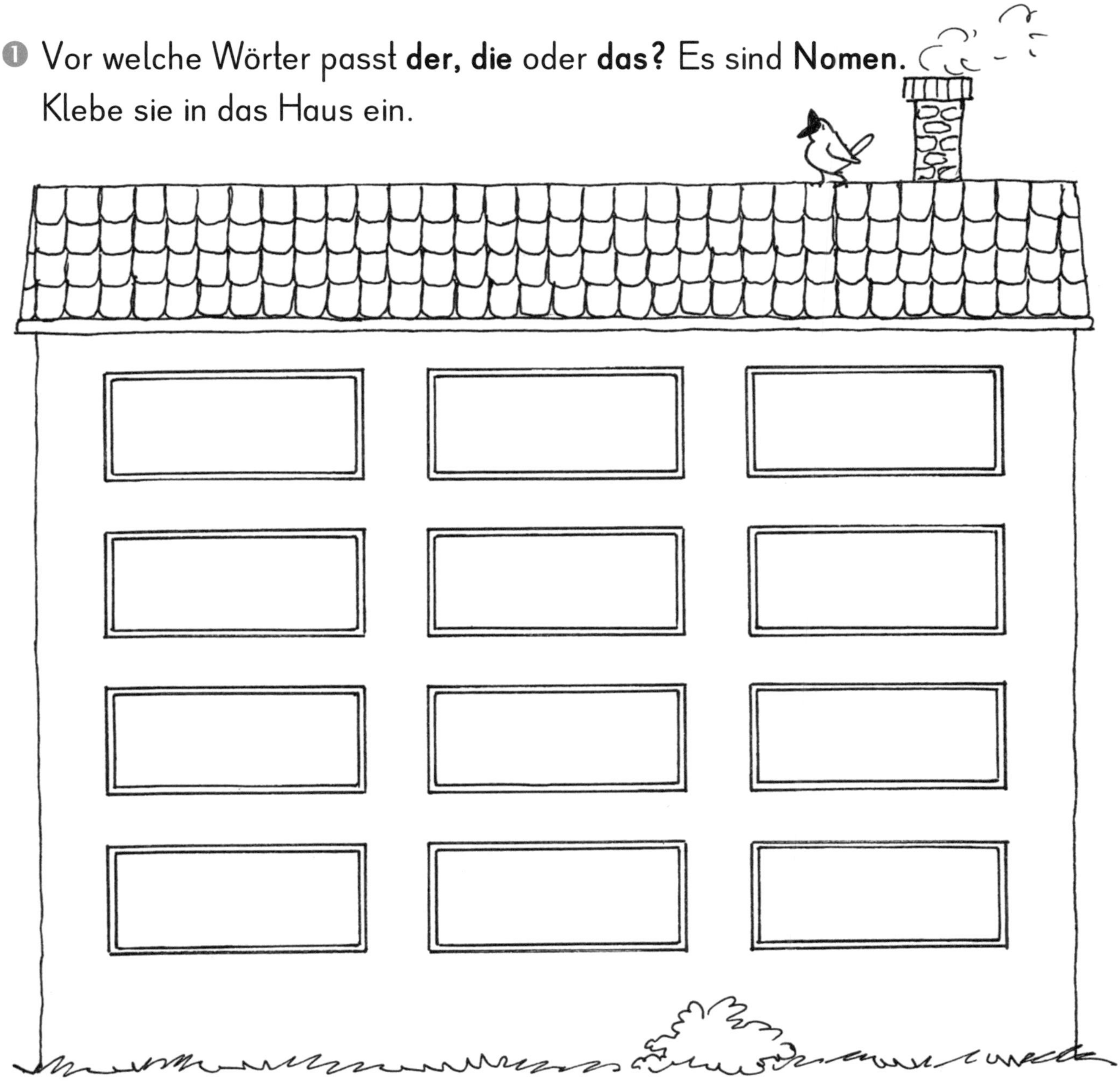

REGEN	FREUDE	LESEN	HIMMEL	WOLKE
SCHÜLER	FREUND	KAMEL	TELLER	TELEFON
SEIFE	REITEN	SCHÖN	TAFEL	SCHWEIN

Klasse: Datum: Name:

Sprache untersuchen – Wörter

Bestimmte Artikel zuordnen

1 Setze die passenden Artikel ein: **der, die** oder **das.**

der	Affe		Gras		Oma
	Kind		Ball		Vater
	Baum		Nase		Katze
	Tante		Opa		Wald
	Auto		Frau		Kuchen
	Bruder		Ofen		Lampe
	Vogel		Stuhl		Sofa

2 Schreibe eigene Nomen mit **der, die** oder **das.**
Male deine Nomen.

Klasse: Datum: Name:

Unbestimmte Artikel zuordnen

❶ Welche Nomen passen zu **ein** oder **eine**?
Klebe die Wörter in den richtigen Turm.

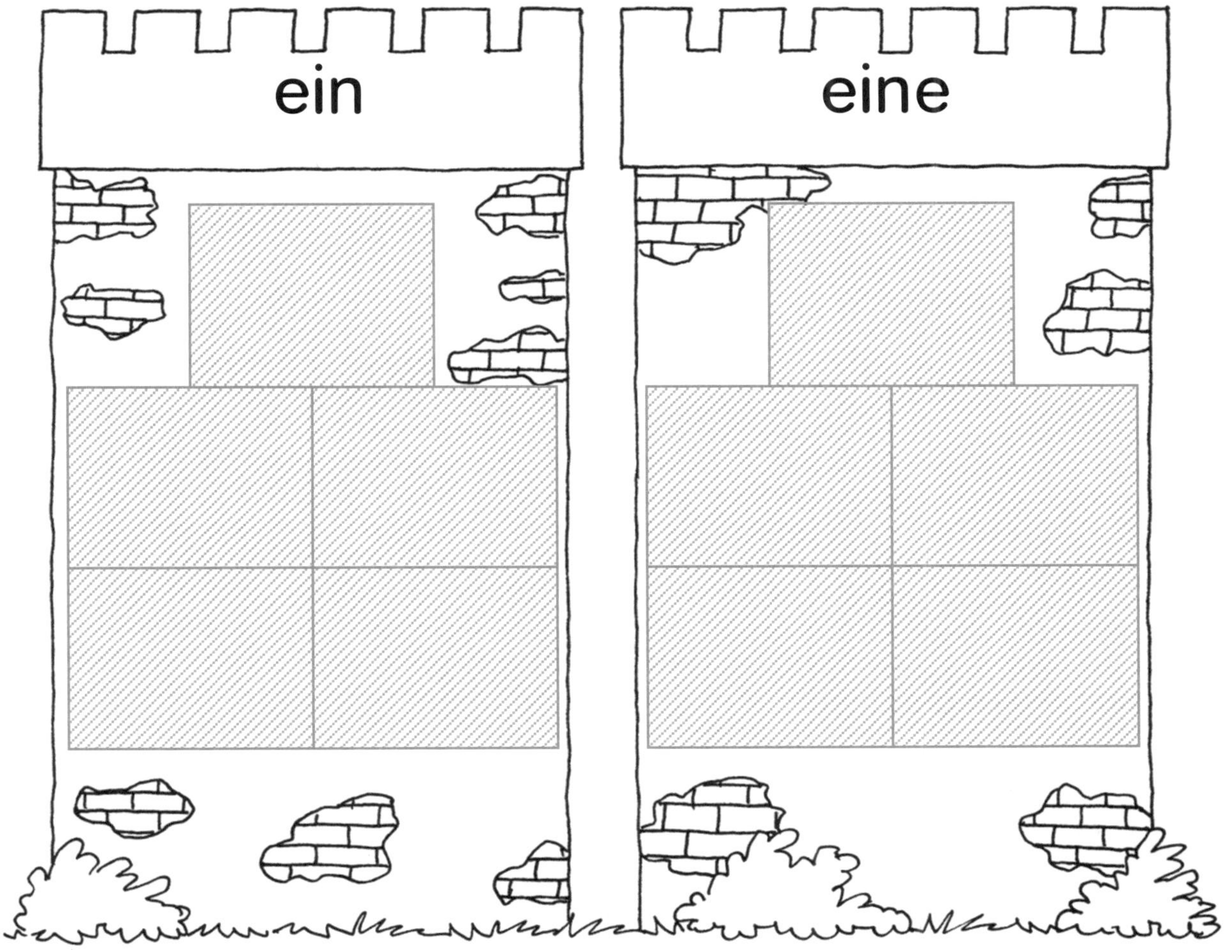

Klasse: Datum: Name

Zusammengesetzte Nomen bilden

1 Was gehört zusammen?
Male aus.

der Fuß	der Ball	der Handschuh
die Hand	der Schuh	der Fußball
der Tee	die Tasse	das Baumhaus
der Baum	das Haus	die Teetasse

2 Schreibe wie im Beispiel.

der Regen	der Wurm	der Regenwurm
die Ferien	die Zeit	
der Vogel	das Nest	
das Haar	die Bürste	

Klasse: Datum: Name:

Verben inhaltlich zuordnen (1)

Wörter, die sagen, was man tut, heißen **Verben.**

❶ Was tun die Kinder?
Schreibe jedes Verb unter ein Bild.

lesen | essen | schwimmen
tanzen | reiten | ~~spielen~~

spielen

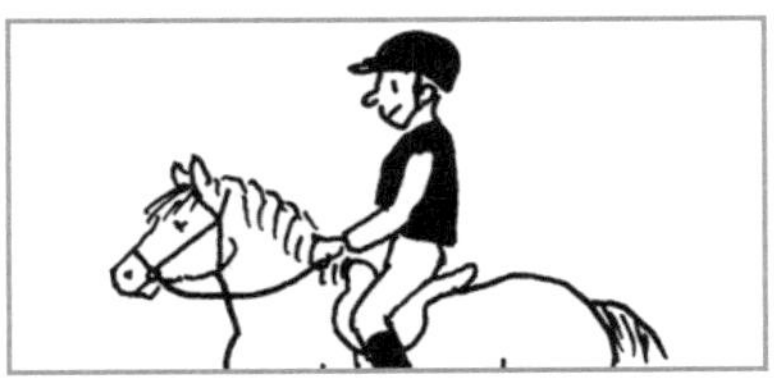

❷ Was kann man noch tun?
Schreibe eigene Verben.

Klasse: Datum: Name:

Verben inhaltlich zuordnen (2)

❶ Wie stark weht der Wind?
Ordne die Verben zu.

starker Wind	**leichter Wind**
toben	hauchen
sausen	blasen
pfeifen	jagen
stürmen	wehen
heulen	hinwegfegen
säuseln	jaulen

Klasse: Datum: Name:

Personalformen von Verben erkennen

Verben haben verschiedene Formen:

Ich ziehe, du ziehst, er zieht, ...

❶ Spure die Endungen nach und schreibe ab.

Ich spiele. Ich spiele.

Du spielst.

Er spielt.

Sie spielt.

Es spielt.

Wir spielen.

Ihr spielt.

Sie spielen.

Klasse: Datum: Name:

Sprache untersuchen – Wörter

Personalpronomen und Verbform zuordnen

❶ Schneide aus.
Klebe zu jeder grauen Karte die passende Form.

1 **ich**	2 **du**
3 **er**	4 **sie**
5 **es**	6 **wir**
7 **ihr**	8 **sie (alle)**
kommst	kommt
kommt	kommen
kommt	komme
kommen	kommt

Klasse: Datum: Name:

Personalform und Grundform zuordnen

1 Zu jeder Personalform passt eine Grundform.
Schneide aus, ordne zu, klebe auf.

tanzen	fallen	du ziehst
rennen	ich schiebe	er tanzt
ziehen	ihr rennt	wir fallen
schieben	jagen	kommen
ich warte	du kommst	warten
sie jagt	zeigen	du lachst
du zeigst	er heult	lachen
fangen	heulen	sie fangen

Klasse: Datum: Name:

Zeitformen des Verbs zuordnen

❶ Jedes Verb gibt es in der **Gegenwart** und **Vergangenheit.**
Schneide aus, ordne zu, klebe auf.

ich spiele	ich lachte	ich rief
ich freue	ich wohne	ich spielte
ich rufe	ich warf	ich lief
ich lache	ich laufe	ich wohnte
ich werfe	ich freute	

Klasse: Datum: Name:

Adjektive inhaltlich zuordnen

Adjektive beschreiben, **wie** etwas ist: **rot, klein, lieb** …

❶ Was ist wie?
Schreibe die Adjektive zu den Bildern.

klein | sauer | krumm | ~~laut~~
weich | alt | heiß | süß

laut

Klasse: Datum: Name:

Adjektive vor Nomen setzen

❶ Lies und schreibe wie im Beispiel.

heiß	die	heiße	Suppe	
laut	das		Flugzeug	
klein	die		Ameise	
weich	das		Kissen	
alt	der		Schuh	
nett	die		Frau	
groß	der		Elefant	
lang	die		Leiter	
reif	der		Apfel	

❷ Übermale immer die Endung gelb.

Klasse: Datum: Name:

Zusammengesetzte Adjektive kennen lernen

1 Was passt zusammen? Verbinde.

blau wie der Himmel	feuerrot
rot wie Feuer	kugelrund
rund wie eine Kugel	himmelblau
stark wie ein Bär	schneeweiß
süß wie Zucker	bärenstark
weiß wie Schnee	zuckersüß

2 Schreibe die grauen Adjektive ab.

feuerrot,

Klasse: Datum: Name:

Sprache untersuchen – Wörter

Adjektive steigern

1 Schneide die Wörter unten aus. Klebe sie ein.

klein

schnell

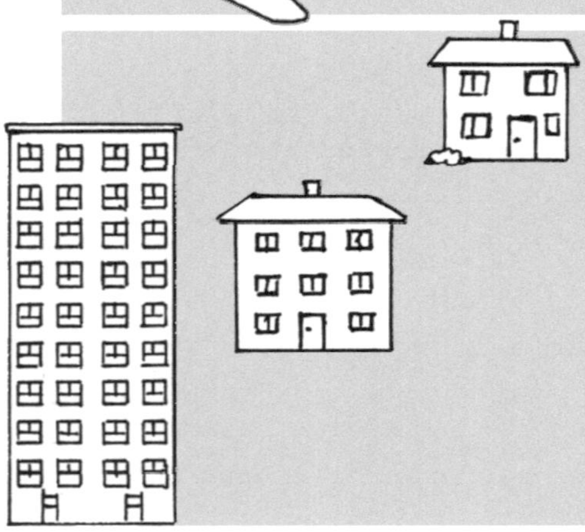

hoch

schneller	kleiner	am höchsten
am kleinsten	höher	am schnellsten

Klasse: Datum: Name:

Sprache untersuchen – Wörter

Wortarten unterscheiden

1 Male aus: Nomen blau, Verben rot, Adjektive grün.

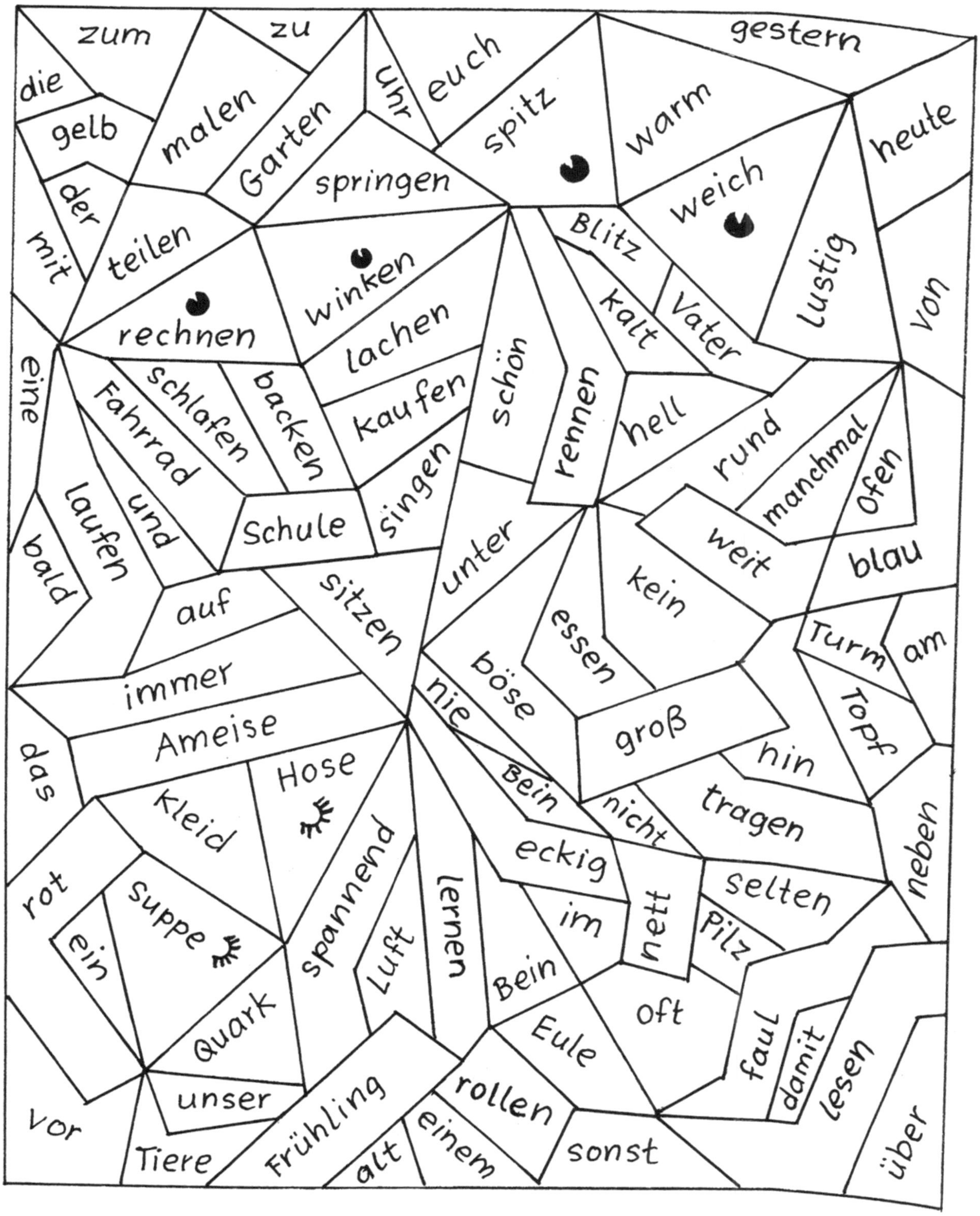

Klasse: Datum: Name:

Lesen – Wörter

Nomen mit doppeltem Mitlaut lesen

❶ Lies die Wörter laut. Schwinge sie.
Zeichne Silbenbögen ein.

die Tan ne

die Kan ne

das Mes ser

der Af fe

der Bag ger

die Bril le

die Wel le

die Rol le

die Map pe

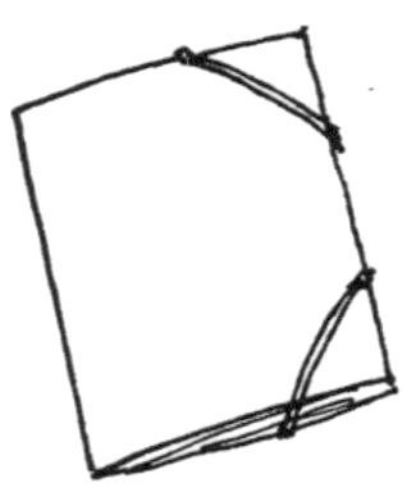

die Qual le

die Wan ne

die Son ne

die Tas se

die But ter

die Wol le

die Ton ne

der Tel ler

die Rat te

❷ Kreise alle Wörter für Tiere auf dieser Seite ein.

Klasse: Datum: Name:

Lesen – Wörter

Passende Nomen ankreuzen

❶ Lies die Wörter. Kreuze an.

- [x] Pfan ne
- [ ] Tas se

- [ ] Pferd
- [ ] Hund

- [ ] Pfüt ze
- [ ] Pa pa

- [ ] Ap fel
- [ ] A na nas

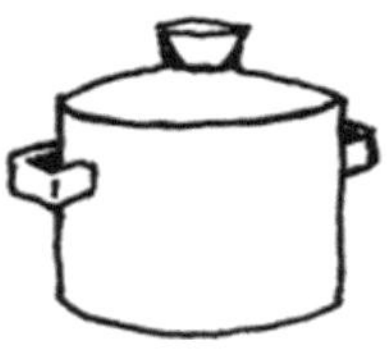

- [ ] Topf
- [ ] Turm

- [ ] Ze bra
- [ ] Zopf

- [ ] Pflan ze
- [ ] Pa pa gei

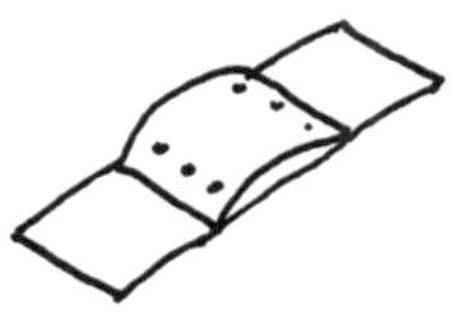

- [ ] Pflas ter
- [ ] Ho se

- [ ] Kopf
- [ ] Kan ne

- [ ] Pfeil
- [ ] Pu del

❷ Kreise **Pf** und **pf** in den Wörtern ein.

Klasse: Datum: Name:

Lesen – Wörter

Wörter lesen und malen

1 Wo wird ein Tier genannt?
Male aus.

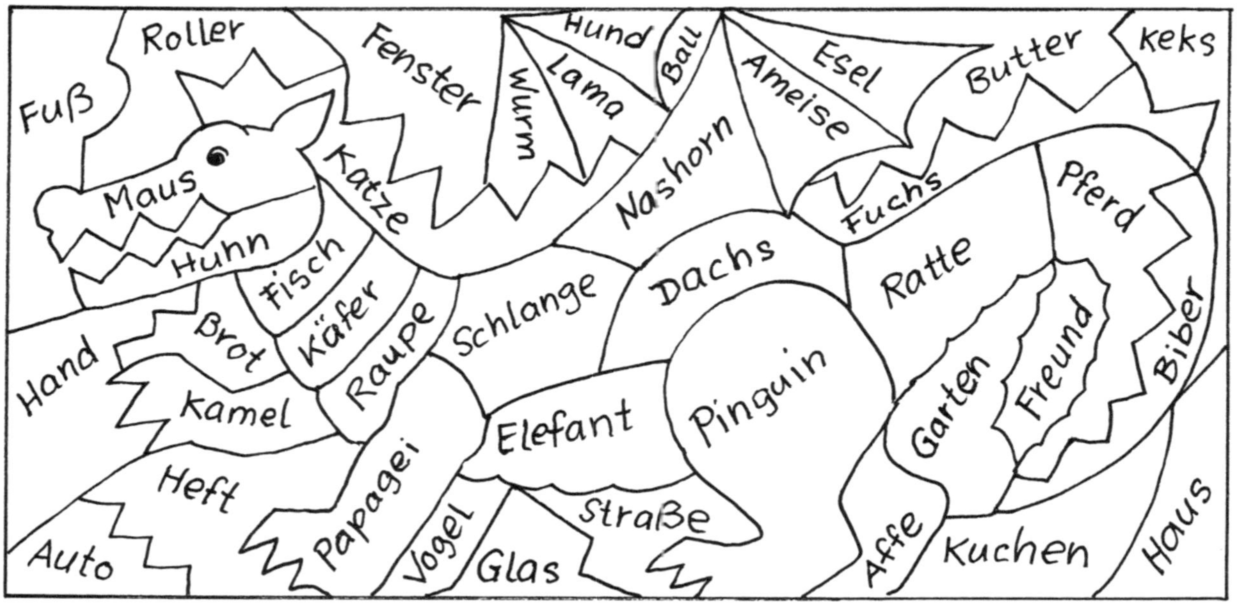

2 Wo wird eine Pflanze genannt?
Male aus.

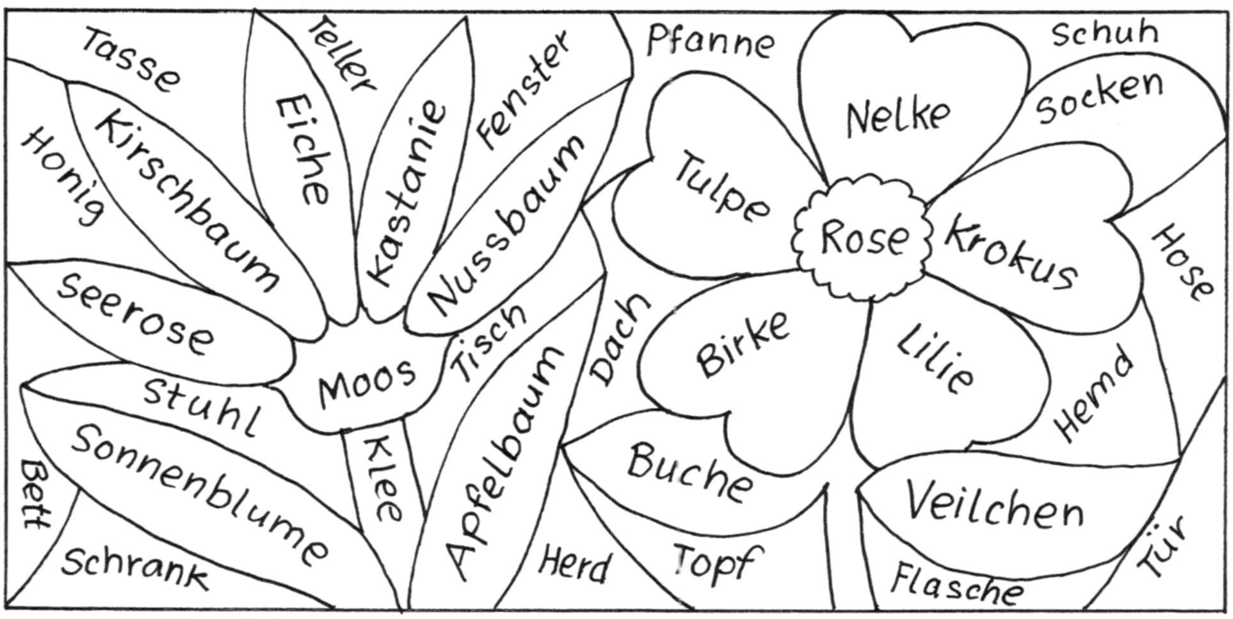

Klasse: Datum: Name:

Wortgruppen lesen und malen

❶ Lies und male es.

eine gelbe Sonne

eine grüne Kiwi

zwei lila Hüte

drei runde Dosen

ein rotes Sofa

vier braune Kreise

❷ Zeichne Silbenbögen unter alle Wörter.

Klasse: Datum: Name:

Lesen – Wörter

Silben zu Verben verbinden

❶ Lies die Silben.
Verbinde, was passt.

ba ∘ — ∘ len / ∘ den	bin ∘ — ∘ den / ∘ fen
le ∘ — ∘ ten / ∘ ben	bas ∘ — ∘ teln / ∘ men
bla ∘ — ∘ pen / ∘ sen	bau ∘ — ∘ ren / ∘ en

❷ Übermale alle **b** gelb.

❸ Schreibe die Verben von oben auf.

baden,

Klasse: Datum: Name:

Passende Verben finden

❶ Wer kann was? Kreuze an.

1. Der Wind kann

☐ rechnen. ☐ heulen.

2. Die Kinder können

☐ lesen. ☐ fliegen.

3. Die Blätter können

☐ fallen. ☐ essen.

4. Die Pferde können

☐ malen. ☐ laufen.

❷ Ergänze die Verben.

1. Der Wind kann ______________ .

2. Die Kinder können ______________ .

Klasse: Datum: Name:

Lesen – Wörter

Verben mit Vorsilbe lesen

❶ Welche Verben haben die gleiche Vorsilbe?
Verbinde.

ver lie ren ○	○ be hal ten
be stel len ○	○ er rei chen
er klä ren ○	○ vor tan zen
vor lau fen ○	○ aus trin ken
aus schal ten ○	○ ver su chen

❷ Suche die Verben und kreise sie ein.
Suche nur so: →.

~~verraten~~ erzählen

ausgeben bekommen vortanzen

x	i	v	e	r	r	a	t	e	n	k	k	t	z
l	l	a	f	g	v	o	r	t	a	n	z	e	n
w	b	t	g	y	e	r	z	ä	h	l	e	n	m
au	s	g	e	b	e	n	ü	ü	t	t	h	r	g
m	n	j	k	z	b	e	k	o	m	m	e	n	ö

Klasse: Datum: Name:

Nomen mit d am Wortende schreiben

❶ Lies und schreibe auf.

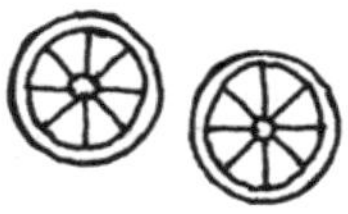

die Räder — das Rad

die Kleider

die Pferde

die Bilder

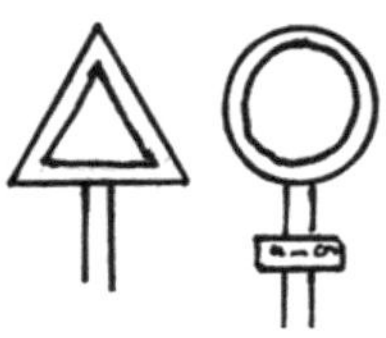

die Schilder

die Felder

die Hunde

❷ Zeichne Silbenbögen in die Nomen ein.

Klasse: Datum: Name:

Richtig schreiben – Wörter

Nomen mit g am Wortende schreiben

❶ Lies und schreibe auf.

die Wege — der Weg

die Tage

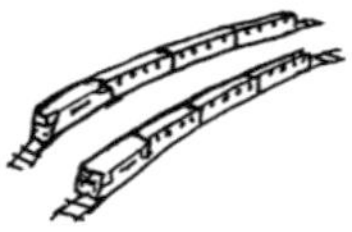
die Züge

die Zwerge

die Berge

die Flugzeuge

die Könige

❷ Zeichne Silbenbögen in die Nomen ein.

Klasse: Datum: Name:

Verben mit ng und nk verlängern

❶ Verbinde.

er singt — singen

er springt

er trinkt

sie fängt

sie winkt

sie denkt

❷ Schreibe die Grundform der Verben auf.

❸ Zeichne Silbenbögen in die Verben ein.

Klasse: Datum: Name:

Wörter mit ä ableiten

❶ Ergänze die Buchstaben. Finde ein verwandtes Wort mit **a**.

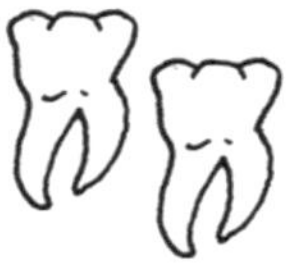 die Z ä hne  der Zahn

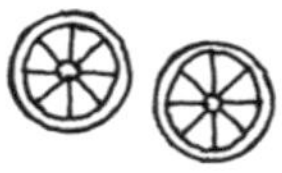 die R ___ der  ___

 die Gl ___ ser  ___

 die M ___ nner  ___

 die B ___ lle  ___

 die M ___ ntel  ___

❷ Schreibe alle Wörter in der Mehrzahl ab.

die Zähne, die ___

___

___

Klasse: Datum: Name:

Wörter mit äu ableiten

❶ Welche Wörter sind verwandt?
Schneide aus, ordne zu, klebe auf.

träumen	die Mäuse	das Geräusch
läuten	die Häuser	der Traum
das Haus	der Zaun	laufen
aufräumen	rauschen	die Laus
die Läuse	die Maus	der Raum
der Läufer	einzäunen	laut

Klasse: Datum: Name:

Adjektive mit -ig kennen lernen

❶ Lies und verbinde. Kreise **ig** ein.

der Saft ∘	∘ salzig
das Salz ∘	∘ fettig
das Fett ∘	∘ saftig
die Sahne ∘	∘ sahnig

❷ Lies und ergänze.

fettig

Die Salami ist fettig.

Wir essen fettige Salami.

salzig

Die Suppe ist ______.

Wir essen ______ Suppe.

saftig

Der Apfel ist ______.

Wir essen ______ Äpfel.

Klasse: Datum: Name:

Adjektive mit -lich kennen lernen

❶ Lies und verbinde. Kreise **lich** ein.

Freund ○		○ glücklich
Herz ○		○ schriftlich
Glück ○		○ herzlich
Schrift ○		○ freundlich

❷ Lies und ergänze.

freundlich
Der Mann ist freundlich.
Er ist ein freundlicher Mann.

herzlich
Die Frau ist ______.
Sie ist eine ______ Frau.

glücklich
Das Kind ist ______.
Es ist ein ______ Kind.

Klasse: Datum: Name:

Richtig schreiben – Wörter

Nomen von Verben ableiten und zuordnen

❶ Schreibe wie im Beispiel.

springen

der Springer

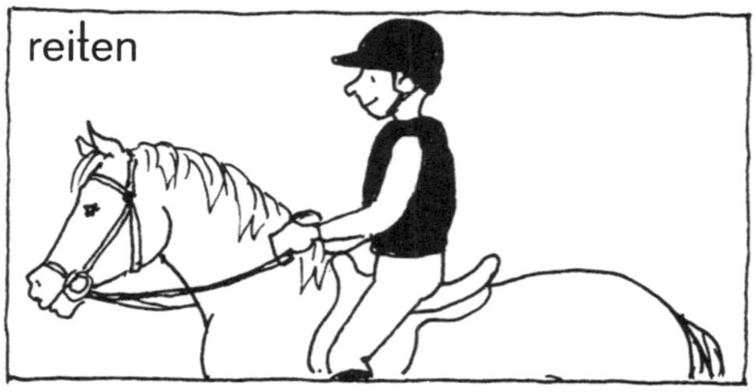

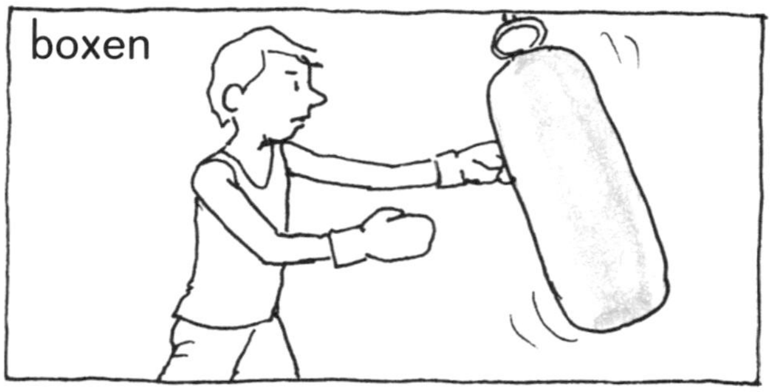

❷ Welche Teile der Wörter sind gleich? Kreise sie ein.

❸ Male die Bilder aus.

Klasse: Datum: Name:

Richtig schreiben – Wörter

Die Wortfamilie „backen" finden

❶ Welche Wörter gehören zu **backen?**
Schneide aus, klebe in das Haus ein.

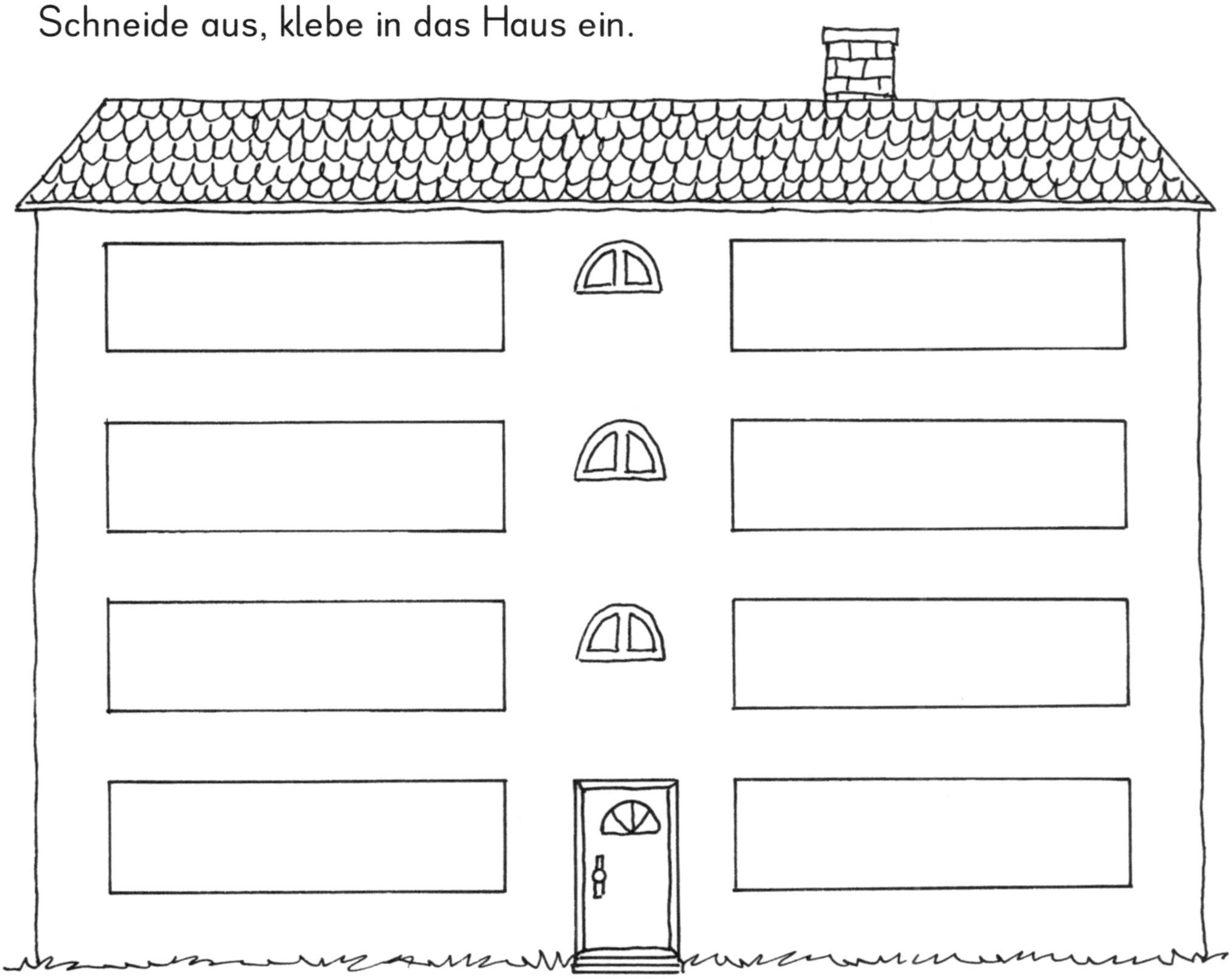

backen	schmecken	das Gebäck
der Bäcker	die Bäckerei	lecker
aufbacken	die Bäckerin	gebacken
der Backofen	baden	das Getränk

Illustrationen: Gabriele Heinisch
► Inklusion Tinto 3, zu S. 45, 49

Klasse: Datum: Name:

Richtig schreiben – Wörter

Zwei Wortfamilien ordnen

❶ Zu welcher Familie gehören die Wörter?
Schreibe sie in die Häuser.

~~Großvater~~	Großstadt	zählen	
zählbar	Zähler	großzügig	großartig
vergrößern	bezahlen	Zahl	

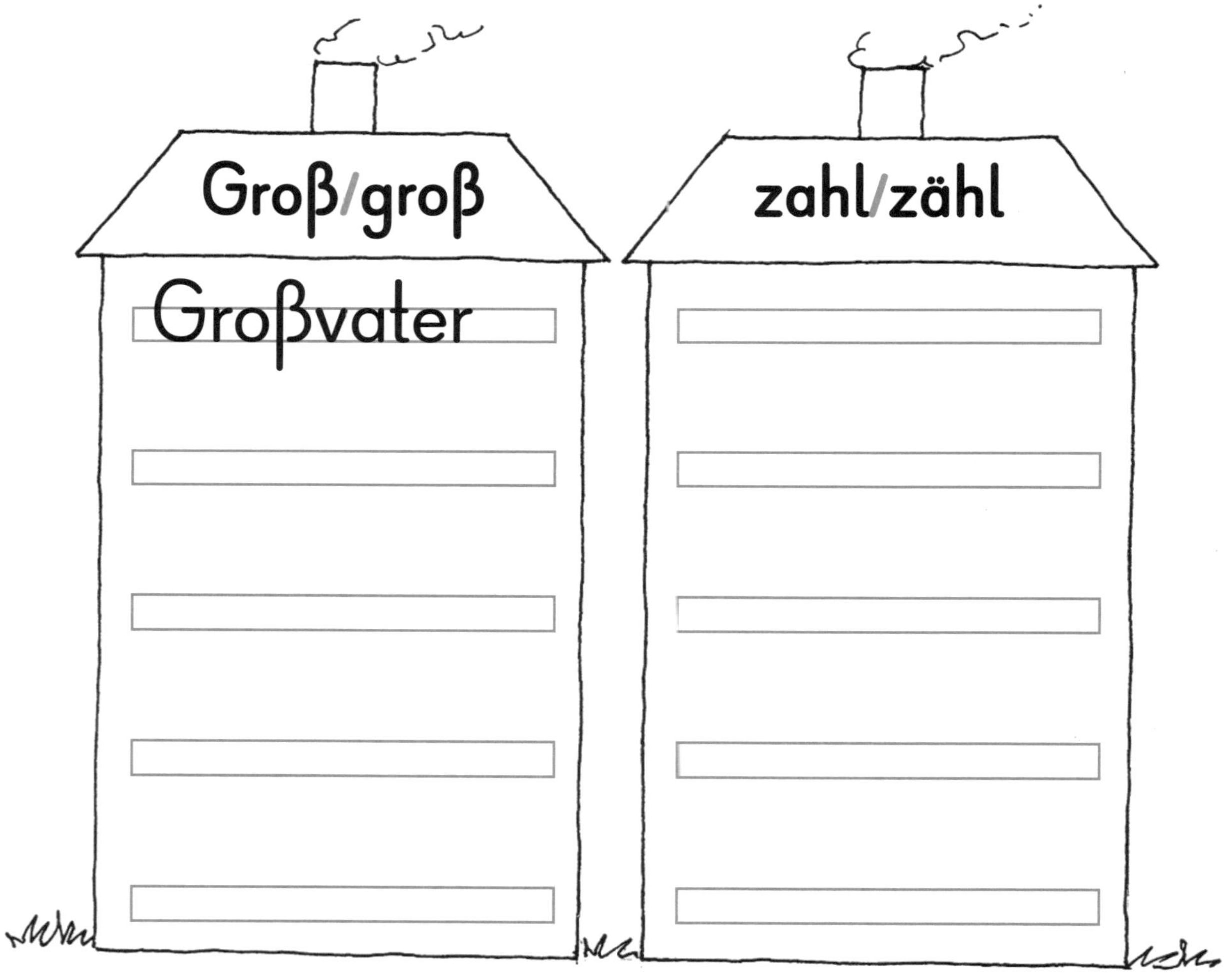

❷ Kreise ein, was in den Wörtern in jedem Haus gleich ist.

Klasse: Datum: Name:

Richtig schreiben – Wörter

Lange und kurze Selbstlaute unterscheiden

❶ Lies die Wörter.

❷ Mache unter lange Selbstlaute einen Strich,
unter kurze einen Punkt.

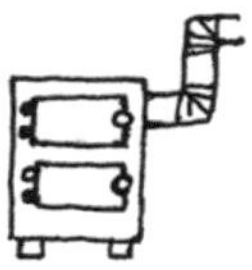

der Ofen

die Hand

die Dose

die Nase

das Buch

der Saft

der Wal

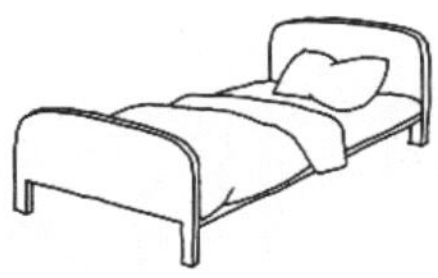

das Bett

die Nuss

der Kran

der Tisch

der Fisch

der Stift

die Feder

die Rose

Klasse: Datum: Name:

Reimwörter mit ie finden

❶ Lies die Wörter.
Ergänze die Reimwörter.

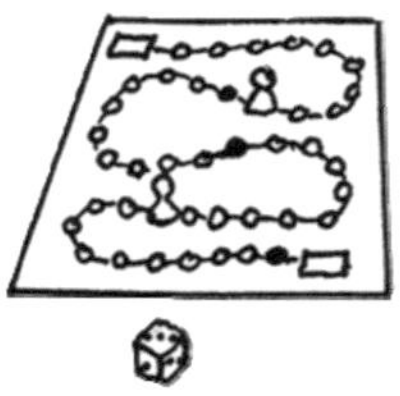

das Ziel
das Sp iel

die Schiene
die B ____

die Fliege
die Z ____

er rief
er l ____

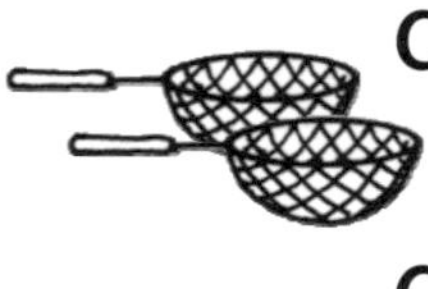

die Diebe
die S ____

schief
t ____

biegen
s ____

gießen
schl ____

❷ Übermale immer **ie**.

Klasse: Datum: Name:

Richtig schreiben – Wörter

Verwandte Merkwörter mit h ordnen

❶ Welche Wörter sind verwandt?
Schneide aus, ordne zu, klebe auf.

fehlen	die Wohnung	kühl
jährlich	die Zahl	der Fehler
die Kühlung	wählen	wohnen
berühren	das Jahr	der Lehrer
erzählen	zahm	rühren
die Zähmung	lehren	wählbar

Klasse: Datum: Name:

Richtig schreiben – Wörter

Merkwörter mit h ordnen

❶ Schreibe die Wörter nach Wortstämmen in die Häuser.

~~jährlich~~	Eisenbahn	Autobahn
einführen	ausführen	Jahre
Bahnhof	Jahreszeit	Führerin
Führung	Jahrzehnt	anbahnen

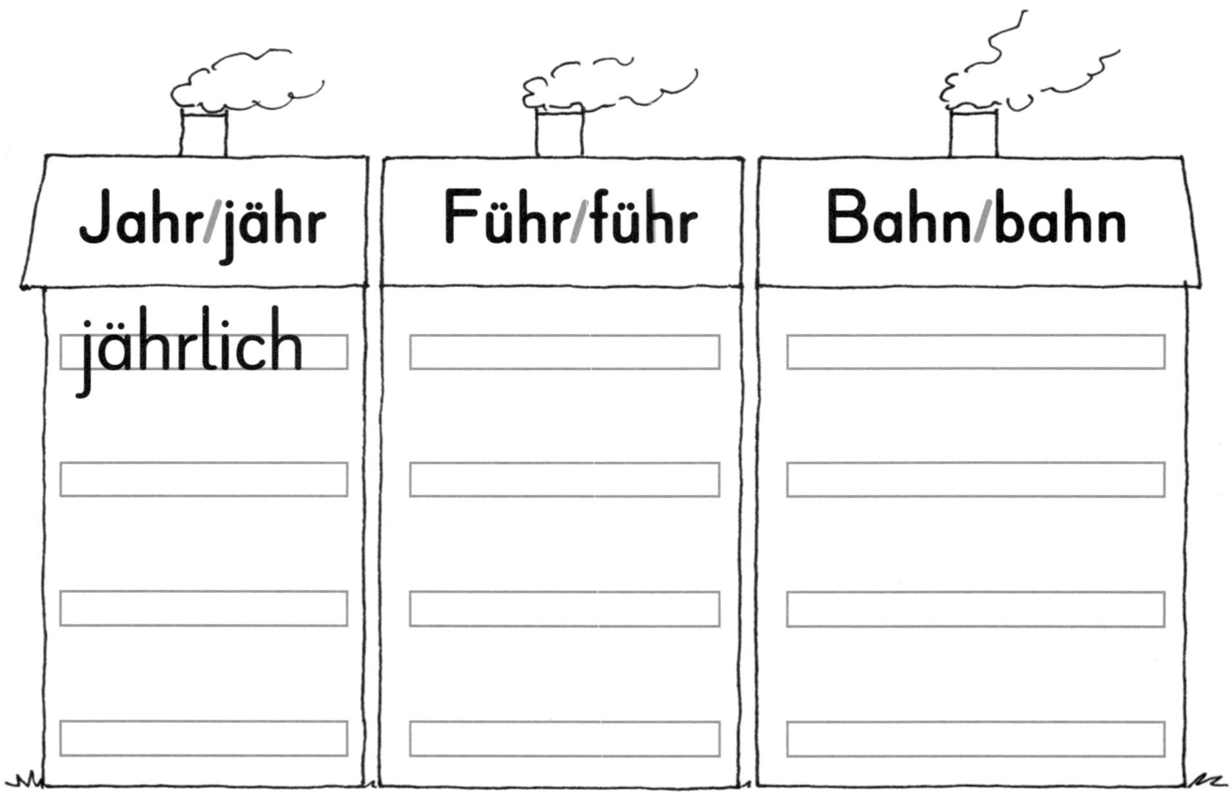

❷ Male in jedem Wort
das stumme **h** gelb an.

Klasse: Datum: Name:

Richtig schreiben – Wörter

Wörter mit lk, nk, rk und lz, nz, rz schreiben

❶ Welches Wort ist gemeint?
Schreibe richtig auf.

Gurke	Salz	Quark	stark	~~Herz~~
merken	denken	welken	Schwanz	

Herz

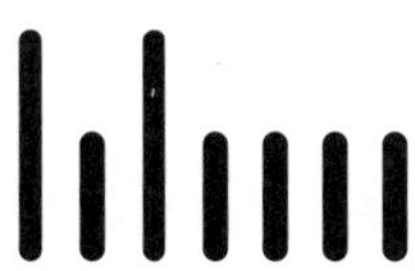

Klasse: Datum: Name:

Richtig schreiben – Wörter

Merkwörter mit aa und ee schreiben

❶ Verbinde die Reimwörter.

Tee	○	○	Aal
Haar	○	○	Speer
Meer	○	○	Klee
Saal	○	○	Paar

❷ Schreibe die Reimwörter auf.
Schreibe auch den Artikel dazu.

der Tee

der

❸ Kreise immer **aa** und **ee** bei allen Wörtern ein.

Klasse: Datum: Name:

Über sich selbst schreiben

❶ Ergänze die Sätze.

Ich heiße ________________ .

Ich wohne in

________________ .

Meine Haare sind

________________ .

Am liebsten esse ich ________________

und ________________ .

Ich spiele gern ________________ .

Dieses Tier mag ich sehr: ________________ .

❷ Male dich in den Rahmen.

Klasse: Datum: Name:

Schreiben – Wörter

Nomen zu einem Bild schreiben

❶ Was ist in der alten Kiste?
Schreibe Nomen.

❷ Male das Bild bunt aus.

Klasse: Datum: Name:

Richtig schreiben – Wörter

Eine Wörtersammlung anlegen

❶ Was passt zum Herbst?
Male die Wörter gelb an.

kühl	bunt	Regen	fettig	alt
heiß	Laub	Wolken	Drachen	
scharf	windig	kalt	nebelig	

❷ Schreibe die Herbst-Wörter ab.

Schreiben – Wörter

Passende Wörter ergänzen

❶ Welche Wörter passen in die Lücken? Ergänze.

Tim erzählt:

„Mit dem Fahrrad kann ich schnell zur Schule fahren.
Mein __________ zur Schule ist nicht weit."

Ina erzählt:

„Ich __________ mit dem Bus zur Schule. Mein Weg zur __________ ist leider sehr weit."

Jan erzählt:

„Meine __________ bringt mich mit dem __________ zur Schule.
Ich bin jetzt in der dritten __________.
Die Schule macht mir __________."

Klasse: Datum: Name:

Aussagesätze erkennen

1 Wo stehen Sätze? Kreuze an.

- ☐ Opa ärgert sich.
- ☐ Seine Zeitung ist nicht da.
- ☐ Weg.
- ☐ Einfach so.
- ☐ Jemand hat sie gestohlen.
- ☐ Sonst ist die Zeitung immer da.

2 Schreibe nur die Sätze ab.

Sprache untersuchen – Sätze

Satzgrenzen erkennen

❶ Wo sind die Sätze zu Ende?
Setze mit Rot Punkte ein.

Luis und Emma spielen Sie sind auf dem Schulhof Es ist ein schöner Tag Leider gibt es Streit um den Ball Emma ist richtig sauer Sie schreit Luis an Luis schreit zurück Er zittert vor Wut Später vertragen sich die Kinder wieder.

❷ Kreise immer den großen Buchstaben am Satzanfang ein.

Klasse: Datum: Name:

Aussagesätze und Fragen unterscheiden

1 Lies und unterstreiche: Sätze grün, Fragen rot.

Lisa und Niklas sind im Garten

Lisa will mit dem Ball spielen

Aber wo ist der Ball

Lisa sucht überall

Doch sie findet den Ball nicht

Da hört sie ein Geräusch

Sind da Mäuse im Schuppen

Oder ist da etwa ein Igel

2 Setze Punkte nach den Sätzen,
setze Fragezeichen nach den Fragen.

Klasse: Datum: Name:

Fragen bilden

❶ Lies und schreibe Fragen.

Morgen wird das Wetter schön.

Wird morgen das Wetter schön?

Oma kommt abends zu Besuch.

Papa will ein Auto kaufen.

Paul sieht einen Vogel.

Im Garten blühen die Tulpen.

Klasse: Datum: Name:

Aufforderungssätze zuordnen

1. Schneide die Sätze unten aus.
   Klebe jeden Satz zum passenden Bild.

2. Setze ein Ausrufezeichen hinter die Sätze.

Komm ins Wasser	Gib mir den Ball	Putze die Tafel
Zeig mir dein Heft	Lies mir etwas vor	Komm mit

Klasse: Datum: Name:

Verben im Satz verwenden

❶ Lies die Sätze.
Klebe die Wörter ein.

Linda		ein Buch vor.	
Murat		ein Schiff.	
Lina		einen Brief.	
Leo		einen Hasen aus Ton.	
Tim		die Blumen.	

gießt	schreibt	knetet
bastelt	liest	

Klasse: Datum: Name:

Verwürfelte Sätze ordnen

1 Schreibe die Wörter als Satz auf.
Schreibe am Anfang des Satzes groß. Denke an den Punkt am Ende.

im Sommer	viele Blumen	blühen

Im Sommer blühen viele Blumen.

Frau Meier	neue Schuhe	kauft

ein Fahrrad	Nele	bekommt

die Kinder	Rehe	gesehen	haben

Pizza	die Jungen	essen	gern

Klasse: Datum: Name:

Prädikate im Satz erkennen

Mit der Frage **„Was tut …?"** findest du in Sätzen das **Prädikat.**

❶ Lies die Sätze. Unterstreiche, **was jemand tut.**

Familie Mut fährt in den Urlaub.

Der Vater packt die Koffer.

Er trägt sie zum Auto.

Die Mutter gießt die Blumen.

Nora und Tom suchen ihre CDs.

Der Hund Toni frisst aus seinem Napf.

❷ Was tust du gern in den Ferien?
Schreibe Sätze. Unterstreiche, was du tust.

Ich

Klasse: Datum: Name:

Das Subjekt kennen lernen

❶ Schneide die Streifen aus.
Ordne Fragen und Antworten zu. Klebe auf.

Wer brütet in einem Kasten?

Was ist weiß und fällt vom Himmel?

Wer ist in der Erde?

Was lässt die Pflanzen wachsen?

Die Sonne lässt die Pflanzen wachsen.

Der Regenwurm ist in der Erde.

Der Schnee ist weiß und fällt vom Himmel.

Die Meise brütet in einem Kasten.

❷ Unterstreiche die Antwort auf jede Frage.

Klasse: Datum: Name:

Subjekte im Satz durch Fragen erkennen

Mit der Frage **„Wer oder was …?"** findest du in Sätzen das **Subjekt.**

1. Lies die Sätze.

2. Stelle Fragen, **wer** etwas tut.
Unterstreiche die Antwort im Satz.

Familie Mut fährt in den Urlaub.

Wer fährt in den Urlaub ?

Der Vater packt die Koffer.

Wer

Die Mutter gießt die Blumen.

Der Hund Toni frisst aus seinem Napf.

Klasse: Datum: Name:

Sätze aus Satzgliedern bilden

❶ Welche Teile gehören zusammen?
Verbinde und male aus.

Die Kinder	holt	einen Ring.
Till	arbeiten	Blumen.
Nora	findet	im Garten.
Nina	pflückt	Wasser.

❷ Schreibe die Sätze auf.

Klasse: Datum: Name:

Sprache untersuchen – Sätze

Wörtliche Rede kennen lernen

1. Schneide aus und ordne zu, was jeder sagt. Klebe die Sätze auf.

2. Unterstreiche immer die **wörtliche Rede**.

Uta sagt:	„Wir möchten mitspielen!“
Tim und Tom rufen:	„Gleich ist die Pause zu Ende.“
Leo weint:	„Ich hole den Ball.“
Frau Mut sagt:	„Mein Handy ist weg!“

Klasse: Datum: Name:

Redezeichen einsetzen

1. Lies die Sätze.
   Ergänze die Redezeichen.

Luis ruft: „Ich habe Hunger!“

Lena fragt: Kommst du heute?

Die Lehrerin ruft: Seid bitte leise!

Leo fragt: Wer hat mein Lineal?

Simon sagt: Morgen kommt Oma.

Tina meint: Das wird ein schönes Bild.

2. Unterstreiche die Begleitsätze.

3. Schreibe selbst zwei solche Sätze.

Klasse: Datum: Name:

Lesen – Sätze

Satzhälften verbinden

❶ Lies und verbinde.

Wir fahren	mit Nadel und Faden.
Wir essen	mit dem Flugzeug.
Wir nähen	mit dem Auto.
Wir spielen	mit Messer und Gabel.
Wir fliegen	mit Bällen.

Wir reiten	eine schöne Laterne.
Wir schlafen	neue Schuhe.
Wir wischen	auf schnellen Pferden.
Wir basteln	die Tische ab.
Wir kaufen	in unseren Betten.

❷ Unterstreiche die Wörter, die sagen, was wir tun.

Klasse: Datum: Name:

Lesen – Sätze

Zu Bildern passende Sätze ankreuzen

❶ Lies und kreuze an. Nur ein Satz passt.

☐ Luis reitet auf einem Pony.
☐ Luis fährt mit dem Fahrrad.
☐ Luis spielt auf der Straße.

☐ Ina liest ein tolles Buch.
☐ Ina schreibt einen Brief.
☐ Ina hilft ihrer Mutter.

☐ Oma sucht ihre Brille.
☐ Oma backt einen Kuchen.
☐ Oma arbeitet im Büro.

☐ Simon bastelt ein Schiff.
☐ Simon findet ein Handy.
☐ Simon spielt Fußball.

Klasse: Datum: Name:

Lesen – Sätze

Zutreffende Sätze ankreuzen

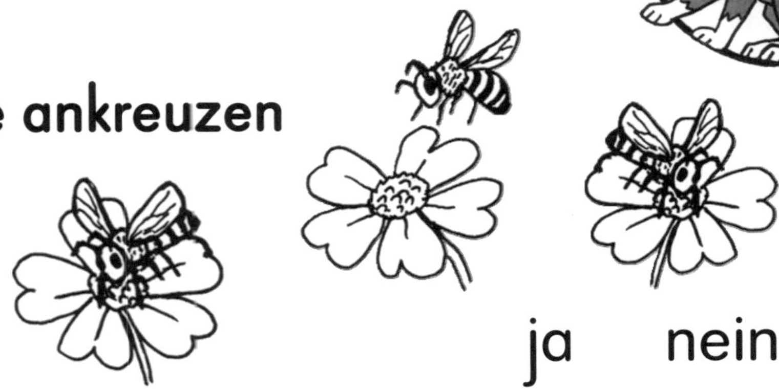

❶ Lies und kreuze an.

	ja		nein	
1. Bienen haben einen Stachel.	☐	E	☐	T
2. Im Winter ist es meistens heiß.	☐	L	☐	R
3. Igel haben ein weiches Fell.	☐	Z	☐	D
4. Im Herbst regnet es oft.	☐	B	☐	O
5. Melonen wachsen auf Bäumen.	☐	W	☐	E
6. Vögel bauen Nester.	☐	E	☐	P
7. Enten haben vier Beine.	☐	U	☐	R
8. Schmetterlinge können fliegen.	☐	E	☐	A

❷ Schreibe das Lösungswort.
Male es.

1	2	3	4	5	6	7	8

Klasse: Datum: Name:

Sätze lesen und dazu malen

❶ Lies die Sätze. Ergänze die Bilder.

Mara lässt im Feld
einen Drachen steigen.
Am Himmel sind
graue Wolken.

Simon spielt Fußball
auf der Straße.
Die Sonne scheint.

Paul wandert im Wald.
Er hat einen Rucksack.
Am Boden sind Pilze.

Klasse: Datum: Name:

Sätze genau lesen

❶ In jedem Satz ist ein Wort zu viel.
Streiche es.

☆ Ina hilft gern in der Küche ~~Wohnzimmer~~.

☆ In den Ferien gehen lachen wir schwimmen.

☆ Luis isst gern Eis mit Sahne Kartoffeln.

☆ Opa Bruno fährt läuft gern mit dem Auto.

☆ Tante Hilde ist siebzig Jahre Torten alt.

☆ Leo sieht eine Amsel im Garten Schrank.

☆ Der Bauer Bauch füttert seine Schweine.

☆ Im Garten wachsen viele Blumen Blusen.

☆ Max sitzt mit seiner Angel im Wald Boot.

☆ Alle Kinder schreiben mögen Schokolade.

Klasse: Datum: Name:

Lesen – Sätze

Fragen und Antworten zuordnen

❶ Schneide die Fragen und Antworten aus.
Ordne zu und klebe auf.

Wie alt bist du?	Ich spiele gern mit Freunden.
Gehst du gern in die Schule?	Ich bin neun Jahre alt.
Was tust du gern?	Nein, ich fahre mit dem Bus.
Hast du noch Geschwister?	Ja, ich gehe gern in die Schule.
Fährst du mit dem Fahrrad zur Schule?	Ich wohne in der Stadt.
Wo wohnst du?	Ich habe eine Schwester.

Klasse: Datum: Name:

Richtig schreiben – Sätze

Sätze verbessern

❶ Verbessere die Satzanfänge.
Ergänze die Punkte.

E ~~e~~s ist Sonntag

familie Rose macht einen Ausflug

sie wandern im Wald

im Rucksack ist leckerer Kuchen

die Sonne scheint und es ist warm

❷ Schreibe die Sätze richtig auf.

Klasse: Datum: Name:

Richtig schreiben – Sätze

Satzschlusszeichen setzen

❶ Welche Satzzeichen fehlen? Setze ein.

Wo bist du,
Lisa

Schau dir das
mal an

Kannst du mir das
Buch leihen

Simon kommt
gleich

Lass das sein

Wann kommt denn
dein Zug

Ich heiße Miro und
bin zehn Jahre alt

Klasse: Datum: Name:

Groß- und Kleinschreibung beachten

1 Unterstreiche die Nomen. Die Artikel helfen dir.

DER ZOO IST HEUTE GEÖFFNET.

DIE KINDER BESUCHEN DIE BÄREN.

DIE BÄREN LIEGEN IN DER SONNE.

EIN BÄR FRISST ETWAS.

ER BEACHTET DIE KINDER NICHT.

DIE MÄDCHEN ESSEN EIN EIS.

DIE JUNGEN GEHEN ZU DEN LÖWEN.

Klasse: Datum: Name:

Schreiben – Sätze

Über sich selbst schreiben

1 Was magst du am Sommer? Was nicht?
Ergänze die Sätze. Die Wörter können dir helfen.

Regen	Sonne	Ferien	Gewitter
Mücken	Wärme	Freizeit
Urlaubsreisen	Stau	Radtouren

Ich mag gern ______.

Besonders gern mag ich auch

______.

Ich mag nicht so gern ______.

Besonders wenig mag ich

______

______.

Klasse: Datum: Name:

Schreiben – Sätze

Sätze zu Bildern schreiben

❶ Was tut Leo gerade?
Schreibe zu jedem Bild einen Satz.

Leo reitet

Fragen zu einem Tier aufschreiben

❶ Was willst du über die Tiere wissen?
Schreibe Fragen auf.

Was fressen … ?

Wie oft … ?

Wie lang … ?

Wer … ?

Wo … ?

Klasse: Datum: Name:

Sätze mit Vergleichen schreiben

1 Schau dir die Bilder an.
Schreibe Sätze mit Vergleichen.

größer als

Das Mädchen ist größer

als ______________________.

schärfer als

____

____

so schnell wie

____

____

teurer als

____

____

Klasse: Datum: Name:

Textsorten kennen

❶ Lies die Texte.
Klebe den Namen der Textsorte ein.

Hallo Sina,
hier in Italien ist es sehr schön.
Wir machen jeden Tag einen
Ausflug. Schreibe zurück!
Viele Grüße
Deine Lisa

Man braucht:
ein Ei
eine Tasse Zucker
eine Tasse Öl
eine Tasse Milch
zwei Tassen Mehl
ein Päckchen Backpulver

Was ist das?
Außen hart und niemals zart,
innen ein Kern,
wir essen sie gern.

❷ Male neben den dritten Text, was gemeint ist.

Rätsel	Brief	Rezept

Klasse: Datum: Name:

Wörtliche Rede in einem Text finden

1. Lies den Text. Unterstreiche die wörtliche Rede rot.
Unterstreiche die Begleitsätze blau.

Auf Omas Dachboden kann man viele alte Sachen finden.
Tim sagt: „Schau mal! Eine alte Kiste!"
„Zeig mal!", antwortet Lara.
Die beiden wollen die Kiste öffnen, aber es geht nicht. „Da sind Schlüssel!", ruft Lara.
Sie zeigt auf ein Regal.
Tim sagt: „Vielleicht passt dieser kleine Schlüssel!"

2. Male, was Lara und Tim in der Kiste finden könnten.

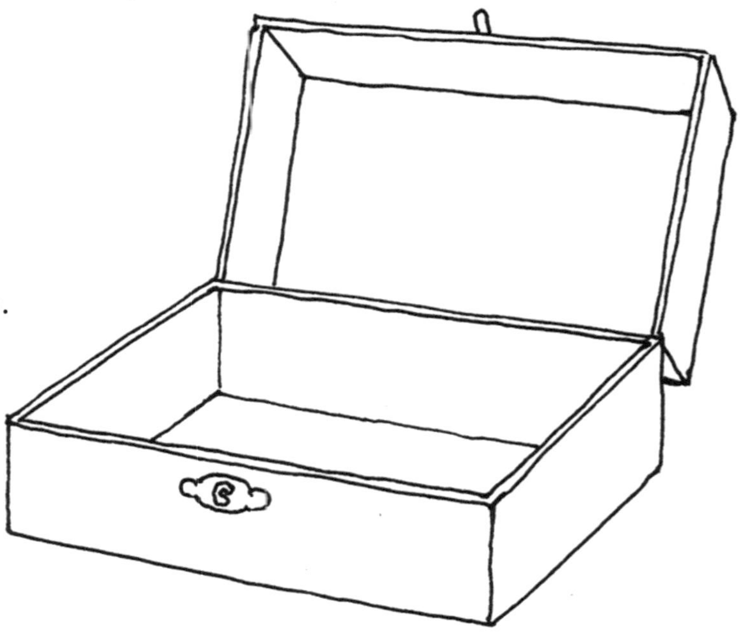

Klasse: Datum: Name:

Einleitung, Hauptteil und Schluss finden

1 Wo sind **Einleitung**, **Hauptteil** und **Schluss**?
Klebe die Wörter passend ein.

Es war in den Ferien. Mama, Papa und ich hatten eine Reise nach Irland gebucht.

Wir fuhren zuerst mit dem Auto. Auf der Straße war eine Baustelle. Wir mussten sehr lange im Stau stehen. Deshalb haben wir das Flugzeug verpasst. Das war schlimm!

Wir waren dann erst später in Irland.

Einleitung	Hauptteil	Schluss

Klasse: Datum: Name:

Einen Anleitungstext ordnen

➊ Lies die Teile.
Finde die richtige Folge, klebe auf.

Eine schöne Dose für Stifte

Wer will, kann **zum Schluss** noch Muscheln auf die Dose kleben.

Schneide den Faden ab, wenn du oben angekommen bist.

Du brauchst **zuerst** eine saubere alte Dose, Kleber und dicke Wolle oder Schnur aus Sisal.

Klebe **danach** die Wolle rund um die Dose. Fange dabei von unten an.

Bestreiche **zu Beginn** die Dose von außen mit Kleber.

Klasse: Datum: Name:

Einen Text in der Vergangenheit aufschreiben

1 Lies den Text. Unterstreiche die Verben.

Nino lernt gern Deutsch.
Er spielt oft auf dem Schulhof.
Dort klettert er auch auf die
Bäume. Er baut gern mit Lego.

2 Nun ist Nino groß. Schreibe in der Vergangenheit, was damals war.
Unterstreiche die Verben.

lernte	spielte	kletterte	baute

Nino lernte früher gern

Klasse: Datum: Name:

Lesen – Texte

Kleine Sachtexte verstehen

❶ Lies die Texte.
Klebe die Tiere passend ein.

Diese Tiere sind Vögel, aber sie können nicht fliegen. Sie leben dort, wo es sehr kalt ist. Sie sind gute Schwimmer!

Diese Tiere gehören zu den Fischen. Sie sehen aber nicht so aus. Der Kopf ist fast so wie der Kopf eines Pferdes.

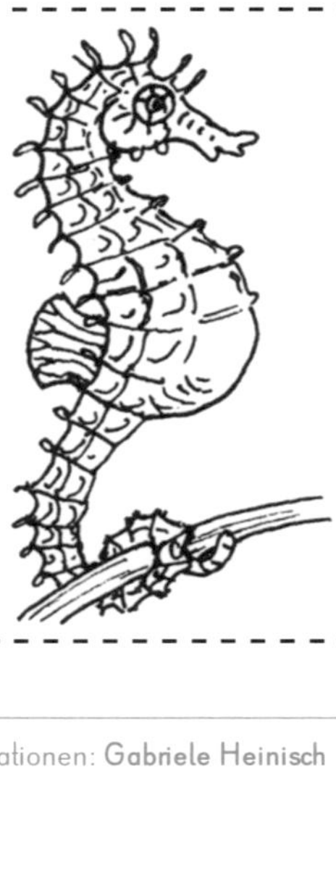

Klasse: Datum: Name:

Einen Text lesen und dazu malen

❶ Lies den Text.

❷ Male alles so, wie es im Text steht.

Lisa hat den Tisch gedeckt.
In der Mitte ist eine Torte mit Kerzen.
Lisa hat auch schon drei rote Teller
und drei rote Tassen auf den Tisch gestellt.
Auch ein Strauß mit gelben Blumen ist da.

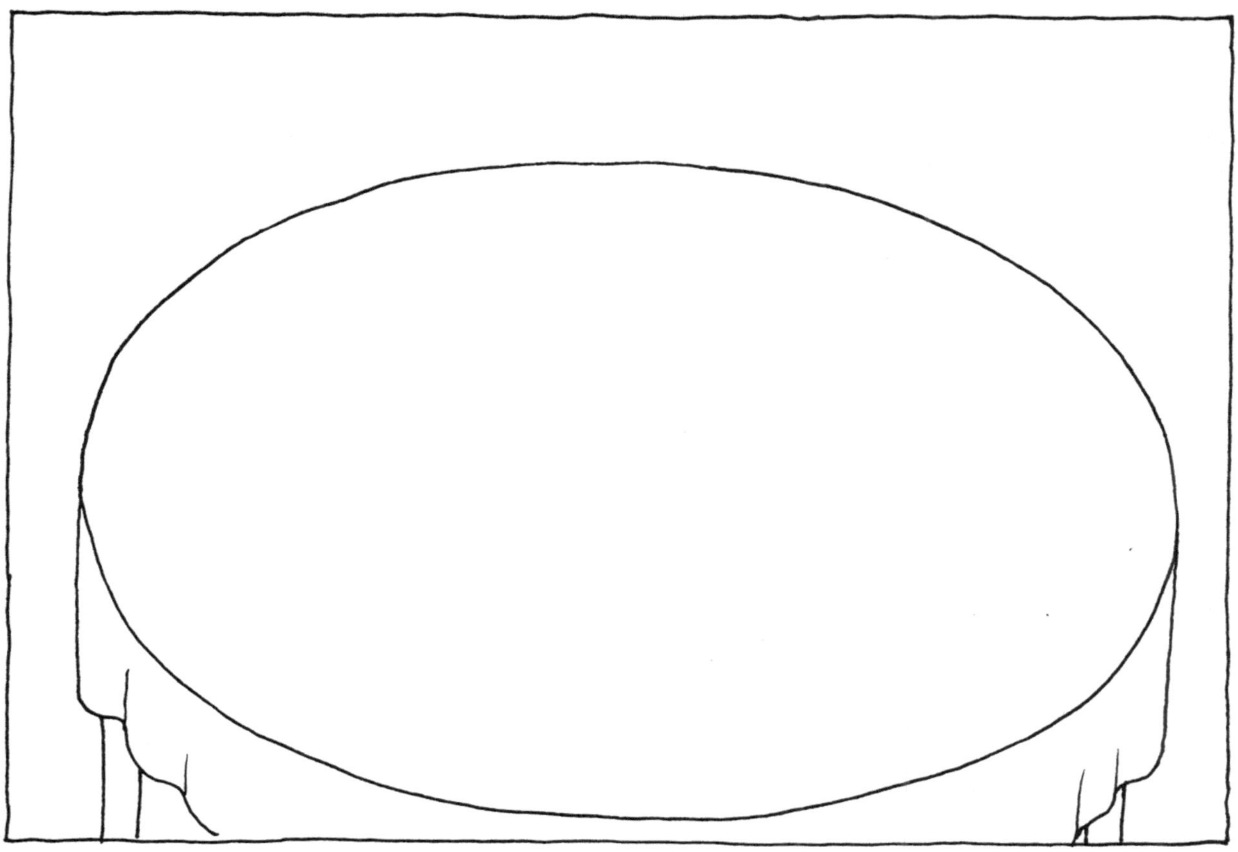

Klasse: Datum: Name:

Lesen – Texte

Unsinnwörter finden

1 Lies die Texte. Da gibt es viel Unsinn!

2 Unterstreiche die Wörter, die nicht passen.

Paul mag den Winter.
Dann ist es heiß.
Wenn es schneit,

zieht Paul sich
eine dünne Jacke an.

Lisa mag den Sommer.
Dann ist es kalt.
Viele Leute essen Schnee.
Lisa mag Eis mit Nüssen
und Sand am liebsten.

3 Welche Wörter sind richtig?
Schreibe sie daneben.

Klasse: Datum: Name:

Stolperwörter finden

❶ Lies den Text.
In jedem Satz ist ein Wort zu viel. Streiche es.

☐ Mein Freund Tim ist ~~kalt~~ nett.

☐ Er wohnt in einem großen Haus Seite.

☐ Wir gehen treffen uns jeden Tag.

☐ Wir fahren reiten oft mit den Fahrrädern.

☐ Oder wir spielen in mit Tims Hund Ball.

☐ Der Hund ist immer sehr bunt wild.

☐ Wir sind auch gern im Wald Traum.

❷ Zu welchen beiden Sätzen passen die Bilder?
Kreuze die Sätze oben an.

Klasse: Datum: Name:

Einer Einladung Informationen entnehmen

1 Lies den Text.

Lieber Florian,

ich lade dich zu meinem Geburtstag ein.

Komm bitte am 20. Juli um 15 Uhr zu mir.

Ich wohne im Rosenweg 2.

Wir wollen im Garten ein Fest feiern.

Sag mir bitte, ob du kommst.

Viele Grüße

Dein Leo

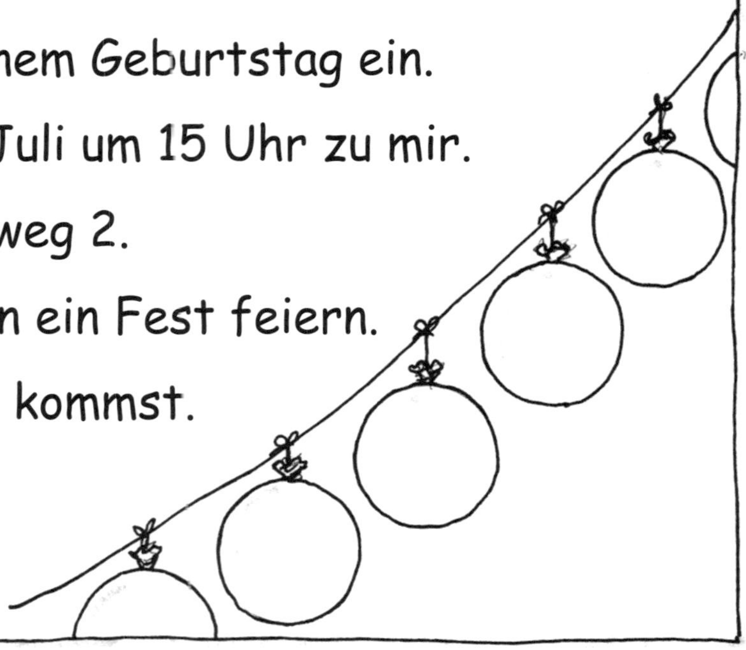

2 Ergänze die Lücken.

Leo will seinen ____________________

feiern. Florian soll am ____________________

um __________ Uhr zu Leo kommen.

Leo will im ____________________

ein ____________________ feiern.

Klasse: Datum: Name:

Lesen – Texte

Zahlen in einem Sachtext finden

❶ Lies die Texte.

❷ Verbinde die Texte mit den Bildern.

Das größte Tier der Erde ist der Blauwal. Er wiegt so viel wie dreißig Elefanten.

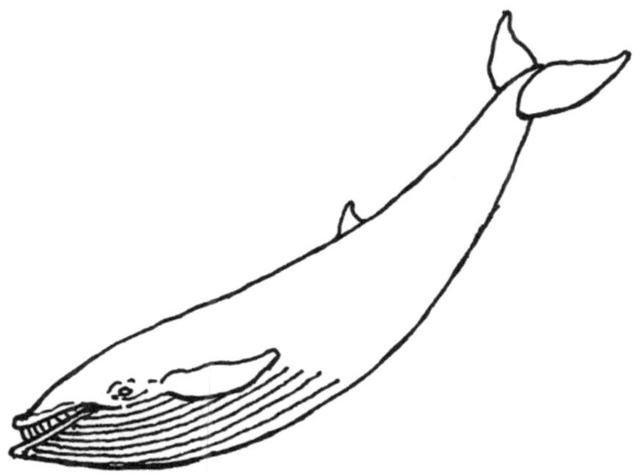

Der Elefant wiegt bis zu viertausend Kilogramm. Er braucht achtzig Liter Wasser am Tag.

Das schwerste Ei legt der Strauß. Das Ei ist mehr als ein Kilo schwer.

❸ Unterstreiche die Zahlen.

❹ Male die Tiere aus.

Klasse: Datum: Name:

Lesen – Texte

Ein Gedicht lesen

❶ Lies das Gedicht. Klebe ein, was sich reimt.

❷ Unterstreiche die Zahlen.

Eins und zwei:
Die Henne legt ein ________ .

Drei und vier:
Ein Mann sitzt am ________ .

Fünf und sechs:
Gras ist ein ________ .

Sieben und acht:
eine gute ________ !

Neun und zehn:
Ich muss ________ .

Klavier	Nacht	gehn
Gewächs	Ei	

Klasse: Datum: Name:

Vergleichend lesen, Fehler finden

1 Lies die Texte. Im zweiten Text sind fünf Wörter falsch. Kreise sie ein.

Im Zoo

Gestern war tolles Wetter. Wir waren im Zoo. Die Elefanten wurden gerade mit Brot gefüttert. Das sah lustig aus. Wir waren auch lange bei den Affen und Kamelen.

Achtung: 5 Fehler im Text!

Im Zo

Gestern war tolles Wetter. wir waren im Zoo. Die Elefanten wurden gerade mit Bro gefüttert. Das sah lustig aus. Wir waren auch lage bei den Afen und Kamelen.

Klasse: Datum: Name:

Satzanfänge einfügen

❶ Wie fangen die Sätze an?
Ergänze mit den Wörtern vom Rand.

In der Bücherei

Text	Rand
______ einer Bücherei muss man Bücher nicht kaufen.	In
______ kann sie ausleihen.	Man
______ es gibt nicht nur Bücher in der Bücherei.	Aber
______ Leute leihen sich auch Filme oder Spiele für den Computer aus.	Viele
______ einigen Wochen muss man die Sachen zurückbringen.	Nach
______ muss man eine Strafe bezahlen.	Sonst

Klasse: Datum: Name:

Anredepronomen richtig schreiben

❶ Setze die Wörter ein.

Liebe Frau Tepe,
es tut uns leid,
dass Sie krank sind!
Tut ________ Bein noch sehr weh?
Wir denken sehr oft an ________ !
Hoffentlich geht es
________ bald wieder besser!
Wir haben ein Bild für ________
gemalt und hoffen, dass es
________ gefällt.
Viele Grüße von ________ 3a!

Sie
Ihr
Sie
Ihnen
Sie
Ihnen
Ihrer

❷ Übermale immer den großen Buchstaben bei Sie, Ihnen …

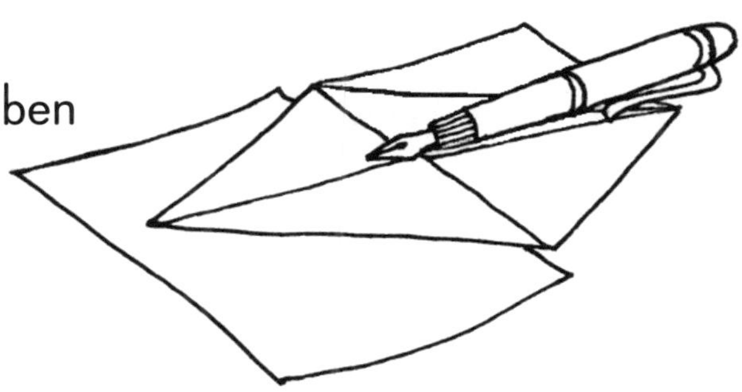

Klasse: Datum: Name:

Nomen durch Pronomen ersetzen

❶ Ersetze die unterstrichenen Nomen. Schreibe die Sätze.

Maria sitzt neben mir.
Maria kann gut rechnen. Sie …

Sie kann

Tim ist mein bester Freund.
Tim mag keine Hunde. Er …

Ali ist ein guter Schüler.
Ali macht auch Judo. Er …

Nina kann gut lesen.
Nina hat viele Bücher. Sie …

Klasse: Datum: Name:

Texte überarbeiten: Satzanfänge ändern

1. Lies den Text.
   Unterstreiche gleiche Satzanfänge.

Ich habe erst in Berlin gewohnt.

Dann sind wir in eine kleine Stadt gezogen.

Dann hatten wir ein Haus mit Garten.

Dann waren wir auch oft bei Oma.

2. Schreibe den Text mit anderen Satzanfängen ab.

Danach	Dort	Nun

Ich habe

Klasse: Datum: Name:

Schreiben – Texte

Teile eines Briefes kennen

1 Lies die Teile eines Briefes.
Ordne die Wörter unten zu, klebe ein.

Liebe Oma, 10.10.2013

vielen Dank für dein Paket mit dem Buch.
Ich habe mich sehr darüber gefreut.
Das Buch lese ich in den Ferien.
Für heute viele Grüße

Dein Leo

Leo Meier
Tulpenweg 2
99899 Rosendorf

Frau
Lisa Berg
Am Wald 7
29908 Leim

Datum	Empfänger	Briefmarke
Gruß	Anrede	Absender

Klasse: Datum: Name:

Zu einem Bild schreiben

1 Schau dir das Bild an.
Schreibe die Sätze weiter.

Es ist Sommer. Die Sonne ______________________ .

Die Kinder sind im ______________________ .

Ein Mädchen ______________________

______________________ .

Ein kleiner Junge ______________________

______________________ .

Sein Schuh ist ______________________

______________________ .

Klasse: Datum: Name:

Schreiben – Texte

Einen Steckbrief schreiben

1 Lies die Stichwörter. Ergänze den Steckbrief.

lila, riechen gut

Länder im Süden

bis zu 100 cm hoch

sandige Böden

Juni bis August

Aus den Blüten macht man duftendes Öl.

Name: **Lavendel**

Herkunft: __________

Größe: __________

Blüten: __________

Blütezeit: __________

Standort: __________

Verwendung: __________

____

TINTO

Arbeitsordner
Sprache • Lesen
3

von
Helge Daugs
Melanie Ferrarello
Gerlinde Freyer
Katja Gade
Martin Wörner

illustriert von Eva Czerwenka, Christian Jeremies, Fabian Jeremies, Tobias Krejtschi, Katrina Lange, Yo Rühmer, Vera Schmidt

Cornelsen

Inhaltsverzeichnis

Wir in der Schule

Kartoffeln, Kartoffeln

Fledermäuse

Geheimnisvolles

Morsen, plaudern, mailen

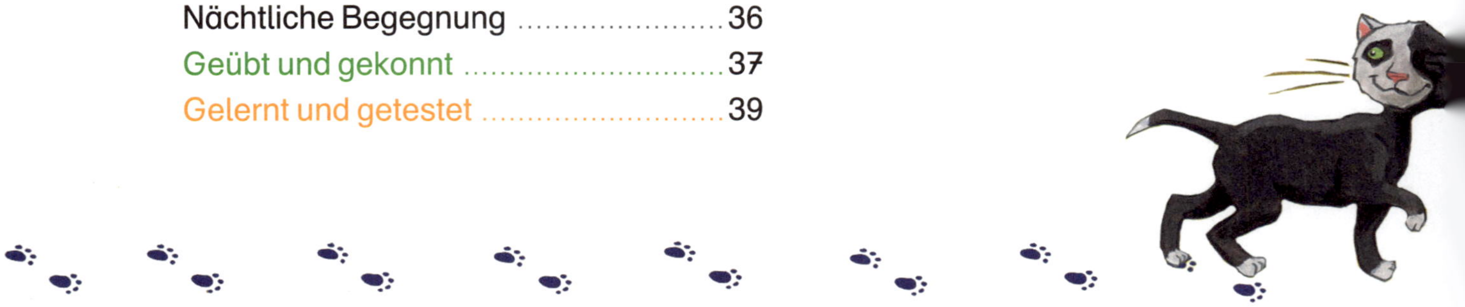

Schreibe ins Heft oder auf ein neues Blatt.

Partneraufgabe

Wahlaufgabe

Benutze dein Wörterbuch als Hilfe.

Die Aufgabe fand ich leicht.

Die Aufgabe fand ich mittelschwer.

Die Aufgabe fand ich schwer.

Lesen

Texte verfassen

Sprache untersuchen

Rechtschreiben

Wir in der Schule

Hier kommt Lola

Lola hat einen brasilianischen Vater. Sie ist gerade nach Hamburg umgezogen. Heute geht Lola zum ersten Mal in ihre neue Schule.

Das Klassenzimmer war schon ziemlich voll. Als ich mich genau umsah, merkte ich, dass eigentlich fast alle Kinder Jungs waren. Jedenfalls entdeckte ich nur vier Mädchen. Die saßen alle an einem Gruppentisch.
Das eine Mädchen hatte noch dunklere Haut als Papai* und ungefähr tausend kleine Zöpfe auf dem Kopf.
Das Mädchen neben ihr hatte einen roten Pferdeschwanz. Das Mädchen gegenüber hatte blonde glatte Haare und das Mädchen daneben hatte braune Locken. Alle vier sahen sehr nett aus.
Das Dumme war nur, dass an ihrem Tisch kein Platz mehr für mich war.
Meine Kopfhaut fing wieder an zu jucken und ich traute mich nicht, zum Mädchentisch hinzugehen. Erst recht nicht, als das Mädchen mit dem roten Pferdeschwanz dem Mädchen mit den tausend Zöpfen etwas ins Ohr flüsterte. Das fand ich gemein. Aber dann lächelte mich das blonde Mädchen an und das fand ich lieb. Ich lächelte zurück, traute mich aber immer noch nicht, mich zu bewegen, und dann kam zum Glück die Lehrerin. Sie legte mir die Hand auf die Schulter und sagte: „Du bist bestimmt Lola, dann such dir mal einen schönen Platz. Vielleicht da vorne, da ist noch was frei."

Isabel Abedi

* Papai = Papa auf Portugiesisch; in Brasilien wird Portugiesisch gesprochen

1 Markiere die Antworten im Text.
a) In welcher Stadt wohnt Lola nun?
b) Wie viele Mädchen entdeckte Lola in der Klasse?

2 Markiere den Textabschnitt, der genau das Aussehen der vier Mädchen beschreibt. Male richtig an.

Lola fühlt sich ____________________, weil ____________________

____

____

____

Wie geht es Lola? Begründe deine Antwort.

Meerschwein King-Kong in der Schule

„Ich weiß überhaupt nicht, was heute los ist mit euch!“, sagt Frau Schöller ärgerlich. Schon zum dritten Mal hat „Bruder Jakob“ als Kanon nicht geklappt. Immer muss irgendwer kichern und reden und seinen Nachbarn anstoßen und zu Jan-Arne hingucken und dann verpassen wieder welche den Einsatz.
„Ihr singt doch sonst immer so schön!“
Und Frau Schöller hebt wieder die Hände vors Gesicht und summt einen Ton.
Das bedeutet, dass die Klasse gleich singen soll.
Aber dann singen sie doch nicht.
Dann lässt Frau Schöller doch wieder die Hände sinken und dreht den Kopf.
Und ziemlich böse sieht sie auch aus.
„Wer ist das jetzt gewesen?“, ruft Frau Schöller. „Wer quiekt hier die ganze Zeit wie ein Schwein?“
Und natürlich hören die andern es jetzt auch alle. Aus der dritten Reihe kommt es, wo Michi und Jan-Arne stehen und versuchen, ganz normale Gesichter zu machen.
„Uuuiit, uuuiit, uuuiit, uuuiit!“
Wirklich genau wie ein Schwein.
„Wer ist das gewesen?“, ruft Frau Schöller. „Jetzt hört ihr aber sofort …“
„Hilfe!“, denkt Jan-Arne, „Hilfe!
Bitte, lieber King-Kong, sei leise!“

Aber da ist Frau Schöller auch schon in der dritten Reihe. Direkt vor Michi und Jan-Arne steht sie jetzt und guckt sie ganz böse an.
„Wer von euch beiden war das?“, fragt Frau Schöller. „Michi? Jan-Arne?“
Und dabei starrt sie Jan-Arne richtig gefährlich an.
Jan-Arne merkt, wie er rot wird.
„Also, es ist nämlich …“

Kirsten Boie

1 Lies die Geschichte. Wie heißen die Hauptfiguren? Markiere im Text.

☐ lustig	☐ unangenehm	☐ ärgerlich	☐ wunderbar	☐ schlimm
☐ lästig	☐ angenehm	☐ schön	☐ peinlich	☐ unerfreulich

2 Wie ist die Situation für Jan-Arne? Kreuze passende Wörter an.

Jan-Arne ______________________________

____

____

3 Wie fühlt sich Jan-Arne wohl gerade?

Mäx wird erpresst

Bill lässt den Regenwurm vor Mäxens Nase pendeln. „Der wird dir schmecken“, sagt er. Mäx schießt das Blut in den Kopf. Er presst die Lippen zusammen. „Los, Zähne auseinander!“, zischt Bill. „Wenn du den Wurm schluckst, lassen wir dich in Zukunft in Ruhe. Wenn nicht, dann …“ Mäx wird blass. Ihm wird ganz flau. „Wenn nicht“, droht nun Sanders, „dann musst du bezahlen. Klar?“ „Geld?“, flüstert Mäx. „Na, glaubst du, Jackenknöpfe? Fünf Euro Wegegeld. Jede Woche.“ Mäx …

Christa Zeuch

1 Lies den Text.

2 Wie hast du dich beim Lesen gefühlt? Kreuze an.

____

____

stark • furchtsam
gemein • überlegen
ängstlich • boshaft
fies • erschrocken
mutlos • unterlegen

3 Stell dir vor, du bist Bill. Wie fühlst du dich gerade?
Die Wörter im Kasten können dir helfen.

____

____

____

____

____

____

4 Wann hast du dich schon einmal so gefühlt wie Mäx oder wie Bill? Schreibe auf.

Klassenbriefe

Lieber Lehrer!

Heute ist es in der Schule gar nicht schön.
Wenn Sie so schlechte Laune haben, macht der Unterricht keinen Spaß.
Dann haben wir sogar ein bisschen Angst vor Ihnen.
Werden Sie bitte ganz schnell so wie sonst, damit wir keine Angst mehr haben müssen und der Unterricht wieder Spaß macht.

Ihre Klasse 3 a

Manfred Mai

1. Markiere die Bitte in dem Brief.

Liebe ______________________________

ich wünsche mir, ______________________________

____

____

____

____

Viele Grüße ______________________________

____

2. Schreibe einen Brief mit einem Wunsch oder einer Bitte an Lea oder Benni.
Oder: Schreibe einen eigenen Brief mit deinem Wunsch.

In der Schule

 das Dach ______  die ______  der ______

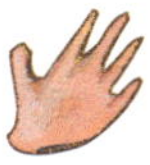 die ______  das ______  das ______

1 Schreibe die Nomen zu den Bildern.

der Zorn, ______

______

______

______

Das sind alles Nomen für

- ☐ Gefühle ☐ Gedanken
- ☐ Dinge ☐ Pflanzen
- ☐ Tiere ☐ Menschen

2 Schreibe die übrigen Nomen mit Artikel auf.

das Kind – die Kinder	das Heft – ______
die Pause – ______	die Klasse – ______
die Schule – ______	der Lehrer – ______

3 Bilde die Mehrzahl.

Finde noch sechs Nomen, die mit Schule zu tun haben.

Wir sehen verschieden aus

Haare:	glatt • lang • kurz • schwarz • braun • lockig • blond
Augen:	braun • blau • grün • grau • graublau • dunkelbraun
Schuhe:	rot • weiß • sportlich • schick • flach • blau gestreift
Pullover:	rot-weiß • kariert • rosa • grün • geringelt • gepunktet
Hose:	orange • lang • weit • einfarbig • schwarz • blau • gemustert

1 Ordne Lena die richtigen Beschreibungen zu.

Ich habe ______ Haare und ______ Augen.

Heute trage ich ______

2 Beschreibe dich selbst mit passenden Adjektiven und Nomen.

Beschreibe ein anderes Kind aus der Klasse mit passenden Adjektiven und Nomen. Verrate beim Vorlesen nicht den Namen. Lass die anderen raten.

Adjektivdeklination, prädikativer und attributiver Gebrauch → S. 149, 150

Schulregeln

Im ganzen Gebäude bitte nicht toben. Das ist gefährlich.
In den Räumen langsam gehen.
Im Unterricht bitte nur leise erzählen.
Alle Ranzen bitte in die Fächer in den Schränken stellen.
Bitte die Zäune um die neu gepflanzten Bäume beachten.

ä			äu		
gefährlich	←ä→	____	Gebäude	←äu→	____
____	←→	____	____	←→	____
____	←→	____	____	←→	____
____	←→	____	____	←→	____

1 Ordne die Wörter mit **ä** und **äu** richtig ein. Finde verwandte Wörter mit **a** und **au**.

Blatt • Dach • Haus • Raum • Satz • Traum

Blatt	←ä→	Blätter	____	←→	____
____	←→	____	____	←→	____
____	←→	____	____	←→	____

2 Finde zu den Wörtern mit **a** und **au** verwandte Wörter mit **ä** und **äu**.

Kraft • gefallen • Wahl • Haufen • Mappe • Gras • Maus • Strauch

Kraft	←ä→	kräftig	____	←→	____
____	←→	____	____	←→	____
____	←→	____	____	←→	____
____	←→	____	____	←→	____

3 Finde auch hier verwandte Wörter.

Schwierige Wörter üben

Nach den Sommerferien freuen sich alle Kinder
auf das Wiedersehen.
Alle kommen gespannt in den Morgenkreis.
Fatma erzählt von ihrem Urlaub in der Türkei.

Wort	Kontrolle	Wort	Kontrolle	Korrektur, wenn nötig
Sommerferien	✓	Sommerferien	✓	✓

1 Übe schwierige Wörter. Gehe so mit jedem markierten Wort vor.

a) Lies das markierte Wort. Merke es dir.
b) Schreibe das markierte Wort in die erste Spalte.
c) Schreibe das Wort auswendig in die zweite Spalte.
d) Kontrolliere mit dem Text.
Wenn ein Wort falsch ist, schreibe es richtig in die dritte Spalte.
e) Markiere die schwierige Stelle.

Kinder
Die ~~kinder~~ der Klase 3 b sind auf dem Schuhlhof. 3

Sie sameln unterschiedlich geferbte blätter. 3

2 Finde die falsch geschriebenen Wörter
und schreibe sie richtig über die Fehlerwörter.

Lege dir selbst eine Tabelle wie in Aufgabe 1 an
und übe so für dich schwierige Wörter.

Schwierige Wörter üben,
Fehlerwörter finden und verbessern → S. 155, 156

Wörter mit äu

die Räume	⟷ äu	____________	S. ______
die Fäuste	⟷	____________	S. ______
die Schläuche	⟷	____________	S. ______
die Träume	⟷	____________	S. ______

Das Wort in der Einzahl zu finden fällt mir ___.

1 Schreibe das Wort in der Einzahl.
Kontrolliere mit dem Wörterbuch und notiere die Seite.

____ | 4

die Verkäuferin	⟷ äu	____________	S. ______
häuslich	⟷	____________	S. ______
gräulich	⟷	____________	S. ______

Das verwandte Wort zu finden fällt mir ___.

2 Finde das verwandte Wort.
Kontrolliere mit dem Wörterbuch und notiere die Seite.

____ | 3

Schwierige Wörter üben

Wort/Kontrolle	Wort auswendig/Kontrolle	Korrektur, wenn nötig

3 Suche im Basisbuch auf Seite 18
im **Rechtschreibtraining**
drei für dich schwierige Wörter.
Übe mit der Tabelle
wie auf Seite 18.

Schwierige Wörter zu üben fällt mir ___.

____ | 3

→ S. 161

Nomen

Wörter
Sina und Jan suchen ~~wörter~~ aus dem text. 2

Lea schreibt witzige sätze auf. 1

Sie hängt ihr blatt an die wand 2

im klassenraum. Tim malt lieber 1

bunte häuser mit riesigen dächern und 2

schönen gärten. Er hat keine langeweile. 2

Die Nomen zu erkennen fällt mir ... .

1 Finde die anderen falsch geschriebenen Nomen. ___ | 9

Nomen und Adjektive

die Wut, das Glück, der Zorn, der Ärger, die Trauer, die Angst

glücklich, ärgerlich, ängstlich, wütend, zornig, traurig

die Wut – wütend ___________ ___________

___________ ___________

___________ ___________

Paare aus Nomen und Adjektiven zu finden fällt mir ... .

2 Ein Nomen und ein Adjektiv gehören zusammen.
Markiere sie in der gleichen Farbe und schreibe auf. ___ | 5

→ S. 145, 149

Fragen zum Text beantworten

	richtig	falsch
Die Lehrerin ist sehr zufrieden mit der Klasse.		
Frau Schöller summt einen Ton, wenn alle singen sollen.		
Jemand bellt immer dann, wenn gesungen werden soll.		
Jan-Arne steht in der dritten Reihe.		

Fragen zum Text zu beantworten fällt mir .

____ | 5

1 Richtig oder falsch? Lies die Geschichte auf Seite 6. Kreuze an.

Frau Schöller sieht die beiden Jungen böse an, weil …

____

____

____

2 Ergänze den Satz.

Nomen

	Einzahl	Mehrzahl
Stuhl	____________	____________
Tisch	____________	____________
Schwamm	____________	____________
Angst	____________	____________
Spaß	____________	____________

Nomen in der Einzahl und Mehrzahl zu finden fällt mir .

____ | 10

3 Schreibe das Nomen in der Einzahl und in der Mehrzahl mit Artikel.

Wörter mit ä und äu

Angst –	die ____	Baum –	____
Fach –	____	Raum –	____
Ball –	____	Traum –	____
Bank –	____	Haus –	____
Schrank –	____	Maus –	____

Verwandte Wörter zu a und au zu finden fällt mir ___.

1 Finde die Mehrzahl mit ä und äu. Schreibe auf. ____ | 10

Nachschlagen im Wörterbuch

die Lehrerin	S. ____	die Hand	S. ____
das Dach	S. ____	das Kind	S. ____
die Klasse	S. ____	das Blatt	S. ____

Wörter im Wörterbuch zu finden fällt mir ___.

2 Schlage im Wörterbuch nach. Notiere die Seitenzahl. ____ | 6

Diese Tipps möchte ich dir geben:

Fragen zum Text beantworten
- Du kannst gut verstehen, was du liest.
- Lies noch einmal auf Seite ____ in der Zeile ____ nach.
- ____________________

Wörter mit ä und äu
- Die Regeln mit a/ä und au/äu hast du dir gut gemerkt.
- Aus a wird in der Mehrzahl ein ä und aus au wird ein äu.
- ____________________

Nomen
- Die Mehrzahl bildest du sicher.
- Der Artikel bei der Mehrzahl ist immer die.
- ____________________

Nachschlagen im Wörterbuch
- Du schlägst die Wörter sicher nach.
- Übe das Nachschlagen mit dem Tipp von Seite 46 im Basisbuch.
- ____________________

→ S. 158, 159, 161

Kartoffeln, Kartoffeln

Kartoffeln mal anders: Kartoffelchips

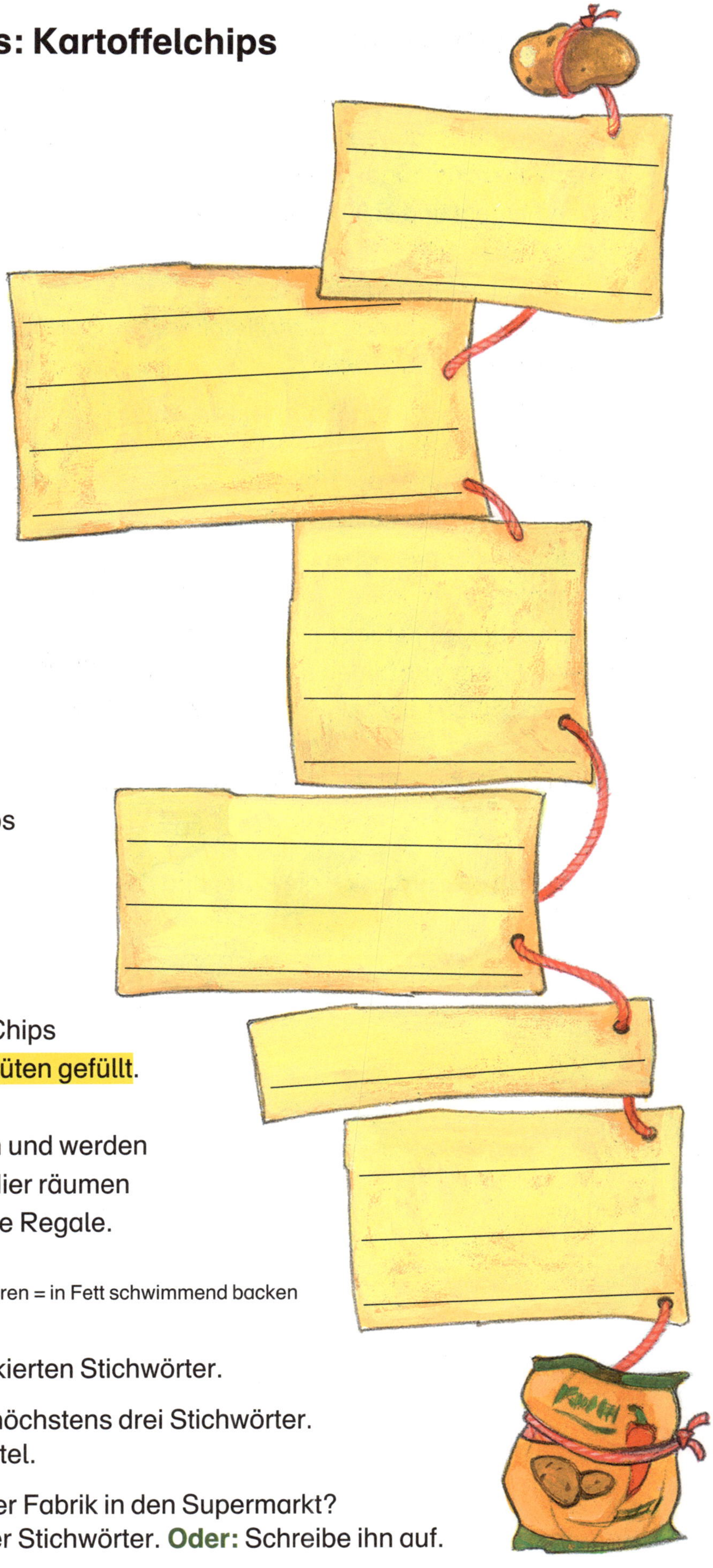

Landwirte liefern sehr große Kartoffeln von ihren Feldern an eine Chipsfabrik.

In der Fabrik muss man sie gut waschen und schälen. Danach schneidet eine Schneidemaschine die Kartoffeln in ganz dünne Scheiben.

Nun werden die Scheiben nebeneinander ausgelegt und frittiert*. Dadurch werden die Kartoffelscheiben hart und wellig.

Anschließend werden die Chips mit Salz und Paprika gewürzt und erhalten den typischen Chipsgeschmack.

Am Ende werden die fertigen Chips in Portionen aufgeteilt und in Tüten gefüllt.

Diese kommen in einen Karton und werden in den Supermarkt gefahren. Hier räumen Mitarbeiter die Chipstüten in die Regale.

* frittieren = in Fett schwimmend backen

1 Lies den Text. Notiere die markierten Stichwörter.

2 Markiere im letzten Abschnitt höchstens drei Stichwörter. Notiere sie auf dem letzten Zettel.

3 Wie kommt die Kartoffel von der Fabrik in den Supermarkt? Erkläre den Weg mithilfe deiner Stichwörter. **Oder:** Schreibe ihn auf.

Der Kartoffelkäfer

Die Kartoffelkäfer sind etwa einen Zentimeter lang. Sie haben dunkle Längsstreifen auf den Flügeln und schwarze Flecken auf dem Halsschild. Sie haben eine besondere Vorliebe: Sie fressen die Blätter der Kartoffelpflanze. Die Pflanze kann aber ohne ihre Blätter nicht überleben. Bei einer abgefressenen Pflanze entwickeln sich unter der Erde nur wenige oder gar keine Kartoffeln. Ein Kartoffelkäferweibchen lebt ungefähr zwei Jahre und kann über 2 500 Eier ablegen. Aus denen bilden sich kleine, gefräßige Larven. Nur 30 dieser Larven können innerhalb einer einzigen Woche eine Kartoffelpflanze kahl fressen. Früher musste man die Käfer mit der Hand einsammeln, um die Kartoffelernte zu retten. Heute werden die Kartoffelpflanzen meistens mit Schädlingsbekämpfungsmitteln gespritzt und die Kartoffelkäfer damit bekämpft.

1 Lies den Text und kreise das Foto mit dem Kartoffelkäfer ein.

a) Wovon ernähren sich die Käfer und die Larven?

____

b) Was passiert, wenn die Kartoffelpflanze keine Blätter mehr hat?

____

____

2 Markiere die Antworten im Text und schreibe sie auf.

____

____

____

Früher sammelte man die Käfer mit der Hand ab.
Warum macht man es heute anders? Begründe.

Informationen im Text finden und markieren → S. 130

Kartoffel-Ei-Pfanne

1

Zuerst

2

3

4

5

6

Zutatenliste für 4 Personen

10

Tipp

Dann • Danach • Zuerst
Jetzt • Zum Schluss • Nun
Anschließend • Wenn

7

8

1 Schau dir die Bilder an. Schreibe eine Zutatenliste. Beachte, wie viel du brauchst.

2 Finde für jedes Bild einen passenden Satzanfang. → **Tipp**

Auf Seite 20 gehts weiter.

Kartoffel-Ei-Pfanne

- Zwiebeln in 3 EL Öl braten
- Zwiebeln in Würfel schneiden
- 10 Kartoffeln schälen
- 2 Zwiebeln schälen
- Eier verquirlen und über die Kartoffeln gießen
- Kartoffelscheiben und 1 Messerspitze Salz in die Pfanne geben
- Kartoffeln in dünne Scheiben schneiden

3 Nummeriere die Arbeitsschritte in der richtigen Reihenfolge.

4 Schreibe das Rezept. Achte auf passende Satzanfänge.

Sammelt eure Lieblingsrezepte für ein Klassenkochbuch.

Rund ums Kochen

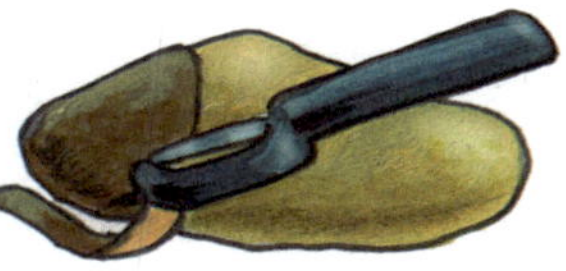

abschneiden • ablecken • auskratzen • umrühren
ausschalten • ablegen • auspacken • umwenden

1 Markiere die Wortbausteine **ab**, **aus**, **um**.

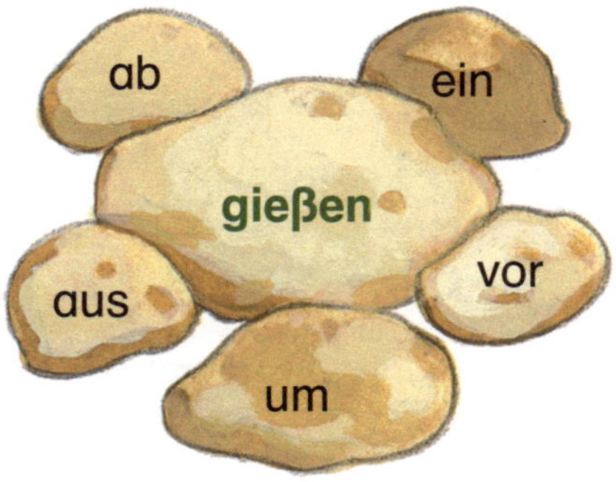

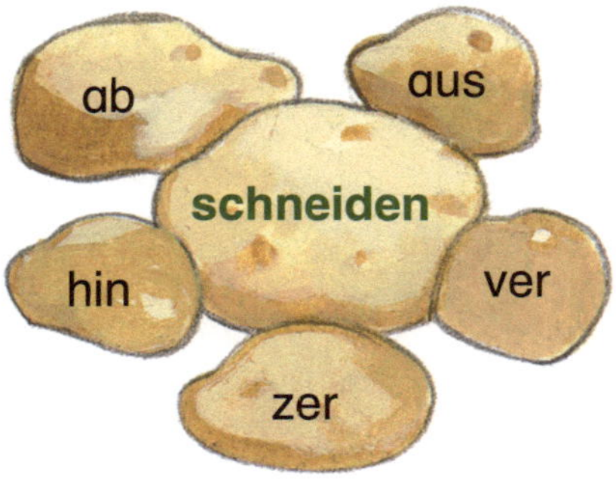

2 Schreibe immer vier sinnvolle Verben mit den Wortbausteinen auf.

Wähle fünf Verben mit Wortbausteinen. Schreibe sinnvolle Sätze.
Markiere die Wortbausteine.

Kartoffelfest

Jonas, Tim und Lena unterhalten sich auf dem Nachhauseweg.

Wollen wir ein Kartoffelfest feiern?

Tolle Idee!

Ich frage mal meine Eltern, ob wir in unserem Garten feiern dürfen.

Aussage | Frage | Aufforderung oder Ausruf

1. Markiere die Satzschlusszeichen und verbinde mit der richtigen Satzart.

Sag uns Bescheid, wenn du deine Eltern gefragt hast ☐

O. K. Mach ich ☐

Sollen wir gemeinsam Kartoffelsalat zubereiten ☐

Gute Idee ☐

Meine Eltern sind einverstanden ☐

Ich kaufe die Zutaten für den Kartoffelsalat ein ☐

2. Setze die richtigen Satzschlusszeichen ein.

____

____

____

____

____

3. Schreibe zu jeder Satzart einen Satz. Denke an das Satzschlusszeichen.

Großschreibung am Satzanfang / Satzschlusszeichen richtig verwenden → S. 153

In der Küche

Kartoffel Butter fettig Suppe Wasser essen
füttern bitter dünne Pfeffer Pudding Teller

1. Flüstere die Silben und setze die Silbenbögen unter die Wörter.
2. Setze unter den kurzen Vokal einen Punkt.
   Markiere den doppelten Konsonanten: Kartoffel

T	Z	R	Y	E	S	S	E	N	I
C	F	Ü	L	L	E	N	K	E	N
M	E	W	P	T	D	V	Z	C	Y
S	T	U	M	M	N	O	P	Ü	N
N	R	B	I	L	L	I	G	N	E
A	P	T	E	L	L	E	R	T	E
Ü	N	K	N	A	B	B	E	R	N
S	M	E	S	S	E	R	M	I	N

3. Finde sieben Wörter mit doppelten Konsonanten.

Essen, ______________________________

4. Schreibe die Wörter auf. Setze unter den kurzen Vokal einen Punkt.
   Markiere die doppelten Konsonanten.

Schreibe einen Satz, in dem möglichst viele Wörter mit doppelten Konsonanten vorkommen.

Doppelkonsonant nach kurzem Vokal silbisch bewusst machen → S. 160

Hexenschmaus: Schmecken lassen!

Es waren einmal 20 Kartoffeln. Die lagen in einer Wanne. Plötzlich kam die Küchenhexe Kochfixi und warf sie in einen Topf mit heißem Salzwasser. Das Wasser begann zu kochen und die Knollen wurden ganz weich. Nach 30 Minuten goss Kochfixi alles aus. Jetzt pellte sie die Kartoffeln, schnitt sie in Scheiben und legte sie in eine Schüssel.

(1) Markiere noch elf Wörter mit doppelten Konsonanten.

Da la(g/~~gg~~)en sie nun. Neugierig verfolgten sie, wie Äpfel mit einem Me(s/ss)er geschä(l/ll)t und geschni(t/tt)en wurden und plötzlich auf ihnen landeten. Jetzt flo(g/gg)en noch Körner auf sie: Salz, Pfe(f/ff)er und Muskat. A(l/ll)es das mu(s/ss)ten sie sich gefa(l/ll)en la(s/ss)en. Milch mit Eiern verquirlt wurde über sie gego(s/ss)en. Gerade als die Scheiben versuchten, sich freizuschwi(m/mm)en, streute Kochfixi noch Kä(s/ss)e über sie. Nun wurde es so heiß, dass sogar der Käse schne(l/ll) schmolz. So zauberte die Küchenhexe einen to(l/ll)en Hexenschmaus. Und we(n/nn) sie nicht gestorben ist, so kocht sie ihn noch heute.

(2) Entscheide, welche der Buchstaben richtig sind. Streiche die falschen durch.

z.B. Wanne – Kanne,

Finde aus den Texten acht Wörter mit doppelten Konsonanten. Bilde Reimwörter.

Wörter mit doppelten Konsonanten

Wasserstrahl • auslöffeln • Wasser • Tierfutter
Badewasser • müssen • Löffelstiel • wässrig • Kochlöffel
immer • füttern • essen • Lebensmittel • fettig • lassen

(1) Markiere kurze Vokale und doppelte Konsonanten.

Kurze Vokale zu erkennen fällt mir ___.

___ | 14

Tasse • Wasser • Tage • Brille • Regen • Pfanne • Butter
Brettchen • Gabel • Käse

(2) Markiere den kurzen Vokal mit einem Punkt und den langen Vokal mit einem Strich.

Lange und kurze Vokale zu unterscheiden fällt mir ___.

___ | 9

BIL • BUT • FEL • FER • ~~KA~~ • LIG • LÖF • NE • PE • PFEF
~~ROT~~ • SER • SON • SUP • ~~TE~~ • TEL • TER • WAS • ZET

1. Gemüse, das unter der Erde wächst: [1] K A R O T T E
2. Man braucht es zum Waschen und Putzen: _ [2] _ _ _ _
3. Wird aus Milch gemacht: _ _ _ _ _ [3]
4. Darauf wird die Einkaufsliste geschrieben: _ _ [4] _ _ _
5. Sie gibt uns Licht und Wärme: _ [5] _ _ _
6. Gewürz: _ _ _ [6] _ _ _
7. Damit isst man Nachtisch: _ _ [7] _ _ _
8. Isst man aus einem tiefen Teller: _ _ _ _ [8]
9. Das Gegenteil von teuer: _ _ [9] _ _ _

Das Lösungswort heißt: 1 2 3 4 5 6 7 8 9

(3) Finde aus den Silben die Lösungen.
Streiche sie durch und trage das Wort ein.

Wörter mit doppelten Konsonanten zu finden fällt mir ___.

___ | 9

Wortbausteine verändern Verben

abkochen • schneiden • zuschneiden • aufessen • füttern

einfüllen • abschmecken • trinken • einschenken • austrinken

Vorsilben bei Verben zu erkennen fällt mir .

1 Markiere die Wortbausteine **ab**, **auf**, **aus**, **ein**, **zu**.

____ | 9

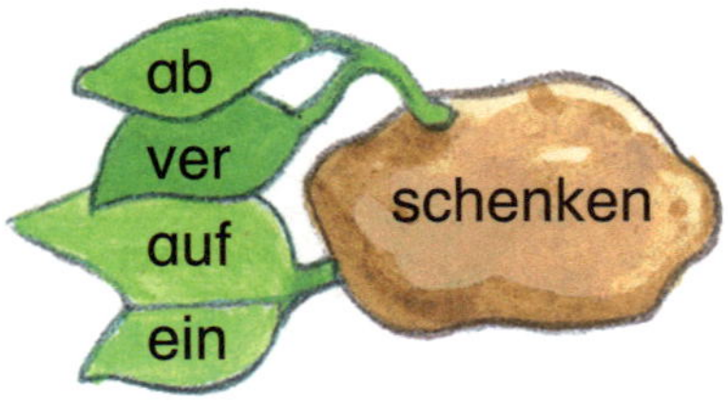

____

____

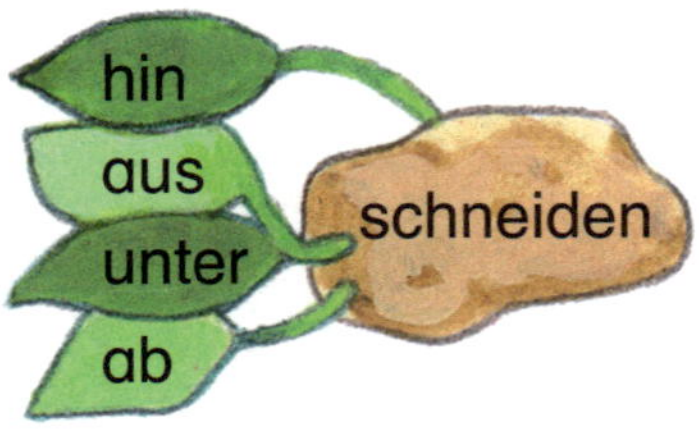

____

____

Passende Vorsilben für Verben zu finden fällt mir .

2 Bilde sinnvolle Verben mit den Wortbausteinen und schreibe sie auf.

____ | 4

Verschiedene Satzarten

Kartoffeln im Schulgarten

Im April können die Saatkartoffeln in die Erde gesteckt werden

Erst im Mai sieht man Stängel und Blätter

Kann man die Kartoffeln jetzt ernten

Nein Sie sind erst Anfang Oktober reif

Dann können sie ausgegraben werden

Achtung Vorsichtig die Erde zur Seite schieben

und die Kartoffeln einsammeln

Jetzt kann man gleich ein Feuer anzünden

und die Kartoffeln in der Glut rösten

Passende Satzschlusszeichen zu finden fällt mir .

3 Setze die richtigen Satzschlusszeichen ein.

____ | 8

→ S. 153

Informationen im Text finden

Tomoffel
Die Tomoffel ist eine Mischung aus Tomate und Kartoffel. Für diese Pflanze werden künstlich im Labor die Zellen von Kartoffel und Tomate verschmolzen. Es entsteht eine Pflanze mit Tomaten über der Erde und Kartoffeln in der Erde. Diese Pflanze entwickelt keine Samen und kann sich nicht selbst vermehren.

Die Tomoffel	☐	ist ein Gemisch aus Gurke und Kartoffel.
	☐	ist ein Gemisch aus Kartoffel und Tomate.
Diese Pflanze	☐	wächst ganz normal in vielen Gärten.
	☐	wird künstlich in einem Labor gezüchtet.
Die Tomoffel	☐	hat Kartoffeln als Früchte über der Erde.
	☐	hat Tomaten über der Erde und Kartoffeln in der Erde.
Diese Pflanze	☐	kann sich nicht selbst vermehren.
	☐	bildet Schoten, mit denen sie sich vermehrt.

Die wichtigsten Aussagen in einem Text zu finden fällt mir .

1 Kreuze die vier richtigen Aussagen an. ____ | 4

Wortbausteine verändern Verben

vorkochen	zukochen	einkochen	überkochen	abkochen
einkaufen	verkaufen	unterkaufen	abkaufen	aufkaufen
austrinken	abtrinken	betrinken	wegtrinken	zertrinken

Sinnvolle Verben zu erkennen fällt mir .

2 Finde in jeder Zeile das Verb, das es nicht gibt. Streiche es durch. ____ | 3

____

____

Passende Vorsilben für Verben zu finden fällt mir .

3 Finde zwei sinnvolle Verben mit den Wortbausteinen. ____ | 2

→ S. 130

Wörter mit doppelten Konsonanten

dd, ff, ll, pp, ss, oder tt?

die Karto ◯ elsu ◯ e ____________________

der Kä ◯ e ____________________

der Vani ◯ epu ◯ ing ____________________

der Pfe ◯ erstreuer ____________________

die Do ◯ e ____________________

die Bu ◯ er ____________________

das Mineralwa ◯ er ____________________

das Gla ◯ ____________________

Wörter mit doppelten Konsonanten richtig zu schreiben fällt mir ◯ ◯ ◯.

1 Schreibe das Wort richtig auf. **Achtung!** Drei Wörter haben einen langen Vokal und keine doppelten Konsonanten.

____ | 10

Nachschlagen im Wörterbuch

schmatzen	S. ______	Spaghetti	S. ______
Hunger	S. ______	Pudding	S. ______
Salz	S. ______	Abwasch	S. ______

Wörter im Wörterbuch zu finden fällt mir ◯ ◯ ◯.

2 Schlage diese Wörter im Wörterbuch nach. Notiere die Seitenzahl.

____ | 6

Diese Tipps möchte ich dir geben:

Informationen im Text finden
- ☐ Du hast den Text sehr gut verstanden.
- ☐ Lies dir Satz ______ noch einmal durch.
- ☐ ____________________

Wortbausteine verändern Verben
- ☐ Verben mit passenden Wortbausteinen erkennst du sicher.
- ☐ Achte auch auf diesen Wortbaustein: ______
- ☐ ____________________

Wörter mit doppelten Konsonanten
- ☐ Du hast alle doppelten Konsonanten gefunden.
- ☐ Lies den Merksatz auf Seite 30 im Buch.
- ☐ ____________________

Nachschlagen im Wörterbuch
- ☐ Du schlägst die Wörter sicher nach.
- ☐ Denke auch an den zweiten Buchstaben.
- ☐ ____________________

→ S. 160

Fledermäuse

Vampire

Das Vamperl ist kein echter Vampir.
Mit seinen haarigen Armen und Beinen,
seiner spitzen Schnauze und den Flügeln
sieht es eher aus wie eine Fledermaus.
Weil es den Menschen die schlechte Laune
aus der Galle saugt, ist es grün.

Graf Knoblauch war ein berühmter Vampir.
Er ernährte sich von Kirschen und Blutorangen.
Seine Zähne benutzte er, um Löcher in Konserven
zu machen.
Leider glaubte er selbst nicht so recht an Vampire
und sah deshalb meistens griesgrämig aus.

Vampire schlafen bei Tag (am liebsten in Särgen) und stehen erst auf, wenn es dunkel ist. Sie haben lange, scharfe Eckzähne, mit denen sie ahnungslose Menschen beißen. Danach saugen sie ihnen das Blut aus. Sie können sich in Fledermäuse oder Wölfe verwandeln. Sie fürchten dreierlei: Kreuze, Knoblauch und Sonnenschein. Wenn man das weiß, muss man keine Angst vor ihnen haben.

1. Welches Bild gehört zu welchem Text? Verbinde.
2. Welche Wörter helfen dir, das richtige Bild zu finden? Markiere in jedem Text.
3. Suche dir ein Vampirbild aus und beschreibe den Vampir mit deinen eigenen Worten genau. Lass ein Partnerkind herausfinden, welchen Vampir du beschrieben hast.

Male einen eigenen Vampir. Beschreibe ihn einem Partnerkind, das den Vampir dann auch malt. Vergleicht die Bilder.

Fledermäuse sind bedroht

Fledermäuse haben nur wenige natürliche Feinde: Katzen, Marder und einige Raubvögel. Trotzdem sind die meisten Fledermausarten vom Aussterben bedroht.
Der Grund: Die Menschen greifen in die Natur ein. Menschen legen Feuchtgebiete trocken.
Sie benutzen in der Landwirtschaft viele Insektengifte.
So gibt es weniger Insekten und die Fledermäuse finden kaum Nahrung.

1 Schreibe die markierten Stichwörter in die rechte Spalte.

Den Fledermäusen fehlen geeignete Wohnräume.
Viele Häuser haben keinen Dachboden mehr und alte Bäume mit Spechthöhlen werden aus dem Wald entfernt.

Menschen, die einen Garten haben, können den Fledermäusen helfen: Mit bestimmten Pflanzen kann man Insekten anlocken, die Fledermäusen als Nahrung dienen. Mit Wohnhöhlen oder Fledermausbrettern kann man ihnen eine Wohnung zur Verfügung stellen.

2 Markiere selbst Stichwörter und schreibe sie in die rechte Spalte.
Markiere so wenige Wörter wie möglich.

	ja	nein
Ich markiere immer so viele Stichwörter wie möglich.		
Stichwörter können aus einem oder mehreren Wörtern bestehen.		
Ich versuche immer möglichst wenige Stichwörter zu markieren.		

Was gilt bei **Stichwörtern**? Kreuze an.

Ein Sachtext über Fledermäuse

1. Jonas und Fatma haben in Sachbüchern und im Internet Informationen über den Großen Abendsegler gefunden. Ordne die Informationen zu.

Aussehen: ____________________

____

Lebensraum: ____________________

Verhalten: ____________________

____

Nahrung: ____________________

Fortpflanzung: ____________________

2. Schreibe die Informationen geordnet auf.

Gestaltet ein Themenplakat zum Großen Abendsegler.

Weiter gehts auf Seite 32.

Vampirfledermäuse kommen nur in Amerika vor. Sie leben vom Blut von Säugetieren oder Vögeln. Ihr graubraunes Fell ist an der Unterseite heller. Ihre Körpergröße beträgt nur zwischen etwa 6 und 10 Zentimetern. Sie wiegen höchstens 50 g. Sie leben immer in großen Gruppen.

Vampirfledermäuse sind nachtaktiv. Oft landen sie neben einer → Kuh oder einem → Pferd und klettern vorsichtig daran hoch, bis sie eine gute Bissstelle finden. Die wird mit einem Stoff im Speichel zuerst betäubt. Danach wird das Tier gebissen und das austretende Blut aufgeleckt. Das gebissene Tier merkt gar nichts von der Vampirfledermaus. Sie kann aber gefährliche Krankheiten wie Tollwut übertragen.

Vampirfledermäuse, die in Amerika leben, gehen nachts auf die Jagd. Sie leben in großen Gruppen. Ein Weibchen bekommt nur etwa einmal in neun Monaten ein Junges. Deshalb sind sie auch vom Aussterben bedroht.

3 Markiere in den Textausschnitten wichtige Stichwörter über die Vampirfledermaus. Ordne sie danach zu.

Aussehen: ______________________________

____

Lebensraum: ______________________________

Verhalten: ______________________________

____

Nahrung: ______________________________

Fortpflanzung: ______________________________

4 Schreibe mithilfe der Stichwörter einen eigenen Text über die Vampirfledermaus.
Oder: Schreibe einen Text über den Großen Abendsegler.

Fledermausjagd

Abends und nachts **jagt** die Fledermaus.
Sie **fliegt** mit schnellen Flügelschlägen durch die Luft.
Ihre Echolaute klingen so hoch, dass wir sie nicht hören können.
Doch mit ihrer Hilfe **fängt** die Fledermaus viele Insekten.
Das Weibchen **braucht** im Sommer besonders viel Futter,
weil die jungen Fledermäuse Milch bei ihm saugen.
Eine neugeborene Fledermaus **wiegt** am Anfang nur wenige Gramm,
wächst aber sehr schnell.

jagen – jagt	fliegen – ______	fangen – ______
brauchen – ______	wiegen – ______	wachsen – ______

1 Ordne die markierte Personalform der Grundform zu.

~~fliege~~ • jagst • fliegst • jagt • fliegt • hängen
hängen • fliegt • hänge • hängt • jagt
jage • hängt • fliegen • jagen

fliegen	hängen	jagen
ich fliege	ich ______	ich ______
du ______	du ______	du ______
er, sie, es ______	er, sie, es ______	er, sie, es ______
wir ______	wir ______	wir ______
ihr ______	ihr ______	ihr ______
sie ______	sie ______	sie ______

2 Trage die Personalformen in die Tabelle ein.

Es fehlen drei Personalformen: ______

Wähle ein Verb. Schreibe es in allen Personalformen in der richtigen Reihenfolge auf.

Fledermäuse im Schlaf

Fatma liegt schläfrig in ihrem Bett. Aber sie fürchtet, dass sie nicht einschlafen kann, denn gestern Nacht hatte sie einen fürchterlichen Albtraum mit Fledermäusen. Vater beruhigt sie: „Deine Furcht ist unnötig! Fledermäuse fressen nur Insekten. Außerdem machen sie jetzt Winterschlaf. Menschen müssen sich vor ihnen nicht fürchten.“ Kurz darauf schläft Fatma ein. Und als Langschläferin wird sie furchtlos fast so lange schlafen wie eine Fledermaus im Winter.

1. Schreibe die markierten Wörter mit dem Wortstamm **schlaf/schläf** auf.

fürchtet,

2. Schreibe alle Wörter der Wortfamilie **furcht/fürcht** aus dem Text auf.
Markiere den Wortstamm.
Finde noch mehr Wörter der Wortfamilie.

stören • saugen • Saugung • Störnapf • abstören • zersaugen
gesaugt • Staubstörer • versaugt • Störer

saug:

stör:

3. Wie heißt das richtig?
Überprüfe den Wortstamm und tausche ihn aus, wo es nötig ist.
Schreibe die Wörter richtig auf.

Fledermauswörter

☐ Nacht • ☐ Käfer • ☐ trocken • ☐ Brett • ☐ Pflanze • ☐ Nahrung
☐ fehlen • ☐ Höhle • ☐ jagen • ☐ hängen • 1 brauchen • ☐ Dach

1 brauchen S. ______ 7 ______ S. ______
2 ______ S. ______ 8 ______ S. ______
3 ______ S. ______ 9 ______ S. ______
4 ______ S. ______ 10 ______ S. ______
5 ______ S. ______ 11 ______ S. ______
6 ______ S. ______ 12 ______ S. ______

(1) Sortiere die Wörter nach dem Alphabet. Schreibe sie der Reihe nach auf.
Suche sie dann im Wörterbuch und schreibe die Seitenzahl dazu.

fliege
______ S. ______

hängst
______ S. ______

jagt
______ S. ______

sauge
______ S. ______

beobachtest
______ S. ______

wiegst
______ S. ______

(2) Suche die Verben im Wörterbuch bei ihrer Grundform. Schreibe die Grundform auf.

sie band – binden S. ______
er packte – ______ S. ______
er füllte – ______ S. ______
sie flog – ______ S. ______

ler|nen, er lernte
le|sen, sie liest, sie las, der Leser, leserlich
letz|ten Augenblick
leuch|ten, es leuchtete, der Leuchter, der Leuchtturm

(3) Suche die Personalformen im Wörterbuch bei ihren Grundformen.
Schreibe die Grundform auf.

Nächtliche Begegnung

der Aben d	←d→	die Abende	der Kor___	⟷	________
der Zwer___	⟷	________	der Sta___	⟷	________
die Han___	⟷	________	der Bar___	⟷	________
die Nach___	⟷	________	der Flu___	⟷	________

1 Suche verwandte Wörter mit **b** oder **p**, **d** oder **t**, **g** oder **k**. Bilde dazu die Mehrzahl. Ergänze den fehlenden Konsonanten.

ja g t	←g→	jagen	hän___t	⟷	________
fän___t	⟷	________	den___t	⟷	________
blei___t	⟷	________	häl___	⟷	________
klin___t	⟷	________	flie___t	⟷	________

sie jagt kommt von jagen.

2 Suche verwandte Wörter. Bilde dazu die Grundform. Ergänze den fehlenden Konsonanten.

Am Aben 🦇 |ja 🦇 t|die Fledermaus|Insekten.|Sie fän 🦇 t sie|geschickt im Flu 🦇.| Aber sie ist nicht die einzige Gestal 🦇 |in dieser Nach 🦇.|Auch ein Zwer 🦇 |ist unterwegs.|Er häl 🦇 |einen Sta 🦇 |in der Han 🦇.|Über dem Arm|hän 🦇 t ein Kor 🦇 | mit Bro 🦇.|Er den 🦇 t|an das feine Essen,|das ihn erwartet.|Er blei 🦇 t stehen|und sieht,|wie die|Fledermaus am Himmel flie 🦇 t.|Sein Pfeifen|klin 🦇 t in der Nacht.|

3 Schreibe den Text ab. Ersetze 🦇 durch **b** oder **p**, **d** oder **t**, **g** oder **k**.

Auslautverhärtung durch Ableiten erkennen → S. 161

Wortstamm und Wortfamilie

Der Kleine Abendsegler
Er ist der kleine Bruder des Großen Abendseglers. Sein Fell ist dunkler und leuchtet weniger glänzend. Er ist ebenfalls ein wendiger* Jäger. Der Kleine Abendsegler jagt vorwiegend Schmetterlinge und fängt Stechmücken. Auf der Jagd zeichnet er sich durch seine Flugkünste aus. Kleine Abendsegler jagen wie ihre Verwandten ebenfalls nachts oder in der Dämmerung.

* wendig = geschickt

1 Im Text findest du noch drei Wörter der Wortfamilie **jagen**.
Markiere sie im Text. Schreibe alle auf.

___

Wortfamilien zu erkennen fällt mir

.

___ | 3

aufhängen • der Flug • das Verhängnis • geflogen • der Flieger
hängen • das Flugzeug • der Hang • fliegen • hängt

häng: aufhängen, ___

___

flieg: ___

___

2 Ordne die Wörter nach ihren Wortfamilien.
Markiere den Wortstamm.
Achtung! Der Wortstamm verändert sich.

Wortfamilien zu ordnen fällt mir

.

___ | 9

Verben: Grundform, Personalform

ich fange ___	wir ___
du ___	ihr ___
er, sie, es ___	sie ___

3 Die Grundform des Verbs **fängt** ist ___.
Setze das Verb in alle Personalformen.

Verben in Personalformen zu setzen fällt mir

.

___ | 6

Nachschlagen im Wörterbuch

	ja	nein	
fresen			S. ____
Weihnachten			S. ____
Olümpia			S. ____
Bere			S. ____
er packte			S. ____
er fällt			S. ____

____

Wörter im Wörterbuch zu finden fällt mir

1 Richtig geschrieben? Überprüfe im Wörterbuch.
Schreibe die falschen Wörter richtig auf.

____ | 6

b oder p, d oder t, g oder k?

sie sau_t	das Kin_
er fän_t	der Wal_
der Flu_	sie blei_t
der Kor_	die Nach_
er pum_t	die Han_

sie saugt – saugen, ____________________

____

____

____

____

____

Verwandte Wörter zu finden fällt mir

2 Schreibe die Wörter richtig auf. Suche dazu ein verwandtes Wort.

____ | 9

→ S. 157, 158, 161

Sich Gelesenes vorstellen

1 Zeichne diese Fledermaus fertig:
- Sie hat einen weißgrauen Bauch.
- Der Rest des Fells ist schwarzbraun bis graubraun.
- Die Flügel bestehen aus Haut. Sie sind graubraun.
- Die Ohren dieser Fledermaus sind im Vergleich zum Kopf groß.

Mir Gelesenes vorzustellen fällt mir .

____ | 5

2 Vergleiche deine Zeichnung mit dem Foto auf Seite 45 im Basisbuch.

Wortstamm und Wortfamilie

der Abend • lebte • nachts • die Mitternacht • lebhaft
das Abendkleid • das Nachthemd • abends • das Leben
der Lebensraum • die Nacht

____

____

____

____

____

Der Wortstamm ☐ verändert sich. ☐ verändert sich nicht.

Wortfamilien und Wortstämme zu erkennen fällt mir .

____ | 11

3 Finde Wortfamilien. Ordne die Wörter. Markiere den Wortstamm.

b oder p, d oder t, g oder k?

tä ___ lich ⟷ ____________________

die Ja ___ d ⟷ ____________________

das Fel ___ ⟷ ____________________

gi ___ t ⟷ ____________________

quie ___ t ⟷ ____________________

das Insek ___ ⟷ ____________________

Das verwandte Wort zu finden fällt mir ___.

1 Suche ein verwandtes Wort. Ergänze den fehlenden Konsonanten. ___ | 6

Nachschlagen im Wörterbuch

fliegen	S. ______	hören	S. ______
hielt	S. ______	ausruhen	S. ______
jagen	S. ______	wusch	S. ______

Verben im Wörterbuch zu finden fällt mir ___.

2 Schlage diese Wörter im Wörterbuch nach. Notiere die Seitenzahl. ___ | 6

Diese Tipps möchte ich dir geben:

Sich Gelesenes vorstellen

- ☐ Du kannst dir Gelesenes gut vorstellen.
- ☐ Lies die Sätze Wort für Wort.
- ☐ ______________________

Wortstamm und Wortfamilie

- ☐ Wortfamilien findest du problemlos.
- ☐ Schau dir die Wortstämme noch einmal genau an. Gleiche Wortstämme gehören zu einer Wortfamilie.
- ☐ ______________________

b oder p, d oder t, g oder k?

- ☐ Du hast alle Konsonanten sicher gefunden.
- ☐ Verwandte Wörter helfen dir beim Rechtschreiben.
- ☐ ______________________

Nachschlagen im Wörterbuch

- ☐ Du findest die Verben sicher.
- ☐ Suche Verben im Wörterbuch immer in der Grundform.
- ☐ ______________________

→ S. 157, 158, 161

Geheimnisvolles

Märchenhaft!

Es war einmal ein König, der hatte drei Söhne, davon waren zwei klug, aber der dritte war einfältig und wurde der Dummling genannt.

Die Alte hatte sich nur so freundlich angestellt, sie war aber eine böse Hexe, die den Kindern auflauerte.

„Es soll aber kein Tod sein, sondern ein 100-jähriger tiefer Schlaf, in welchen die Königstochter fällt."

Sagte das Mädchen zu dem Töpfchen: „Töpfchen koche", so kochte es guten süßen Hirsebrei.

„Ehe du meine Tochter und das halbe Reich erhältst", sprach der König zum tapferen Schneiderlein, „musst du noch eine Heldentat vollbringen. In dem Walde läuft ein Einhorn, das großen Schaden anrichtet. Das musst du erst einfangen."

... so antwortete der Spiegel: „Frau Königin, Ihr seid die Schönste im Land."

Märchenmerkmale

magische Gegenstände	besondere Zahlen	magische Wesen
Spiegel		

1 Markiere in den Kästen **magische Gegenstände**, **besondere Zahlen** und **magische Wesen**. Ordne diese Märchenmerkmale in die Tabelle.

2 Finde Märchenmerkmale im Bild. Zeichne eine Tabelle wie in Aufgabe 1. Trage ein.

Lies ein Märchen. Finde dort die Märchenmerkmale.

Alles total geheim!

Als die Klasse einen Ausflug in den Zoo macht, geht Gernot nicht mit, und er entschuldigt sich nicht mal bei der Lehrerin. Leider wird der Ausflug etwas teurer, hat die Lehrerin gesagt. Aber ohne Gernot macht Michi alles nur halb so viel Spaß. Obwohl er verstehen kann, dass Gernot nicht mitkommt. Im Zoo treffen sich nämlich immer die fremden Agenten, sagt Gernot.

Eines Tages steht Gernot plötzlich vor Michis Tür und guckt immer nur auf seine Füße. Er und seine Familie ziehen weg. Am nächsten Tag hält ein kleiner Laster vor dem Haus, darauf laden Gernots Vater und Gernots Mutter und Gernots Bruder ihre Möbel. Michi steht mit Gernot dabei und guckt zu. Er ist so traurig, dass er überhaupt nicht weiß, wie er es schaffen soll, nicht zu weinen.

Gernot schafft das natürlich ganz leicht. Aber Gernot ist ja auch ein Agentenkind. „Musst du wirklich weg, Gernot?“, flüstert Michi. „Warum müsst ihr denn weg, Gernot, du?“

Gernot zieht laut die Nase auf. Dann legt er den Finger an die Lippen. „Geheim!“, flüstert er. „Ganz geheim! Wir gehen ins Ausland! Da kriegt mein Vater einen Palast! Mit goldenen Fensterrahmen! Und mit siebenundsiebzig Wächtern vor den Toren! Zur Belohnung!“

„Ehrlich wahr, Gernot, echt geschworen?“, fragt Michi. „Darf ich dich mal besuchen?“

Gernot kneift fest die Lippen zusammen, „Niemals, Mensch!“, sagt er dann böse. „Und wehe, wenn du was verrätst!“

Dann darf er hinten zu seinem Bruder auf die Ladefläche steigen. Und er winkt Michi noch lange Zeit zu.

Kirsten Boie

☐ Die Klasse geht in den Zoo. ☐ Vor dem Haus hält ein großer Bus.
☐ Michi ist traurig. ☐ Michi darf Gernot besuchen.

1 Lies den Text. Kreuze die richtigen Aussagen an.

____

____

2 Wieso ist Michi traurig? Lies die Zeilen 11–20.

Ich glaube, Gernot erzählt Michi die Wahrheit, / nicht die Wahrheit, weil ______________________________

____

3 Entscheide dich, markiere deine Entscheidung und begründe.

Unheimliche ...

Michael Sowa: Die Rückkehr der Zugvögel, 2006

Chris Mould: Sleepy Hollow, 2006

gruselig • Straße • ängstlich • knarzend • düster • Kerzen • kaputt • bedrohlich
unheimlich • Schatten • beobachten • winterlich • verlassen • Zimmer
kalt • leer • verwahrlost • einsam • Licht • staubig • knochig

1 Wähle ein Bild. Notiere dazu mindestens sechs passende Wörter aus der Wörterkiste.

2 Notiere weitere Wörter zu deinem Bild.

... Geschichte

Wer spielt in deiner Geschichte mit?

Wann findet deine Geschichte statt?

Wo findet deine Geschichte statt?

Was passiert Geheimnisvolles?

Wie endet deine Geschichte?

3 Plane die Geschichte. Notiere Stichwörter zu deinem Bild.

4 Sammle Ideen für eine passende Überschrift.

5 Schreibe die Geschichte auf.

6 Ist deine Geschichte geheimnisvoll und spannend? Passt deine Überschrift? Überprüft und überarbeitet die Geschichte.

Privatdetektiv Kwiatkowski ermittelt

Kwiatkowski stellte sich an eine Ampel neben Colette. Er hatte sie an Olgas Kiosk beobachtet.

„Gibst du mir ein Kaugummi?“, fragte Kwiatkowski das Mädchen. „Häh?“, meinte Colette und stürmte los über die rote Ampel. Im letzten Augenblick erwischte er sie am Ärmel und zog sie zurück. „Bist du verrückt?“, brüllte er sie an. Statt sich für ihre Rettung zu bedanken, fauchte sie: „Lass mich in Ruhe!“ Das tat Kwiatkowski natürlich nicht. Stattdessen riss er ihre Tasche von der Schulter und schon purzelten mindestens fünfzig Päckchen seines Lieblings-kaugummis aufs Pflaster. „Warum hast du sie Olga geklaut?“, fragte Kwiatkowski. „Wie kommst du darauf, dass ich die Kaugummis gestohlen habe?“, fragte sie spitz. „Ich habe dich an Olgas Kiosk beobachtet“, sagte Kwiatkowski. „Dich und deine Freunde.“ Das Mädchen zog die Schultern hoch. „Und? Holst du jetzt die Polizei?“

nach Jürgen Banscherus

1 Lies und markiere die wörtliche Rede.

Kwiatkowski schüttelte den Kopf und sagte : Darum geht es doch gar nicht ! Du hast mir meine Lieblingskaugummis geklaut . Das nehme ich dir übel ! Ein Weilchen sagte Colette nichts . Dann fragte sie auf einmal : Wollen wir teilen ? Kwiatkowski haute diese Frage um : T…teilen ? Sie antwortete : Ja , teilen ! Er wurde sauer und rief : Niemals ! Bring die Kaugummis zu Olga zurück ! Das Mädchen blieb stehen. Sie wurde plötzlich ganz blass im Gesicht und stotterte : Das schaffe ich nicht . Es war deutlich zu sehen , wie sehr sie sich schämte . Schließlich sagte Kwiatkowski : Also schön , ich bringe die Dinger zu Olga zurück .

nach Jürgen Banscherus

2 Markiere die wörtliche Rede.
Setze die Anführungszeichen unten und oben an die richtige Stelle.

Schreibe selbst ein Gespräch mit allen Zeichen auf.

Geklaute Kaugummis

Colette und Kwiatkowski verhandeln, was nun mit den geklauten Kaugummis geschehen soll. Kwiatkowski bietet dem Mädchen an, die Kaugummis zu Olgas Kiosk zurückzubringen.

Colette strahlte und sagte: „Mensch, wenn du das tust …“ Kwiatkowski ließ sie gar nicht erst ausreden. Er meinte zu ihr: „Aber erst verrätst du mir, warum du genau meine Lieblingskaugummis klaust!“ Colette behauptete: „Carpenter’s sind eben meine Lieblingsmarke.“ Kwiatkowski rief sofort: „Das glaube ich dir nicht.“ Plötzlich sagte Colette: „Wenn du es unbedingt wissen willst – ich klaue die Kaugummis für jemanden.“ Er erkundigte sich: „Wie heißt dieser Jemand?“ Colette blieb stumm.
Er fragte noch mal: „Na?“ Colette murmelte: „Wie er mit richtigem Namen heißt, weiß ich nicht. Alle nennen ihn Schlange.“ Kwiatkowski rief: „Donnerwetter! Dieter Schlang, genannt die Schlange, steckt dahinter.“ Er musste nach Hause. Er musste sofort in sein Bett und nachdenken. Vorher ging er jedoch noch zu Olgas Kiosk.

nach Jürgen Banscherus

1 Lies und unterstreiche die Begleitsätze.

sagen • feststellen • behaupten • ~~rufen~~ • meinen • fragen • erklären

Kwiatkowski: Hier sind deine Kaugummis!

Olga: Wo hast du die her?

Kwiatkowski: Ich erzähl dir alles später.

Olga: Du bist ein Genie!

Kwiatkowski ruft: ______________________________

____

____

____

____

2 Denke dir für jede Sprechblase einen Begleitsatz aus.
Die Verben in dem Kasten können dir helfen.
Schreibe den Begleitsatz und die wörtliche Rede auf.
Denke dabei an den Doppelpunkt und die Anführungszeichen.

Finde weitere Wörter für **sagen**.

Begleitsätze kennen lernen und nutzen → S. 141, 154

Der fleißige Detektiv

1 bloß • der Spaß • genießen • heißen • schließen
stoßen • süß • weiß • fleißig • der Gruß • draußen
die Straße • heiß • reißen

bloß, ______________________________

____

____

____

Die Nomen sortieren, nicht die Artikel.

1 Sortiere die Wörter nach dem Alphabet. Markiere das ß.

weiß fließen Fuß reißen

heiß beißen gießen Gruß

2 Verbinde die Reimwörter.

~~Gruß~~ draußen Spaß schließen genießt fleißig

Ich bekam einen geheimnisvollen Gruß von einer unbekannten Person.

Detektiv zu spielen macht mir riesigen ____________.

Wenn es ________________ dunkel ist, gruselt es mich.

Ich habe ____________ Informationen gesammelt, um den Fall zu lösen.

Räuber Hotzenplotz ______________ es, der Oma die Kaffeemühle zu stehlen.

Die Einbrecher ________________ die Tür mit einem Dietrich auf.

3 Ergänze die Sätze mit den passenden Wörtern.

Schreibe eigene Sätze mit ß-Wörtern.
Oder: Lass dir die ß-Wörter von einem Partnerkind diktieren.

Zubehör eines Detektivs

1 Flüstere die Wörter und setze die Silbenbögen darunter.

Bei Detektiv Lupe zu Hause
Gestern Abend setzte ich mich in meinen gemütlichen Sessel.
Bei einer leckeren Suppe dachte ich über meinen letzten Fall nach.
Um überlegen zu können, holte ich meine geheime Akte und meine Brille aus meinem Koffer. Da! Ich hatte etwas ganz Wichtiges vergessen.
Ich stand schnell auf, um zum Telefon zu gehen. Der Teller rutschte dabei herunter und ich stolperte über meinen Ball. Egal, ich würde sofort mit Meisterdetektiv Pfeife sprechen, um ihm etwas Wichtiges mitzuteilen.

Ses-sel ____________ ____________

____________ ____________

____________ ____________

____________ ____________

____________ ____________

2 Schreibe die markierten Wörter in Silben auf.
Achtung! Manche Wörter haben nur eine Silbe.

Finde Wörter mit möglichst vielen Silben. Setze die Silbenbögen darunter.
Wer hat in der Klasse das längste Wort gefunden?

Wörter in Silben gliedern,
Silbentrennung bei Doppelkonsonanten → S. 155

Wörtliche Rede mit vorangestellten Begleitsätzen

sagen • rufen • meckern • bitten • sprechen • fragen
feststellen • meinen • erklären • flüstern • krächzen

Hexe

Knusper, knusper,
Knäuschen, wer knuspert
an meinem Häuschen?

Ziege

Ich bin so satt,
ich mag kein Blatt!

Prinz

Rapunzel, Rapunzel,
lass dein Haar herunter!

Spieglein, Spieglein
an der Wand,
wer ist die Schönste
im ganzen Land?

Stiefmutter

Aschenputtel

Die Guten ins Töpfchen,
die Schlechten ins Kröpfchen.

Die böse Stiefmutter fragt: „Spieglein,
Spieglein an der Wand, wer ist die Schönste
im ganzen Land?"

1 Denke dir für die Märchensprüche passende Begleitsätze aus.
Schreibe die Begleitsätze und die wörtliche Rede auf.
Denke dabei an den Doppelpunkt und die Anführungszeichen.

Begleitsätze und Zeichen der wörtlichen Rede zu verwenden fällt mir

.

____ | 8

Wörter mit ß

Wörter mit ß richtig zu schreiben fällt mir .

___ | 9

(1) Lies die **Übungswörter** im Basisbuch auf Seite 64.
Setze die Wörter mit ß in die passenden Kästchen.

Wörter trennen

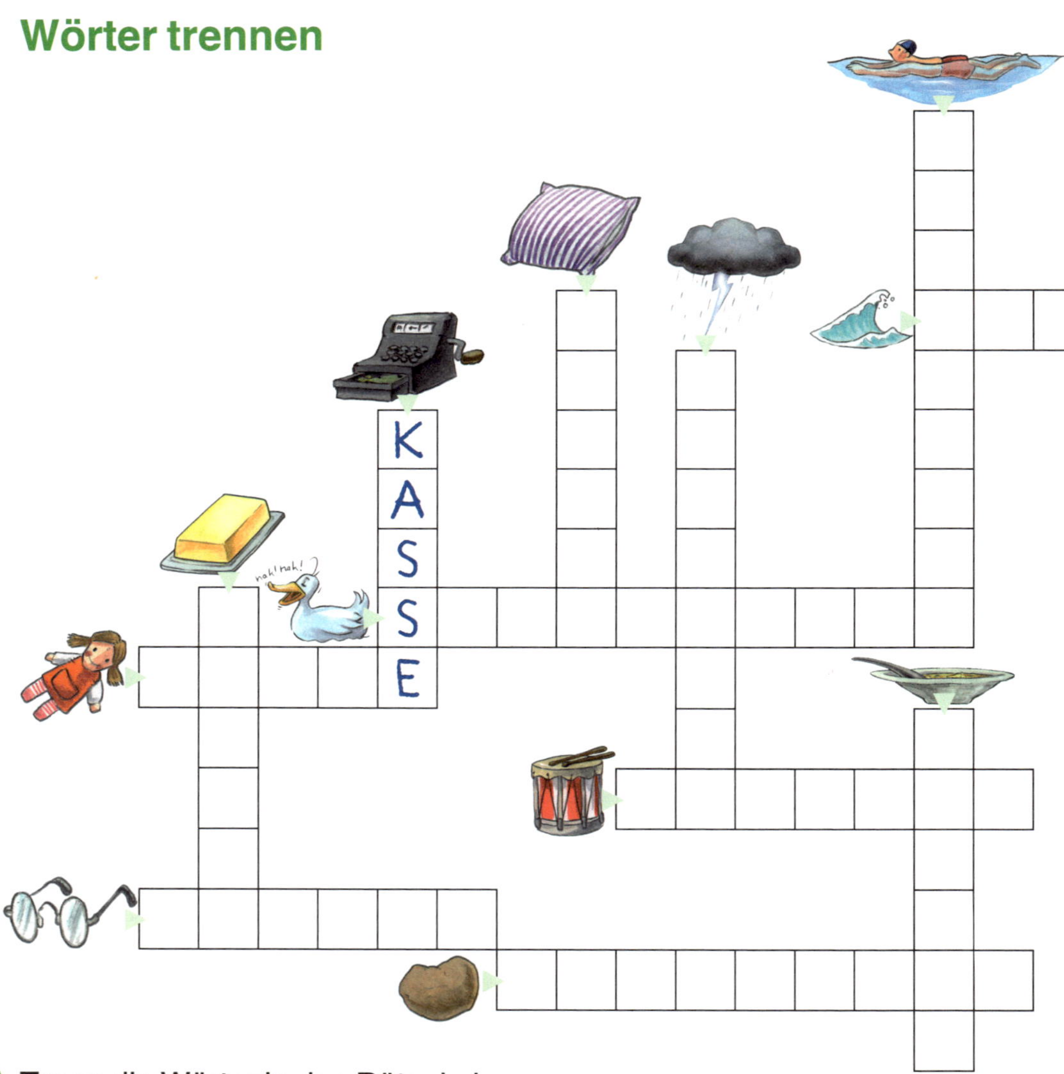

Wörter mit doppelten Konsonanten zu finden und richtig zu trennen fällt mir .

___ | 12

(2) Trage die Wörter in das Rätsel ein.

(3) Trenne die Wörter zwischen den doppelten Konsonanten und schreibe sie so auf: But-ter, …

→ S. 162

Märchen erkennen

Hänsel und Gretel	Das Männlein hatte das Stroh zu glänzendem Gold gesponnen.
Rumpelstilzchen	Er legte dem Einhorn den Strick um den Hals und brachte es zum König.
Das tapfere Schneiderlein	Die Alte war aber eine böse Hexe, die den Kindern auflauerte.
Die Sterntaler	Als er von der Wand herabfiel, war er ein Königssohn mit schönen Augen.
Der Froschkönig	Auf einmal fielen die Sterne vom Himmel und waren lauter blanke Taler.

Märchenmerkmale zu erkennen fällt mir .

1 Verbinde die Märchentitel mit den passenden Ausschnitten.
Finde in jedem Märchen Märchenmerkmale. Markiere.

____ | 10

Wörtliche Rede mit Begleitsätzen

- Sie sprach Rüttel dich und schüttel dich, wirf Gold und Silber über mich.
- Er rief Knüppel, aus dem Sack!
- Der König jubelte Du bist meine liebe Braut.
- Er klopfte an und flüsterte Lieb Schwesterchen, lass mich herein!
- Der Bär rief Fürchtet euch nicht, wartet, ich will mit euch gehen!

Die Zeichen der wörtlichen Rede einzusetzen fällt mir .

2 Setze die fehlenden Doppelpunkte und die Anführungszeichen der wörtlichen Rede richtig ein. Unterstreiche die Begleitsätze.

____ | 5

→ S. 154

Wörter trennen

____

Einige genießen es, den bösen Räuber zu spielen.

____

Anderen macht es mehr Spaß, Polizist zu sein.

____

Sie dürfen die Verbrecher dann meistens einschließen.

____

Jetzt müssen die Polizisten aufpassen, dass die Räuber nicht ausreißen.

Wörter in Silben zu trennen fällt mir .

(1) Schreibe die markierten Wörter mit Silbenbögen auf. ____ | 4

Nachschlagen im Wörterbuch

Sie **schloss** die Tür. S. ______ Sie **hieß** anders. S. ______

Er **genoss** das Bad. S. ______ Er **riss** an der Leine. S. ______

Er **stieß** ihn am Arm. S. ______ Sie **schoss** sofort. S. ______

Verben im Wörterbuch zu finden fällt mir .

(2) Schlage die **Verben** im Wörterbuch nach. Notiere die Seitenzahl. ____ | 6

Diese Tipps möchte ich dir geben:

Märchen erkennen
- ☐ Du erkennst viele Märchen an Textstellen.
- ☐ Lies mehr Märchen, damit du dich besser auskennst.
- ☐ ______

Wörter trennen
- ☐ Du trennst Wörter sicher.
- ☐ Übe die Silbentrennung mit Klatschen oder sprich die Wörter beim Gehen.
- ☐ ______

Wörtliche Rede mit Begleitsätzen
- ☐ Du setzt die Zeichen der wörtlichen Rede sicher.
- ☐ Sieh dir noch einmal die Regel im Basisbuch auf Seite 61 an.
- ☐ ______

Nachschlagen im Wörterbuch
- ☐ Du findest die Verben sicher.
- ☐ Suche die Verben im Wörterbuch in der Grundform.
- ☐ ______

→ S. 155

Morsen, plaudern, mailen

Die Erfindung des Tablet-Computers

(1) **Tablet-Computer** sind flache Computer mit aufladbarer Batterie (Akku). Sie werden direkt mit der Hand über einen Touchscreen bedient. Das Wort **Touchscreen** kommt von den englischen Wörten „to touch“ = berühren und „the screen“ = der Bildschirm. Bereits 1968 hat eine amerikanische Firma die Idee für einen solchen Computer entwickelt.

(2) Der erste erfolgreiche Tablet-Computer war der **PalmPilot** aus dem Jahr 1996. Der PalmPilot ist ein elektronischer Terminkalender, mit dem man auch Adressen verwalten kann. Er hat keine Tastatur, sondern wird mit einem Plastikstift auf dem Bildschirm bedient.

(3) Die Entwicklung des **Nintendo DS** (DS = double screen = Doppel-Bildschirm) im Jahr 2004 hat dazu geführt, dass Touchscreens überall bekannt wurden. Beim Nintendo DS können Befehle unter anderem durch Berührung der Bildschirme oder mithilfe eines **Touchpens** (= Eingabestift) eingegeben werden.

(4) Im Januar 2010 erschien eine neue Art von Tablet-Computer, das **iPad**. Es ist mit einem berührungsempfindlichen **Multi-Touch-Screen** ausgestattet. So kann man beispielsweise Bilder drehen und vergrößern, indem man zwei Finger voneinander wegbewegt. Außerdem passt sich die Hintergrundbeleuchtung des Bildschirms an die umgebenden Lichtverhältnisse an. Das Besondere war damals die Möglichkeit, von überall problemlos Zugang ins Internet zu haben. Inzwischen gibt es viele ähnliche Geräte.

---

1 Lies den Text schnell. Decke den Text ab. Worum geht es?

	Abschnitt
Wann erschien das iPad?	
Hatte der PalmPilot eine Tastatur?	
Was bedeutet „Touchscreen“?	
Wo findest du Informationen dazu, was ein Tablet-Computer ist?	
Seit wann gibt es den Nintendo DS?	
Was ist ein Multi-Touch-Screen?	

2 Überfliege den Text. In welchen Abschnitten findest du die Lösung?

Rauchzeichen

(1) Zur Verständigung über große Entfernungen entwickelten Menschen viele Ideen; zum Beispiel das Trommeln oder das Blasen in Schneckengehäuse oder Tierhörner. Sehr verbreitet war daneben auch das Rauchzeichen.

(2) Bekannt geworden sind Rauchzeichen besonders durch die Indianerstämme Nordamerikas. Wahrscheinlich haben aber schon die Menschen der Steinzeit mit Rauch bestimmte Botschaften übermittelt, z. B. Erfolg bei der Jagd. Im alten China und im Europa der Ritterzeit wurde auch die Verständigung mit Rauch benutzt, zum Beispiel um die Bevölkerung vor Angreifern zu warnen.

(3) Um gute Rauchwolken zu erhalten, musste in das Feuer nasses Gras gelegt werden. Das sorgte für viel Qualm. Die qualmende Feuerstelle wurde dann mit einem Fell oder einer Decke abgedeckt. Der so gesammelte Rauch wurde in Abständen freigesetzt. Die Abstände hatten bestimmte Bedeutungen. Auch die Größe der einzelnen Wolken oder die Farbe des Rauchs konnte eine vereinbarte Bedeutung haben. Die Farben entstanden durch unterschiedliche Zusätze wie Pflanzen und Erden verschiedener Farben.

1 Lies Text 1 genau. Welche Mittel der Verständigung über große Entfernungen findest du im Text? Markiere Stichwörter.

______________________ ______________________

______________________ ______________________

2 Lies Text 2 genau. Von wem wurden Rauchzeichen in der Vergangenheit verwendet? Schreibe Stichwörter auf.

____

____

____

3 Lies Text 3 genau. Beschreibe in eigenen Worten, wie man mit Rauchzeichen Botschaften überbringen kann.

Welche Möglichkeiten zur Verständigung ersetzen heute die Rauchzeichen? Forsche nach.

Text genau lesen / gezielt lesen für die Informationsentnahme →S. 131, 132

Macht Fernsehen dumm?

Jeder vierte Schulanfänger besitzt einen eigenen Fernseher im Kinderzimmer. Das hat aus Sicht vieler Wissenschaftler schlimme Folgen. In einer Untersuchung haben sie herausgefunden, dass Schüler mit schlechten Schulleistungen mehr als doppelt so lange vor dem Bildschirm sitzen wie gute Schüler. Kinder mit Fernseher im Kinderzimmer bekommen häufiger schlechte Noten in der Schule als Kinder ohne eigenen Fernseher.

- ☐ Schüler mit schlechten Leistungen sitzen mehr als doppelt so lange vor dem Bildschirm wie gute Schüler.
- ☐ Ohne Fernseher im Zimmer kann man keine Hausaufgaben machen.
- ☐ Kinder mit Fernseher im Kinderzimmer bekommen häufiger schlechte Noten in der Schule als Kinder ohne eigenen Fernseher.

1 Welche beiden Argumente gegen das Fernsehen findest du im Text? Markiere im Text. Kreuze an.

spricht für das Fernsehen (pro)	spricht gegen das Fernsehen (contra)
________________	________________
________________	________________
________________	________________
________________	________________

2 Die Kinder haben auch eine Meinung zum Fernsehen. Trage die Argumente als Stichwörter in die richtige Spalte ein.

3 Wer hat ein Argument genannt, das in beide Spalten passt? ________________

4 Was meinst du? Begründe mit Argumenten.

Peinlicher Datenverlust im Hirn

Datum: Freitag, 1. August
Autor: Krisen-Oskar

Dreimal verdampfte Hühnerkacke!
Kurz vor den Ferien hab ich mein Passwort geändert, damit keiner an meine obergeheimen Aufzeichnungen ran kann. Dabei hab ich hauptsächlich an meine Schwester Kristin gedacht. Sie ist die neugierigste Schnüfflerin unter der Solarliege und liest alles, was nicht für ihre Augen bestimmt ist.
Aber jetzt kann ich Hirni mich nicht mehr an das Passwort erinnern.
Das alte weiß ich noch im Schlaf, doch mein Computer, dieser saublöde Idiot, lässt mich einfach nicht auf meine Obergeheimnisdatei zugreifen!
Dabei bin ich's doch, Oskar Weiß!
Hey, du da – ich bin's, ungelogen!
Zwecklos. Der hat was gegen mich.

Marliese Arold

1 Lies den Text. Wer schreibt hier Tagebuch?

☐ Oskar ☐ Otto ☐ Omar

a) Womit hat Oskar sein Tagebuch geschützt? ______________________

b) Vor wem hat er es geschützt? ______________________

c) Welches Problem hat er nun?

____

____

____

2 Markiere die Antworten im Text und schreibe sie auf.

____

____

____

3 Wie findest du es, wenn jemand fremde Briefe, E-Mails oder Tagebücher liest? Begründe deine Meinung.

Rund um Kommunikation und Technik

die Telefonleitung: das Telefon + die Leitung

die Radiosendung: ______ ______ + ______ ______

die Computertastatur: ______ ______ + ______ ______

die Handyrechnung: ______ ______ + ______ ______

das Kinoprogramm: ______ ______ + ______ ______

die Internetadresse: ______ ______ + ______ ______

1 Trenne die zusammengesetzten Nomen. Schreibe die Wörter mit Artikel auf.

der	die	das	Computerspiel	der	die	das	Computermonitor
der	die	das	Fernsehsendung	der	die	das	Handytasche
der	die	das	Telefonnummer	der	die	das	Briefumschlag

2 Kreise den richtigen Artikel ein.
Markiere den Teil des Wortes, nach dem sich der Artikel richtet.

Buch das

Kabel ______

Störung ______

Anbieter ______

Rechnung ______

3 Bilde fünf zusammengesetzte Nomen mit **Telefon**.
Schreibe sie mit Artikel auf.

Denke dir zusammengesetzte Nomen mit **Fernseher** aus.

Telefonieren früher und heute

Früher ruft / rief meine Uroma zuerst eine Auskunft an, um zu telefonieren. Diese verbindet / verband sie dann damals mit der gewünschten Person.

Sie wartet / wartete dafür viel länger am Telefon als heute.

Bis vor einigen Jahren drehen / drehten meine Eltern noch eine Scheibe, um die Nummer einzugeben.

Heute drücke / drückte ich einfach auf Tasten und wähle / wählte so die Nummer.

Wir können jetzt fast überall telefonieren, / telefonierten, denn das Handy funktioniert über Funk.

Praktisch ist / war heutzutage der Anrufbeantworter. Damit kann man jemanden auch grüßen, / grüßten, wenn dieser gerade gar nicht erreichbar ist.

1. Lies den Text. Streiche die falsche Zeitform des Verbs durch.
2. Markiere die Wörter, die dir gezeigt haben, ob etwas heute ist oder früher war.

~~ich grüße~~ • ~~wir sprachen~~ • sie tippen • du hörtest • er nimmt ab • ihr wählt

Präsens (heute)	Präteritum (früher)
ich grüße	
	wir sprachen

3. Ordne die Verbformen in die richtige Spalte ein und ergänze die fehlende Zeitform.

Gegenwart und Vergangenheit verwenden → S. 148

„Computerisch" – der Binärcode

Computer können nicht lesen, sie kennen keine Buchstaben.
Das einzige, was sie erkennen, sind die Ziffern **1** und **0**.
1 bedeutet, dass Strom fließt. **0** bedeutet, der Schalter ist aus. Es gibt eine Sprache aus Nullen und Einsen, die jeder Computer verstehen kann, das ist der „Binärcode".
So sehen die „Buchstaben" im Binärcode aus:

A = 0100 0001	H = 0100 1000	P = 0101 0000	X = 0101 1000
B = 0100 0010	I = 0100 1001	Q = 0101 0001	Y = 0101 1001
C = 0100 0011	J = 0100 1010	R = 0101 0010	Z = 0101 1010
D = 0100 0100	K = 0100 1011	S = 0101 0011	
E = 0100 0101	L = 0100 1100	T = 0101 0100	
F = 0100 0110	M = 0100 1101	U = 0101 0101	
G = 0100 0111	N = 0100 1110	V = 0101 0110	
	O = 0100 1111	W = 0101 0111	

0100 0100 – 0100 0001 – 0101 0011   0100 1001 – 0101 0011 – 0101 0100

0101 0011 – 0100 0011 – 0100 1000 – 0101 0111 – 0100 0101 – 0101 0010

1) Übersetze diesen Text aus dem Binärcode.

0100 0100 – 0100 0101 – 0101 0010   0101 0000 – 0100 0011

0100 1011 – 0100 0101 – 0100 1110 – 0100 1110 – 0101 0100

0100 1110 – 0101 0101 – 0101 0010

0101 1010 – 0101 0111 – 0100 0101 – 0100 1001

0101 1010 – 0100 0001 – 0100 1000 – 0100 1100 – 0100 0101 – 0100 1110

2) Übersetze auch diesen Satz.

Schreibe ein Wort oder einen Satz im Binärcode. Lass ein anderes Kind übersetzen.

Internet-Sprache – wer soll das verstehen?

.de	**P**ersonal **C**omputer (= persönlicher Computer)
E-Mail	**S**hort **M**essage **S**ervice (= Kurznachrichten-Dienst)
SMS	**e**lectronic **mail** (= elektronische Post)
EDV	**De**utschland als Standort der besuchten Internetseite
PC	**e**lektronische **D**aten**v**erarbeitung

(1) Ordne die Abkürzungen den Erklärungen zu.

Lara berichtet im Stuhlkreis vom Wochenende:
„Gestern habe ich im Internet gesurft, als ich plötzlich auf einer komischen Homepage gelandet bin. Ich habe auf einen Link geklickt und plötzlich ging ein Pop-Up auf, in das ich meinen Namen und meine Adresse eingeben sollte. Das habe ich natürlich nicht gemacht! Ich habe lieber schnell auf eine andere Webpage gewechselt und bin anschließend zur Sicherheit sogar offline gegangen."

Homepage: Heimatseite eines Internetauftritts – erste Seite

Internet: weltweites Netzwerk – Datenverbindung zwischen einzelnen Computern

Link: Seitenverbindung – Stelle, an der Internetseiten miteinander verbunden sind

Offline: (= ohne Verbindung) die Verbindung zum Internet unterbrechen. Das Gegenteil ist „online". Dann besteht eine Verbindung zum Internet.

Pop-up: Werbebild – Bild auf einer Internetseite, das von selbst erscheint (meist Werbung!)

surfen: umsehen – im Internet: von Internetseite zu Internetseite wechseln

Webpage: Internetseite – eine Seite im Internet

(2) Markiere die Fremdwörter. Lies die Erklärungen.

(3) Schreibe auf, was Lara passiert ist.

Hat Lara richtig gehandelt? Schreibe deine Meinung auf.
Oder: Berichte von eigenen Erfahrungen mit dem Internet.

Weitere Erklärungen findest du im Internet unter www.internet-abc.de.

Geheimschrift

Atbash

Eine sehr alte und einfache Art der Verschlüsselung ist das jüdische Atbash.

Geheim	A	B	C	D	E	F	G	H	I	J	K	L	M	N	O	P	Q	R	S	T	U	V	W	X	Y	Z
Klar	Z	Y	X	W	V	U	T	S	R	Q	P	O	N	M	L	K	J	I	H	G	F	E	D	C	B	A

W

1 Entschlüssele diesen Text: DVI WZH ORVHG, RHG GLOO.

Geheimschriften zu entschlüsseln fällt mir .

2 Verschlüssele einen eigenen Satz mit Atbash. Lass ihn entschlüsseln.

___ | 3

3 Wie funktioniert Atbash? Erkläre.

Nomen zusammensetzen

Radio	Vertrag	der Handyvertrag
Telefon	Adresse	
Computer	Sender	
Internet	Laufwerk	
Handy	Buch	

Zusammengesetzte Nomen mit Artikel zu finden fällt mir .

4 Verbinde die passenden Nomen.
Schreibe die zusammengesetzten Nomen mit Artikel auf.

___ | 4

→ S. 146

Gegenwartsform und Vergangenheitsform

Tausende von Jahren ~~geben~~ / gaben die Menschen Informationen mündlich weiter. Erst die Erfindung der Schrift ermöglicht / ermöglichte es nach und nach, Wichtiges aufzuschreiben.

Das können / konnten bildähnliche Zeichen sein, die eine Situation zeigen, / zeigten, es konnten aber auch Zeichen sein, die unserer Schrift heute ähnlich sehen. / sahen.

Heute ist es fast normal, Schrift zu verwenden. / verwendeten.

Immerhin können aber mehrere Millionen Menschen in Deutschland auch heute nicht richtig lesen / lasen und schreiben. / schrieben.

Die richtige Zeitform von Verben zu finden fällt mir .

1 Setze die Verben in der richtigen Zeitform ein.

___ | 7

Fremdwörter

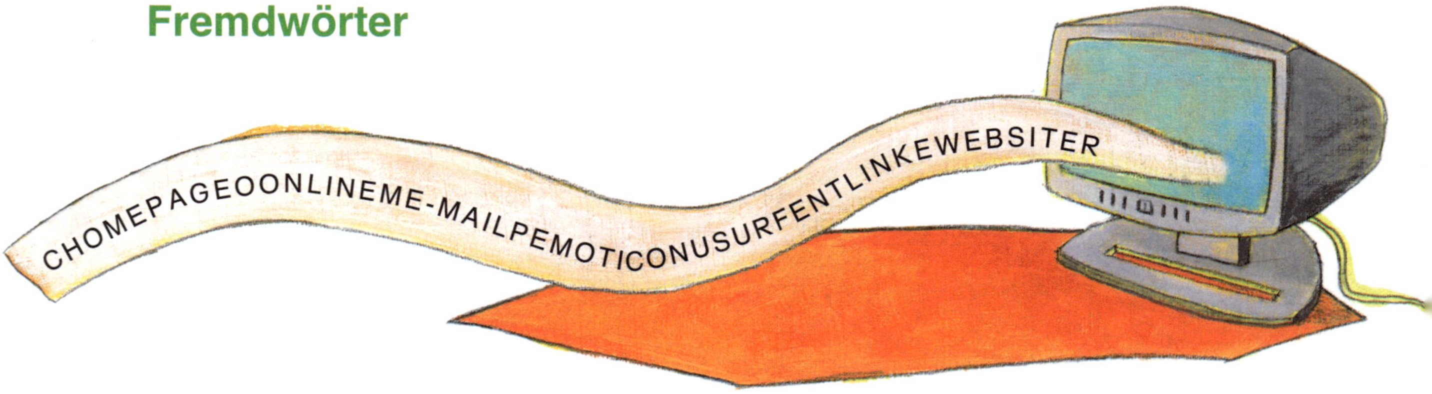

_______________ _______________

_______________ _______________

_______________ _______________

_______________ Lösungswort: _______________

Fremdwörter zu schreiben fällt mir .

2 Markiere die sieben Fremdwörter. Schreibe sie auf.
Die übrigen Buchstaben ergeben ein Lösungswort.

___ | 8

→ S. 148

Genaues Lesen

- Das erste Telefon wurde 1860 von einem Italiener erfunden.
- Das erste bekannte Telefon erfand der Amerikaner Graham Bell.
- Seit 1896 gibt es Telefone mit Wähltasten.
- Telefone benötigen elektrischen Strom.
- Früher musste man zum Telefonieren erst von jemandem verbunden werden.

Texte genau zu lesen fällt mir

1 Lies den Text im Buch auf Seite 70. Kreuze die richtigen Antworten an.

____ | 5

Geheimschrift

Der Alphabet-Trick

Ein ganz einfaches Verschlüsselungs-System ist der Alphabet-Trick.
Dabei ist zwischen die richtigen Buchstaben immer ein beliebiger anderer Buchstabe gesetzt.

1 2 1 2 1 2 1

BZEDI GDOIGERSEEDM BSKYTSBTOEVM

TZYÄJHOLWT ZNRUWR HJDEBDTELR

QZSWOEPINTYE ABOUFCTHTSSTGACBQE.

____

____

Geheimschriften zu entschlüsseln fällt mir

2 Entschlüssele diesen Satz.

____ | 9

- Man streicht jeden vierten Buchstaben durch.
- Man streicht jeden zweiten Buchstaben durch.
- Man streicht jeden dritten Buchstaben durch.

3 Welcher Trick hilft dir, diese Geheimschrift leichter lesen zu können? Kreuze den richtigen Satz an.

→ S. 131, 132

Nomen trennen

die Telefonverbindung

das ____ ____________ ____ ____________

die Computersprache

____ ____________ ____ ____________

die Kindersendung

____ ____________ ____ ____________

der Handyvertrag

____ ____________ ____ ____________

das Adressfeld

____ ____________ ____ ____________

Zusammengesetzte Nomen zu trennen fällt mir ___.

1 Schreibe die folgenden Wörter getrennt mit Artikel auf. ____ | 10

Nachschlagen im Wörterbuch

süßen	S. ______	weiß	S. ______
er heißt	S. ______	spaßig	S. ______
fleißiger	S. ______	am größten	S. ______

Adjektive im Wörterbuch zu finden fällt mir ___.

2 Schlage diese Wörter im Wörterbuch nach. Notiere die Seitenzahl. ____ | 6

Diese Tipps möchte ich dir geben:

Genaues Lesen
- Du kannst genau verstehen, was du liest.
- Lies noch einmal auf Seite 70 im Buch in der Zeile ____ nach.
- ____________________

Geheimschrift
- Du übersetzt Texte sicher.
- Finde heraus, was der Trick beim Übersetzen ist.
- ____________________

Nomen trennen
- Zusammengesetzte Nomen kannst du sicher trennen. Du kennst die richtigen Artikel.
- Der Artikel des letzten Wortes ist immer der Artikel des zusammengesetzten Nomens.
- ____________________

Nachschlagen im Wörterbuch
- Du schlägst die Wörter sicher nach.
- Adjektive findest du immer in der Grundform.
- ____________________

→ S. 146

Bei den Wikingern

So wohnten die Wikinger

Die Wikinger lebten in einem rauen Land mit langen, kalten Wintern.
Ihre Häuser boten Menschen und Vieh sicheren Schutz. Auf dem Land bauten die Bauern Langhäuser. Ein Langhaus war ein niedriges Haus von bis zu 30 Metern Länge.
Normalerweise wurde ein Langhaus aus Holz gebaut. Auf Inseln wie Island gab es nur wenige Bäume. Daher bauten die Wikinger dort Langhäuser aus Steinblöcken. Die Dächer waren mit Stroh oder Schilf bedeckt oder mit Rasenstücken belegt. Zu Beginn der Wikingerzeit diente ein Langhaus als Unterkunft für alle.
In einem einzigen großen Raum wohnten die Bauernfamilie und die Landarbeiter. Auch die Haustiere waren im Haus untergebracht. Die Menschen drängten sich um das Feuer in der Mitte des Hauses, um sich warm zu halten.
Wikinger-Häuser waren schlecht belüftet. Sie hatten keine Fenster, damit die Kälte nicht hineinkam. Die meisten Familien hatten wenige Möbel. Betten oder Tische mit festen Beinen konnten sich nur die Reichen leisten. Die meisten Häuser waren einfach ausgestattet: Klapptische, Holztruhen und Holzbänke. Die Mitte einer Bank war mit zwei geschnitzten Holzsäulen gekennzeichnet. Dies war der „hohe Sitz“, der Ehrenplatz des Hausherrn. Später gab es in den Langhäusern auch gesonderte Räume: eine Schlafkammer für den Bauern und seine Frau, einen Raum, in dem Wolle gesponnen und gewebt wurde, und einen, in dem die Bäuerin Butter und Käse herstellte. Als Toiletten dienten einfache Gruben, die man in einem kleinen, abgelegenen Raum aushob.

1 Lies den Text. Was war ein Langhaus? Markiere.

Was? Wie? Wer? Wo? Warum?

___

___

___

___

___

2 Stelle vier W-Fragen zum Text und markiere die Antworten.

Schreibe Fragen und Antworten auf Karten. Stelle ein Quiz her.

Das Familienleben der Wikinger

Wikinger-Frauen hatten oft großen Einfluss in ihrer Familie. Sie fällten wichtige Familien-Entscheidungen, kochten, stellten Kleidung her, erzogen die Kinder und führten die Bauernhöfe, wenn die Männer unterwegs waren. Sie hatten auch ihr eigenes Geld. Die Frauen zogen zwar selbst nicht in den Krieg, nahmen aber zur Verteidigung auch Waffen in die Hand. Wikinger-Kinder gingen nicht in die Schule. Sie blieben zu Hause und arbeiteten. Die Töchter halfen den Müttern beim Kochen und Waschen. Sie fütterten die Tiere, holten Wasser, sammelten Holz, lernten spinnen, weben und nähen. Die Söhne halfen den Vätern auf dem Bauernhof oder in der Werkstatt. Sie lernten reiten und kämpfen. Im Alter von 15 Jahren mussten sie bereit sein, um in den Krieg zu ziehen. Wikinger-Väter hatten als Haushaltsvorstand große Macht über die Mitglieder der Familie. Außerdem hatten sie ihre Familien zu versorgen, zu schützen und zu verteidigen.

1 Lies den Text. Welche Familienmitglieder werden beschrieben? Markiere.

2 Die Wikinger-Kinder blieben zu Hause. Was machten die Töchter, was machten die Söhne? Markiere in zwei verschiedenen Farben.

3 Welche Meinung findest du besser? Kreuze an.

4 Wie findest du es, dass die Wikinger-Kinder nicht in die Schule gingen? Begründe deine Meinung.

Die Krieger der Wikinger

Dieser ______ Krieger trägt ein ______ Schwert und eine ______ Axt mit einer Schneide.
Seine Kleidung besteht aus einer ______ Hose, einem ______ Rock, einem ______ Umhang und ______ Schuhen.
Er hat einen ______ Bart und ______ Haare.
Ein ______ Helm schützt ihn beim Kampf.

1 Lies den Text.
Kannst du entscheiden, welcher Krieger beschrieben wurde? ☐ ja ☐ nein

mutig	schwarz	silbern	braun	scharf
lockig	rot	bronzen	grün	lang
grau	ledern	blau	beige	blond
rötlich	eisern	doppelt	kurz	einfach

2 Entscheide dich für Olof oder Sven und markiere passende Adjektive.

____

____

____

____

____

____

3 Schreibe den Text mit den passenden Adjektiven ab.

Menschen vermisst

Ylvie ____________________   ____________________

1 Male die Wikinger-Frau farbig an. **Oder:** Zeichne selbst eine Person.
Denke auch an besondere Merkmale.

__________ aus __________ wird vermisst!
Wer hat __________ gesehen?
__________ ist __________ Jahre alt
und ungefähr __________ groß.
____
____
____
____
____

2 Beschreibe Ylvie. **Oder:** Beschreibe deine Person.

Die Wikinger als Seefahrer

Seit gestern sind die Wikinger von der Seereise zurück.

_________ haben im Hafen angelegt. Eric hat unseren Vater

bei der Ankunft entdeckt. _________ rennt zum Schiff. Mutter ist sehr froh,

ihren Mann gesund wiederzusehen. _________ umarmt ihn.

Die Männer laden das Schiff aus. _________ ist schwer beladen.

Eric und ich freuen uns über die Geschenke.

_________ bedanken uns.

sie • er • sie • es • wir

1 Setze die passenden Pronomen ein.

Wie sah ein Drachenschiff aus?

Ein echtes Drachenschiff wurde 1881 in Gokstad bei Oslo ausgegraben. Es ist 23 m lang. Die Besatzung bestand aus mehr als 60 Mann. Wenn sie an Bord war, ragte das Schiff etwa 90 cm aus dem Wasser. Vorder- und Achtersteven* sind verziert. Sie steigen in geschwungenen Linien zu 2 m Höhe an. Der Mast ist etwa 13 m hoch. Er ruht vor der Schiffsmitte in einem Holzblock. Das Segel ist nur in Resten erhalten. Es bestand aus Leinen.

* Achtersteven = hintere Begrenzung des Schiffsrumpfes

2 Lies den Text. Markiere Nomen und die dazugehörigen Pronomen in der gleichen Farbe.

Eric hat gesehen, wie die Drachenschiffe im Hafen anlegen.
Er läuft nach Hause.
„Mutter, ich habe sie gesehen! Sie sind da!“
Die Mutter fragt: „Wen hast du gesehen?“ „Na, sie!“, wiederholt Eric.

____

____

3 Lies den Text. Warum versteht die Mutter nicht, was Eric sagt? Erkläre.

92

Nomen durch Pronomen ersetzen → S. 142, 153

Leben in Haithabu

in Haithabu

lebe

ich

Schmied

ist

mein Vater

1 Schreibe mithilfe der Satzgliederkarten zu jedem Bild einen Satz.

2 Stelle deinen Satz zweimal um und markiere die Satzglieder in verschiedenen Farben.

die Bauern

fahren

in die Stadt

zum Markt

3 Schreibe die möglichen Sätze auf.
Markiere die vier Satzglieder in verschiedenen Farben.

4 Verlängere einen Satz aus Aufgabe 3 durch weitere Satzglieder.

Aus Satzgliedern Sätze bilden, Satzglieder umstellen → S. 151

Spiele der Wikinger

Viele Spiele der Wikinger-Männer fanden auch im Winter im Freien statt. Sie maßen ihre Kräfte, indem sie möglichst schwere Steine aufhoben und über das Moor warfen. Im Frühling stürzten sie sich in den See oder das Meer und fochten Schwimmwettkämpfe aus. Einige suchten beim Wassersport die Gefahr: Sie ruderten in einem der langen Boote hinaus und sprangen dann von Ruder zu Ruder. Für die Zuschauer war der aufregendste Wettkampf der Kampf der zwei Hengste. Manchmal gerieten sich die Besitzer der beiden Hengste selbst in die Haare. Es war schwierig, das sich prügelnde Paar voneinander zu trennen.

1 Markiere die Wörter mit doppeltem Selbstlaut.

aa	ee	oo

2 Trage die markierten Wörter in die Tabelle ein.
Markiere die Merkstelle.

3 Markiere die Wörter aus der Wörterschlange. Trage sie in die Tabelle ein.
Die übrigen Buchstaben ergeben ein Lösungswort. Schreibe es auch in die Tabelle.

Bilde zusammengesetzte Wörter.
Schreibe so: Boot: das Drachenboot, das Bootshaus, …

Leben auf einem Wikinger-Hof

Schon früh am Morgen steht Halva auf. Die Kuh muss gefüttert werden. Es weht ein starker Wind. Trotzdem zieht das Pferd den Wagen. Halva näht mit einfachem Werkzeug die Kleidung für die Familie. Sie braucht Kraft, denn das Leder ist zäh. Das Fleisch ist roh, es wird über dem Feuer geräuchert. Erst spät am Abend ruht Halva sich aus.

h ist nicht hörbar	h ⟷	**verwandtes Wort**
früh		frü-her

1 Lies den Text. Trage alle roten Wörter in die erste Spalte der Tabelle ein. Markiere das **h**.

2 Finde zu den Wörtern in der ersten Spalte verwandte Wörter. Schreibe in Silben. Markiere das **h**.

der Schuh • dreht • es sieht • sie steht
er geht • sie flieht • die Kuh • der Zeh

der Schuh ⟷(h) die Schu-he ______ ⟷ ______

______ ⟷ ______ ______ ⟷ ______

______ ⟷ ______ ______ ⟷ ______

______ ⟷ ______ ______ ⟷ ______

3 Finde verwandte Wörter mit mitsprechbarem **h**.

Pronomen

er sie

Der höchste Gott der Wikinger war Odin.

Manchmal wurde ______________ auch Wotan genannt.

______________ war der Gott der Weisheit und des Krieges.

Eine andere Göttin war Freya.

______________ war die Göttin der Liebe und des Kampfes.

______________ konnte sich in einen Vogel verwandeln.

Nomen und Pronomen passend zum Text einzusetzen fällt mir .

1 Setze passend ein Nomen oder Pronomen in die Lücke ein.

____ | 4

Satzglieder

die Wikinger verehrten Thor als Gott des Donners

____

____

____

____

____

____

____

____

____

____

Aus Satzgliedern sinnvolle Sätze zu bilden fällt mir .

2 Bilde mit den Satzgliedern fünf sinnvolle Sätze.
Beachte Satzanfänge und Satzzeichen.

____ | 5

3 Markiere die Satzglieder in verschiedenen Farben.

→ S. 142, 151, 153

Silbentrennendes h

T	S	C	H	U	H	S	Z	E	H	J	E	R	E	H	O
G	W	L	E	V	H	C	T	G	U	O	F	Z	R	O	H
J	F	R	Ü	H	B	K	U	H	Y	T	D	H	R	H	X

Schuh ←h→ Schuhe ______ ←→ ______

______ ←→ ______ ______ ←→ ______

______ ←→ ______ ______ ←→ ______

Das silbentrennende h zu schreiben fällt mir ___ | 10

1. Finde noch fünf Adjektive und Nomen mit nicht hörbarem **h**. Schreibe sie mit Silbenbögen auf und finde ein verwandtes Wort mit mitsprechbarem **h**.

er kräht ←h→ krähen sie dreht ←h→ ______

er weht ←h→ ______ sie näht ←h→ ______

Das silbentrennende h zu schreiben fällt mir ___ | 3

2. Schreibe zu den Verben die Grundform auf. Markiere das **h**. Setze Silbenbögen.

Wörter mit oo, ee und aa

Idee • Boot • Moos • Staat • Meer • Haare • Seele • Paar
Moor • Beere • Waage • Aal • Tee • Zoo

aa	ee	oo

Wörter mit oo, ee und aa richtig zu schreiben fällt mir ___ | 14

3. Ordne die Wörter in die richtige Spalte und markiere die Merkstelle.

W-Fragen stellen

Die Entdeckung Amerikas durch die Wikinger

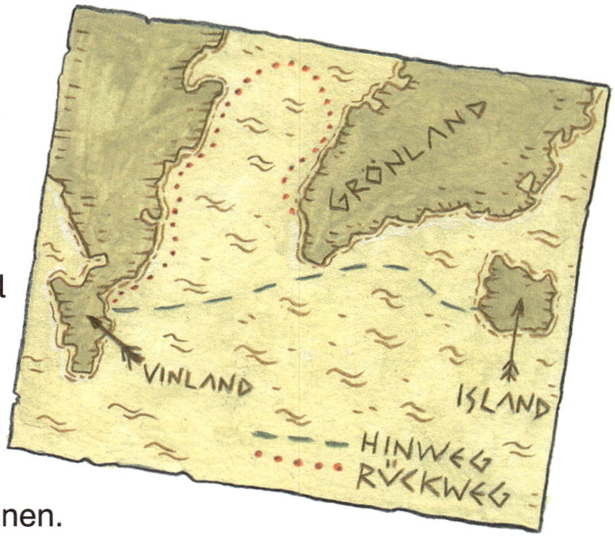

Bjarne Herjolfsson war ein Händler. Er wollte wahrscheinlich im Jahr 985 von Island (= Eisland) nach Grönland (= Grünland) segeln. Aber ein Sturm trieb ihn südlich daran vorbei an die Küste von Kanada nach Labrador. So sichtete Bjarne als erster Europäer den Erdteil Amerika. Auf dem Rückweg schaffte er es dann, Grönland zu erreichen. Dort erzählte er vom Sturm und vor allem von dem neuen Land. Leif Eriksson versuchte daraufhin, mit seinen Leuten dieses Land wiederzufinden. Es gelang ihnen. Im Jahr 992 landete er mit 35 Wikingern auf dem amerikanischen Erdteil im heutigen Neufundland. Er nannte dieses Land Vinland (= Weinland), weil einer seiner Kameraden dort Weinreben fand, die er aus seiner Heimat Deutschland kannte. Erst 1492 landete Christopher Columbus in Amerika. Das war 500 Jahre später.

- [ ] Wer entdeckte Amerika vor Columbus?
- [ ] Was erzählte Bjarne Herjolfsson, als er zurückkam?
- [ ] Wie lange dauerte die Reise von Leif Eriksson?
- [ ] Wo erreichte Eriksson Amerika?
- [ ] Wann entdeckte Columbus Amerika?

W-Fragen zu Texten zu beantworten fällt mir …

1 Welche W-Fragen lassen sich aus dem Text beantworten? Kreuze an. ____ | 5

Satzglieder

fuhren | mit Drachenbooten | die Wikinger

____

____

____

Sätze aus Satzgliedern zu bilden fällt mir …

2 Bilde mit den Satzgliedern drei sinnvolle Sätze. Schreibe sie auf. Markiere die Satzglieder in verschiedenen Farben. ____ | 6

→ S. 133, 151

Silbentrennendes h

verwandtes Wort mit mitsprechbarem h

Leif trug einen wärmenden Schuh.	____________
Seinen Mantel hat ihm seine Frau genäht.	____________
Er mochte es, wenn der Wind weht.	____________
Seine langen Reisen begannen meist früh.	____________
Ausgeruht hat er sich bei der Familie an Land.	____________

Verwandte Wörter mit silbentrennendem h zu finden fällt mir ___.

1 Markiere die Wörter mit nicht hörbarem h.

2 Finde ein verwandtes Wort mit mitsprechbarem h. Setze Silbenbögen. ___ | 5

Nachschlagen im Wörterbuch

Boot Boht	S. ______	Moos Mohs	S. ______
Zeh Zee	S. ______	Schuh Schuu	S. ______
Hahr Haar	S. ______	Soon Sohn	S. ______

Wörter im Wörterbuch zu finden fällt mir ___.

3 Schlage im Wörterbuch noch. Streiche die falschen Wörter durch. ___ | 6

Diese Tipps möchte ich dir geben:

W-Fragen stellen
- Du verstehst sehr gut, was du liest.
- Lies lieber langsam und dafür genau.
- ____________

Satzglieder
- Du kannst sicher sinnvolle Sätze bilden.
- Achte darauf, sinnvolle Sätze zu bilden. Verwende alle Satzglieder.
- ____________

Silbentrennendes h
- Wörter mit nicht hörbarem h findest du gut.
- Bilde die Mehrzahl, die Grundform oder eine Vergleichsstufe – das hilft.
- ____________

Nachschlagen im Wörterbuch
- Du schlägst sicher nach.
- Sieh beim Nachschlagen genauer hin.
- ____________

Unser Wetter

Versuche zum Wetter

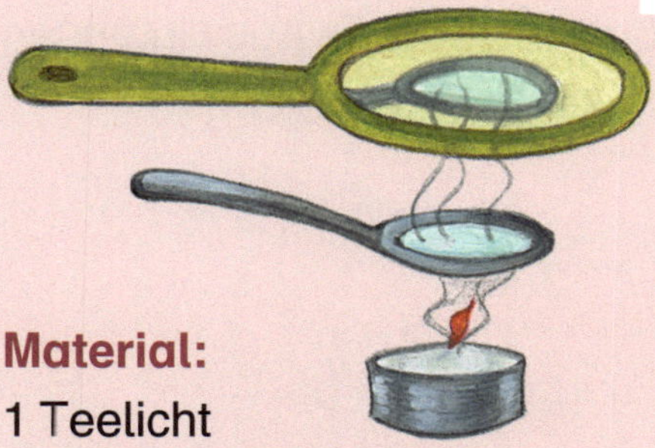

Material:
1 Teelicht
1 Esslöffel mit Wasser
1 Spiegel

Durchführung:
Haltet den Esslöffel über das Teelicht.
Haltet gleichzeitig einen Spiegel über den Löffel.

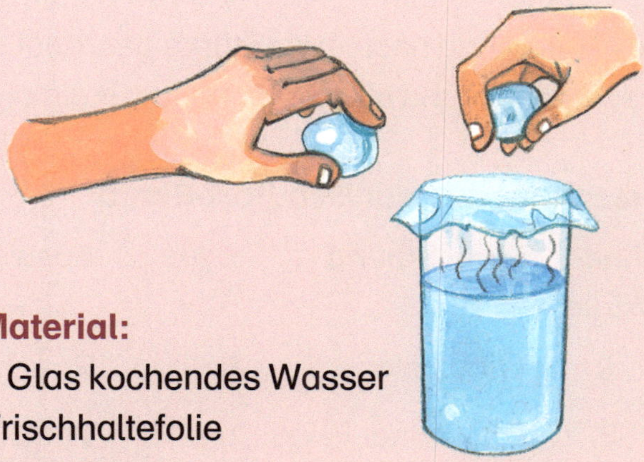

Material:
1 Glas kochendes Wasser
Frischhaltefolie
Eiswürfel

Durchführung:
Füllt zunächst kochendes Wasser in das Glas.
Legt dann Frischhaltefolie über das Glas.
Auf die Frischhaltefolie legt ihr die Eiswüfel.

1 Lest beide Versuche und entscheidet euch für einen, den ihr durchführen wollt. Kreuzt an.

Vermutung: ______________________________

2 Vermutet, was bei eurem Versuch geschieht.

Beobachtung: ______________________________

____

____

3 Führt den Versuch durch. Notiert eure Beobachtungen.

Erklärung: ______________________________

____

4 Erklärt, was ihr beobachtet habt.

Was hat der Versuch mit dem Wetter zu tun? Forsche nach.

Starke Winde

Die Beaufort-Skala wurde 1806 von dem Engländer Francis Beaufort erarbeitet. Sie listet Winde nach ihrer Stärke geordnet auf. Beobachtet man die Auswirkungen des Windes, kann man anhand der Skala die Windstärke schätzen.

Ausschnitt aus der Beaufort-Skala

Windstärke	Bezeichnung	km/h	Auswirkungen des Windes
0	Windstille	0	Rauch kann senkrecht aufsteigen 
3	schwacher Wind	um 15	Wind bewegt dünne Zweige 
6	starker Wind	40–45	starke Äste schwanken, Regenschirme sind nur schwer zu halten 
9	Sturm	75–85	Äste brechen von Bäumen, kleinere Schäden an Häusern, weht andauernd heftig mindestens 10 Minuten 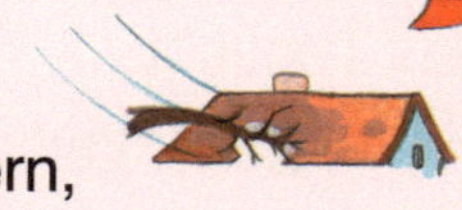
12	Orkan	ab 120	schwere Verwüstungen, dauert mindestens 10 Minuten 

1 Lies die Tabelle. Welcher Windstärke entspricht ein Sturm? ______

Ein Orkan entsteht durch große Temperaturunterschiede. In Deutschland kann ein Orkan deshalb hauptsächlich im Herbst und Winter stattfinden, da während dieser Jahreszeiten die Temperaturschwankungen am größten sind. Orkane sind von Orkanböen zu unterscheiden. Orkanböen dauern nur wenige Sekunden an und können in allen Jahreszeiten vorkommen.

Für Seefahrer bilden Orkane eine ständige Gefahr.
Auf dem Festland sind am ehesten Berggipfel, Küsten und Inseln betroffen. Der letzte Orkan, der Deutschland erreichte, hieß „Kyrill". Bekannt wurde er auch als „Jahrhundertsturm".

____

____

____

2 Markiere auf der Seite Stichwörter zum Thema Orkan. Notiere sie.

3 Erkläre mithilfe deiner Stichwörter, was ein Orkan ist.

Stichwörter formulieren und anhand dieser einen Sachverhalt korrekt schildern → S. 127

Unterwegs mit dem Fahrrad

Überschrift: ______________________________

Einleitung: An einem sonnigen Tag machten Jonas und ich eine Radtour in den Wald.

Hauptteil 1: Doch plötzlich zogen dicke Gewitterwolken auf und es dauerte auch nicht mehr lange, da regnete es in Strömen. Rasend schnell waren wir klatschnass. Um uns herum donnerte und krachte es. Jonas und ich radelten schneller und hielten verzweifelt Ausschau nach Schutz. ☐

Hauptteil 2: Unterwegs trafen wir noch Fatma und Tim, die bei dem schönen Wetter die gleiche Idee hatten. Schnell waren wir uns einig, uns gemeinsam ein schönes Plätzchen im Wald zu suchen. Nachdem wir es uns auf unseren Decken gemütlich gemacht hatten, spielten wir „Ich sehe was, was du nicht siehst". Fatma fing an und hatte ein tolles erstes Rätsel, denn sie sah … ☐

1. Lies die Einleitung und beide Hauptteile. Wähle einen Hauptteil. Kreuze an.

2. Schreibe weiter und finde einen passenden Schluss. → **Tipp**
3. Notiere eine passende Überschrift für deine Geschichte.

Tipp

Die Einleitung beantwortet diese Fragen: **Wer? Wann? Wo?**
Der Hauptteil erzählt ausführlich, was passiert.
Der Schluss rundet die Geschichte ab.

Mit Wetterwörtern gestalten

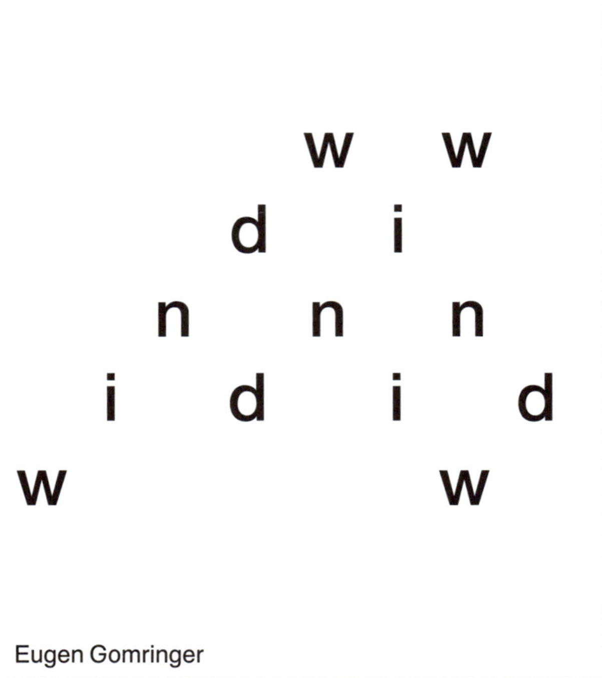

1 Schau dir die Bilder an. Was erkennst du? Schreibe auf.

Regen • Regentropfen • Eiszapfen • Schneesturm • Schneelawine • Nebel
Sonnenstrahlen • Schneeflocke • Schneedecke • Regenbogen • Tornado

2 Wähle aus dem Kasten eine Wettererscheinung. Male sie mit Wörtern.

3 Vergleicht eure Wortbilder. Ist das Wetter gut zu erkennen?

Konkrete Poesie kennen lernen
und anhand von Wetterwörtern umsetzen

Wetterrekorde

Besonders sonnige Orte im Januar in Deutschland:

☐	Lechfeld (Bayern)	83 Stunden Sonnenschein
☐	Neuburg (Bayern)	84 Stunden Sonnenschein
☐	Messstätten (Baden-Württemberg)	93 Stunden Sonnenschein

In Lechfeld ist es sonnig ______________________.

In Neuburg ist es ______________________.

In Messstätten ist es ______________________.

Besonders warme Orte seit Beginn der Wetteraufzeichnung:

☐	Freiburg (Deutschland 2003)	40,2 °C
☐	El Asisja (Afrika 1983)	57,3 °C
☐	Sevilla (Spanien 2003)	49,1 °C

In ____

____

____

1. Bringe die Rekorde in die richtige Reihenfolge.
2. Schreibe die Vergleiche auf. Beginne mit der Grundstufe.

Grundstufe	1. Vergleichsstufe	2. Vergleichsstufe
trüb	____________	____________
frostig	____________	____________
gut	____________	____________

3. Bilde auch die Vergleichsstufen dieser Adjektive.

Finde weitere Wetterrekorde. Wo war es besonders kalt oder windig?
Du kannst auch im Internet bei **www.helles-koepfchen.de** das Wort **Wetter** eingeben.

Die Wettermaschine

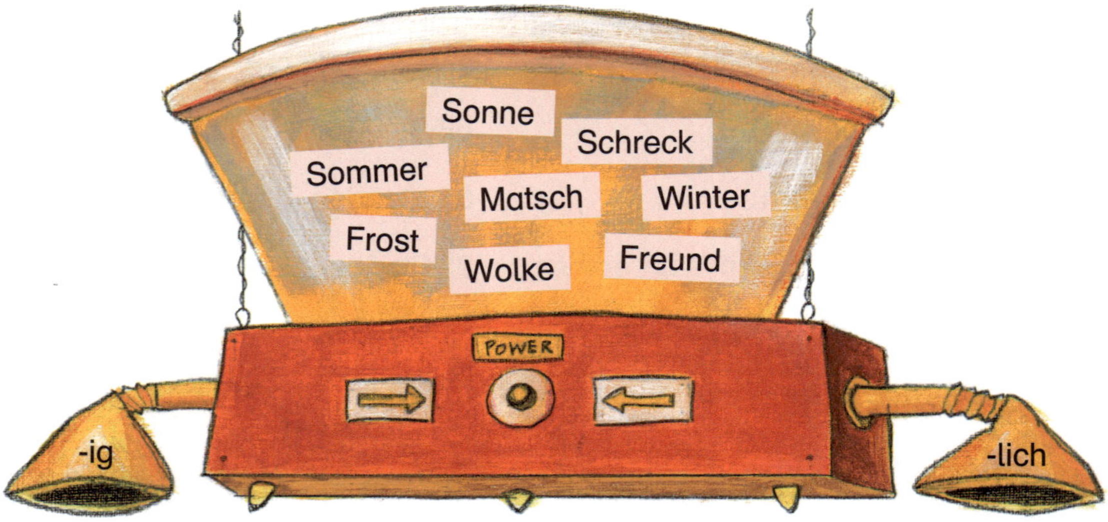

-ig	-lich
neblig	

täglich

~~neblig~~

herbstlich

schattig

1. Markiere die Adjektive. Ordne sie richtig zu.
2. Verwandle die Nomen in Adjektive. Ordne sie richtig in die Tabelle.

- ☐ Adjektive schreibe ich klein.
- ☐ Der Wortstamm verändert sich manchmal.

Worauf musst du achten, wenn du aus Nomen Adjektive machst? Kreuze an.

Schreibe mit den Adjektiven mindestens drei Sätze. **Oder:** Finde im Wörterbuch mindestenes drei Nomen, aus denen du Adjektive mit **-ig** oder **-lich** bilden kannst.

Aus Nomen mit den Wortbausteinen *-ig* und *-lich* Adjektive bilden → S. 150

Reime mit tz

1) Verbinde die Reimwörter.

Katze – Tatze

2) Schreibe die Wörter auf und mache einen Punkt unter den kurzen Vokal vor dem **tz**.
Setze Silbenbögen.

jetzt ~~Plaz~~ Blitz Mütze Platz

krazen schwitzen Hitze blitzen

Satz schmatzen schützen kizeln

3) In jeder Reihe ist ein Wort falsch geschrieben.
Streiche es durch. Schreibe es richtig auf.

Wählt neun Wörter. Spielt das Stoppspiel von Seite 108 im Basisbuch.

Kreuzworträtsel

Lösungswort: ______________________

1 Löse das Rätsel.

~~eckig~~ backen dreckig pflücken
drücken lecken hacken stecken

eckig – ______________________ ______________________

______________________ ______________________

2 Finde Reimpaare. Schreibe sie auf.

Wecker – ______________________ Schnecke – ______________________

ducken – ______________________ Rock – ______________________

Brücke – ______________________ trocken – ______________________

3 Finde selbst Reimwörter.

Suche weitere Wörter mit **ck** im Wörterbuch.
Markiere den kurzen Vokal vor dem **ck** mit einem Punkt.

Mit Adjektiven vergleichen

Grundstufe	1. Vergleichsstufe	2. Vergleichsstufe
dünn	dünner	am dünnsten
		am fleißigsten
	fröhlicher	
		am gesündesten
	klüger	
lustig		
		am nettesten
schwierig		
	trüber	
		am tollsten
viel		

Vergleichsstufen von Adjektiven zu finden fällt mir

1 Ergänze die fehlenden Vergleichsstufen.

___ | 20

Adjektive mit -ig und -lich

Tag – täglich

Aus Nomen Adjektive mit -ig und -lich zu bilden fällt mir

2 Verwandle die Nomen in Adjektive mit **-ig** und **-lich**.
Achtung! Aus drei Nomen können keine Adjektive gebildet werden.

___ | 3

→ S. 149, 150

Wörter mit tz und ck

Wörter mit tz und ck zu schreiben fällt mir .

____ | 12

1 Lies die **Übungswörter** im Basisbuch auf Seite 110.
Setze die Wörter mit **ck** und **tz** in die passenden Kästchen.

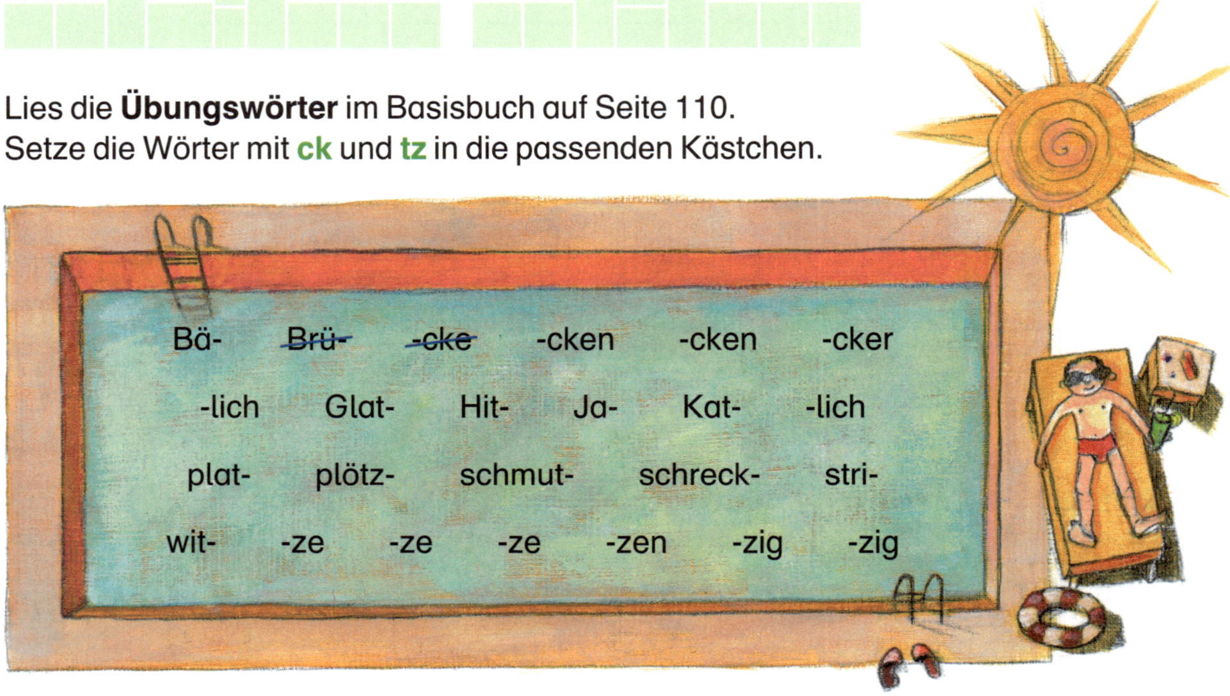

Brücke ____________________ ____________________

____________________ ____________________

____________________ ____________________

____________________ ____________________

____________________ ____________________

____________________ ____________________

Wörter mit tz und ck zu bilden fällt mir .

____ | 11

2 Bilde aus den Silben Wörter und schreibe sie auf.
Setze unter den kurzen Vokal einen Punkt.

Den Inhalt eines Sachtextes wiedergeben

- ☐ Bei starkem Wind bewegt sich die Luft mit etwa 40 km/h.
- ☐ Windstärke 3 entwurzelt Bäume und sorgt für schwere Schäden.
- ☐ Bei schwachem Wind steigt Rauch senkrecht auf.
- ☐ Der Beaufort-Grad 6 steht für starken Wind.
- ☐ Ein Orkan dauert mindestens 10 Minuten.
- ☐ Ab Windstärke 7 sollte man unbedingt einen Regenschirm benutzen.

Den Inhalt eines Sachtextes wiederzugeben fällt mir ☐ ☐ ☐.

______ | 6

1 Lies die Tabelle auf Seite 78.
Kreuze die richtigen Aussagen an.

Mit Adjektiven vergleichen

Grundstufe	1. Vergleichsstufe	2. Vergleichsstufe
sonnig	______	______
______	______	am wolkigsten
______	windiger	______
heiß	______	am heißesten
warm	wärmer	______
kalt	______	______
trocken	trockener	______
nass	______	am nassesten

Vergleichsstufen von Adjektiven zu finden fällt mir ☐ ☐ ☐.

2 Ergänze die fehlenden Wörter.

______ | 12

Wörter mit tz und ck

Hi … e ______

Mü … e ______

Bli … ______

Bä … er ______

Schmu … ______

Wörter mit ck und tz richtig zu schreiben fällt mir …

1 ck oder tz? Schreibe die Wörter mit Artikel auf.
Achtung! Dreimal passt beides.

___ | 8

Nachschlagen im Wörterbuch

Blitz	S. ______	Hitze	S. ______
schützen	S. ______	schwitzen	S. ______
Mütze	S. ______	Pfütze	S. ______

Wörter im Wörterbuch zu finden fällt mir …

2 Schlage im Wörterbuch nach. Notiere die Seitenzahl.

___ | 6

Diese Tipps möchte ich dir geben:

Den Inhalt eines Sachtextes wiedergeben
- Du kannst Tabellen sehr gut lesen.
- Beachte die Zeilen und Spalten genauer.
- ______

Mit Adjektiven vergleichen
- Du bildest die Vergleichsstufen sehr sicher.
- Lies auf Seite 106 im Buch noch einmal nach.
- ______

Wörter mit tz und ck
- Wörter mit tz und ck erkennst du gut.
- Achte auf die Abschreibtechnik.
  Probiere immer beide Möglichkeiten aus.
- ______

Nachschlagen im Wörterbuch
- Du schlägst sicher nach.
- Lies noch einmal Seite 46 im Basisbuch.
- ______

Freizeit!

Alle arbeiten sie dauernd!

„Du, Mama“, sagte Zackarina. „Sollen wir Verstecken spielen?“ „Jetzt nicht“, sagte Mama. Sie rief: „Tschüs“ und „Wir sehen uns heute Abend“, und schon war sie fort auf dem Weg zu ihrer Arbeit. Da ging Zackarina zu ihrem Papa. Er saß in seinem Arbeitszimmer am Schreibtisch. „Du, Papa“, sagte Zackarina, „sollen wir heute angeln gehen, du und ich?“ „Liebe Zackarina, nicht gerade jetzt. Ich muss arbeiten“, sagte Papa. „Dies hier sind wichtige Sachen.“ „Angeln ist doch auch wichtig“, sagte Zackarina. „Ja, ja, aber nicht jetzt. Ich arbeite“, sagte Papa. „Geh raus und spiel ein bisschen.“ Zackarina stampfte auf ärgerlichen Füßen davon. Arbeit, Arbeit, Arbeit! Immer dasselbe.

Åsa Lind

- [ ] Frühstücken
- [ ] Plätzchen backen
- [ ] Verstecken spielen
- [ ] Musik hören
- [ ] Schlittschuh laufen
- [ ] Basteln
- [ ] Fernsehen
- [ ] Angeln
- [ ] Wandern

1 Lies den Text. Was möchte Zackarina von ihren Eltern? Kreuze die beiden richtigen Antworten an.

____

____

2 Wie fühlt sich Zackarina? Lies Zeile 11.

____

____

____

____

____

____

Kennst du das auch, dass manchmal niemand für dich Zeit hat? Wie fühlst du dich? Was machst du dann? Berichte.

Die ewige Tabelle der Fußball-Bundesliga*

Spalte ▼ / Zeile ▼

Platz	Mannschaft	Jahre	G	U	V	Tore	Diff.	Punkte
1	FC Bayern München	48	928	377	322	3479 : 1853	+1626	3161
2	SV Werder Bremen	49	717	408	528	2824 : 2343	+481	2559
3	Hamburger SV	50	698	457	532	2747 : 2357	+390	2551
4	VfB Stuttgart	48	688	396	535	2749 : 2313	+436	2460
5	Borussia Dortmund	46	663	407	481	2680 : 2229	+451	2396
6	Borussia Mönchengladbach	45	604	413	508	2609 : 2245	+364	2225
7	FC Schalke 04	45	592	382	543	2238 : 2189	+49	2158
8	1. FC Köln	43	593	361	504	2459 : 2170	+289	2140
9	1. FC Kaiserslautern	44	575	372	545	2348 : 2344	+4	2094
10	Eintracht Frankfurt	44	549	374	560	2365 : 2302	+63	2019
11	Bayer Leverkusen	34	479	329	343	1913 : 1552	+361	1766
12	VfL Bochum	34	356	306	498	1602 : 1887	−285	1374
13	Hertha BSC	30	372	256	384	1466 : 1559	−93	1372
14	1. FC Nürnberg	31	332	264	445	1352 : 1641	−289	1260
15	MSV Duisburg	28	296	259	393	1291 : 1520	−229	1147
16	Hannover 96	25	262	213	362	1180 : 1415	−235	999
17	Karlsruher SC	24	241	230	341	1093 : 1408	−315	953
18	Fortuna Düsseldorf	23	245	213	319	1152 : 1364	−212	948

* Rangliste aller Meisterschaftsspiele der Bundesliga seit ihrer Gründung 1963

☐ Handball ☐ Badminton ☐ Fußball ☐ Tennis ☐ Basketball

1. Für welche Sportart ist diese Tabelle? Kreuze an.

a) Welche Mannschaft ist auf Platz 5 der Tabelle? ______________________

b) Welchen Verein findest du in Spalte 2, Zeile 7? ______________________

c) Welches Team ist die meisten Jahre in der Bundesliga? ______________________

d) Welche Mannschaft hat am häufigsten gewonnen? Siehe in Spalte **G**.

☐ Fortuna Düsseldorf ☐ VFB Stuttgart ☐ FC Bayern München

2. Beantworte die Fragen.

G: ______________ U: ______________ V: ______________

3. Wofür stehen die Buchstaben **G**, **U** und **V** oben in der Tabelle?

4. Welcher Verein hat in 34 Jahren 1766 Punkte erreicht? ______________________

Suche aus der Zeitung oder aus Sportzeitschriften andere Tabellen zu unterschiedlichen Sportarten heraus. Überlege dir dazu Fragen für deine Klasse.

Einen nicht linearen Text lesen → S. 125, 126

In der Tourist-Information

____

1 Lies das Plakat. Für welches Freizeitangebot ist es gedacht?

	ja	nein
Ort		
Öffnungszeiten		
Eintrittspreis		
Attraktionen		

Wo, was, wann?
Ich will wissen, was ich hier machen kann!

2 Kreuze an, welche genauen Informationen du hier findest.

____

____

____

3 Hältst du dieses Plakat für ein Informationsplakat oder für ein Werbeplakat? Begründe deine Meinung.

- ☐ täglich von 8.00 – 22.00 Uhr
- ☐ Billiger war es nie!
- ☐ Lange geöffnet!
- ☐ Sauna
- ☐ Spaß für alle!
- ☐ Kinder 10,50 Euro
- ☐ leicht zu finden
- ☐ Aqualand Köln
- ☐ Krass!
- ☐ Loopingrutsche
- ☐ Wasserfall
- ☐ Erwachsene 14,90 Euro
- ☐ Superbillig!
- ☐ A1, Abfahrt Fühlingen, dann ausgeschildert

4 Was sind echte Informationen, die auf ein Informationsplakat gehören? Kreuze an.

5 Gestalte ein Informationsplakat für das Spaßbad.

Mittwochs darf ich spielen

Die siebenjährige Fabia erzählt:
Mittwochs ist mein allerschönster Tag. Da habe ich nämlich überhaupt keinen Termin. Montags ist Ballett und dienstags ist Flöten und donnerstags ist Tennis und freitags ist Hockey, aber am Mittwoch habe ich immer vollkommen frei. Mittwochs darf ich spielen.

Kirsten Boie

Montag	______
Dienstag	______
Mittwoch	______
Donnerstag	______
Freitag	______
Samstag	?
Sonntag	?

(1) Trage in den Kalender ein, was Fabia jeden Tag macht.

Ich finde es gut, / nicht gut, weil ______________________

____

____

____

(2) Wie findest du es, wenn man so viel vorhat wie Fabia?
Markiere deine Entscheidung und begründe.

____

____

____

____

____

(3) Wie sieht deine Freizeit aus? → **Tipp**

Erstellt Wochenpläne und macht eine Ausstellung.

Tipp

Was machst du gerne in deiner Freizeit?
Wie viel Zeit hast du dafür?
Was würdest du noch gerne machen?
Was würdest du gerne weglassen?
…

Freizeitgestaltung

Gül tanzt in der Breakdance-Gruppe.
Tom spielt mit der Tarzan-Puppe.
Filme sieht Tim oft im Kino.
Manja geht im Zoo zum Rhino.
Fische angelt Kim am See.
Kemal trinkt beim Lesen Tee.
Judogriffe übt Jeanette.
Ich liege gerne lang im Bett.

1 Markiere im Gedicht die Prädikate.

Frage nach dem Prädikat	Prädikat
Was tut Gül?	Gül tanzt.
Was tut Tom?	

Das Prädikat ist ein Satzglied, das sagt, was jemand tut.

Das Prädikat sagt auch, was geschieht.

2 Was tun die Kinder? Schreibe auf. Markiere das Prädikat.

Was geschieht?

3 Schreibe die Frage nach dem Prädikat und das Prädikat auf.

Ausflug in den Zoo

Murat und Sophie waren am Sonntag im Zoo. Bei den fliegenden Säugetieren gab es in einer Höhle Flughunde und Grabflatterer zu bewundern. Die Abteilung mit den Singvögeln haben sie ausgelassen. Auch die Wanderratte hat sie nicht interessiert. Das erste Mal haben sie angehalten, als ein Brüllaffe laut geschrien hat, weil die Klapperschlange die Rennmaus gepackt hatte. Im Aquarium sind Murat und Sophie sofort zum Zitteraal und zum Kletterfisch gegangen.

Säugetiere, ______________________________

____

____

1. Zehn Nomen sind aus Verb und Nomen zusammengesetzt. Markiere sie und schreibe sie auf.

____

____

____

____

____

____

____

2. Wähle fünf Tiere aus. Aus welchem Verb und welchem Nomen sind sie zusammengesetzt? Ergänze. Schreibe so: Säugetier: säugen + das Tier

Erfinde lange zusammengesetzte Nomen mit den Tieren aus dem Text. Schreibe so: Säugetiermilch, Flughundeflügel …

Das mache ich in meiner Freizeit

☐ Ein lang gesprochenes i wird fast immer **ii** geschrieben.
☐ Ein lang gesprochenes i wird fast immer **ie** geschrieben.

1 Kreuze den richtigen Merksatz an.

W___nd • St___fel • s___ngen • fl___gen • F___sch • sp___len

Wörter mit **i**: ______________________________

Wörter mit **ie**: ______________________________

2 Flüstere die Wörter und schreibe sie auf.

Ich schreibe Br___fe an meine Freund___n ___n Hamburg.

Ich beobachte ___nsekten, am l___bsten B___nen.

Ich gehe oft spaz___ren und s___tze im Park.

Ich gehe schw___mmen.

Ich fl___ge im Urlaub in fremde Länder.

Ich sp___le Klav___r.

Ich l___ge oft auf der W___se und lese Com___cs.

3 Finde die neun Wörter mit **ie** und die sechs Wörter mit **i**. Setze ein.

____

____

Bilde möglichst lange Reimreihen mit Wörtern mit **ie**.
Oder: Schreibe ein Gedicht.

Rätsel

T	Z	U	G	E	N	S	E	U	F	E	H	L	E	R
C	K	A	H	N	E	C	K	E	N	A	G	O	H	R
S	I	A	Z	F	A	H	R	T	N	F	A	C	G	U
M	E	H	L	L	K	L	R	T	E	K	E	Y	N	E
Ü	N	E	K	R	L	T	S	T	R	A	H	L	C	A
A	B	S	Z	W	A	H	L	T	F	E	H	L	E	N
Q	M	E	H	L	W	U	R	M	B	A	H	N	G	E
S	K	O	H	L	A	U	S	W	G	H	A	H	N	F
Ü	A	E	B	U	R	O	H	R	E	S	Ü	G	W	K
O	F	A	H	R	E	N	F	S	G	U	H	R	G	S

1 Finde die übrigen vierzehn Wörter mit Dehnungs-**h**.

der Fehler, ____________________

____

____

____

2 Schreibe die Wörter mit Artikel auf.
Markiere das **h** und den langen Vokal, der davorsteht.

fehl: ____________________

mehl: ____________________

fahr: ____________________

Wenn Wörter zu einer Wortfamilie gehören, bleibt der Wortstamm meist gleich.

3 Finde Wortfamilien aus den Wörtern von Aufgabe 2.
Schreibe noch ein Wort der Wortfamilie dazu.

Lass dir fünf Wörter mit Dehnungs-**h** diktieren. Kontrolliert.

Das Prädikat

Die Zuschauer jubeln laut in der kühlen Arena. Meier passt flink zu Klinke. Der schießt den Puck zu Jankov. Jankov stoppt den Puck. Er hämmert die Hartgummischeibe auf das Tor. Der Puck prallt an den Pfosten. Von dort landet er im Zuschauerraum. Der Torhüter jubelt. Beide Trainer brüllen.

Prädikate zu finden fällt mir

1 Finde im Text noch acht Prädikate. Markiere sie.

____ | 8

Was tun die Zuschauer?	Sie jubeln.

Prädikate zu bestimmen fällt mir

2 Schreibe zu jedem Satz die Frage nach dem Prädikat und das Prädikat. Markiere das Prädikat.

____ | 8

Verben und Nomen zusammensetzen

wandern

Weg

der Wanderweg,

____

____

____

____

Zusammengesetzte Nomen aus Verb und Nomen zu bilden fällt mir

3 Setze aus Verb und Nomen neue Nomen zusammen.

____ | 4

→ S. 146, 152

Wörter mit ie und i

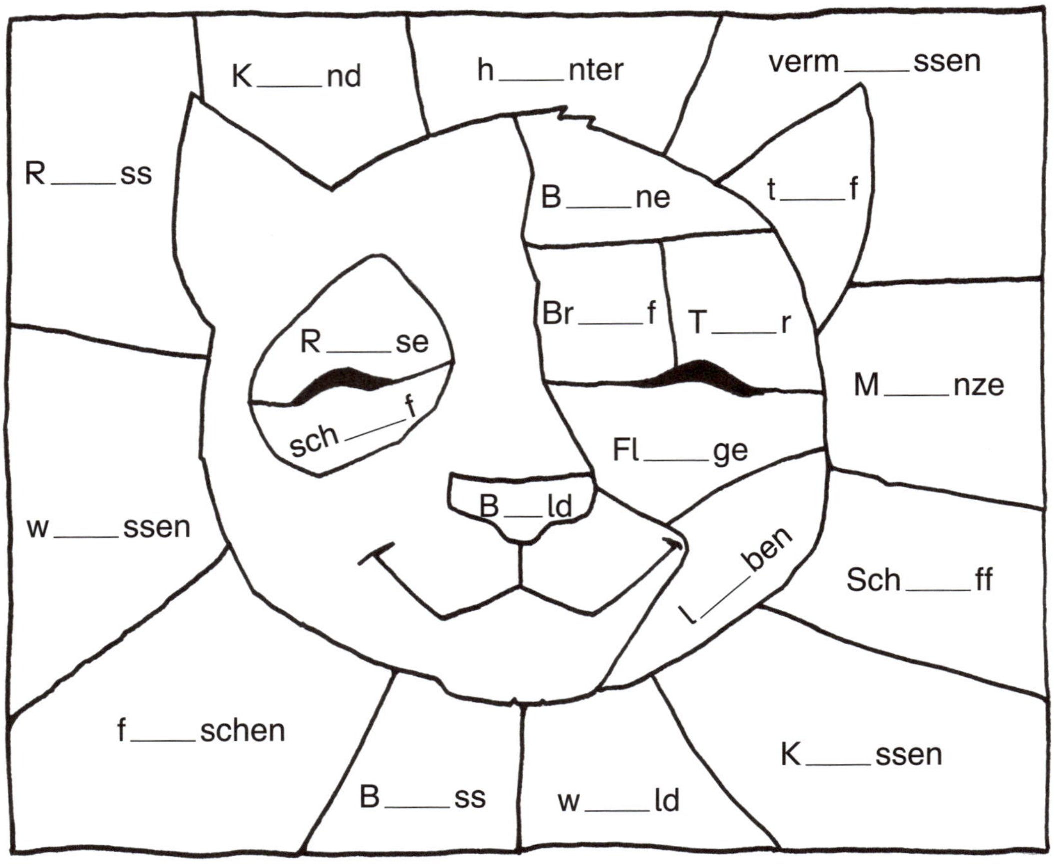

Wörter mit ie und i zu unterscheiden fällt mir .

1 Ergänze **ie** oder **i**. ___ | 20

2 Male Felder mit **ie** blau aus und Felder mit **i** rot.

Wörter mit Dehnungs-h

zerwühlt • Zähler • Höhle • Höhlenbär • aushöhlen • zerwühlen
bezahlen • Wühlmaus • verzählt • Wühltisch • Zahl • Hohlkörper

zahl	wühl	hohl
___	___	___
___	___	___
___	___	___
___	___	___

Den Wortstamm bei Wörtern mit Dehnungs-h zu finden fällt mir .

3 Sortiere die drei Wortfamilien. Markiere den Wortstamm. ___ | 12

→ S. 159, 162

Einen Fahrplan lesen

5 Ossendorf - Neuehrenfeld - Friesenplatz - Dom/Hbf

	Montag - Freitag																		
Haltestellen																			
Ossendorf		4.46	5.06	5.26	5.46		6.06	6.16	6.26	6.36	6.46	6.56	7.06	7.16		19.46	20.02	20.17	20.32
Rektor-Klein-Str.		4.47	5.07	5.27	5.47		6.07	6.17	6.27	6.37	6.47	6.57	7.07	7.17		19.47	20.03	20.18	20.33
Margaretastr.		4.48	5.08	5.28	5.48		6.08	6.18	6.28	6.38	6.48	6.58	7.08	7.18		19.48	20.04	20.19	20.34
Iltisstr.		4.50	5.10	5.30	5.50		6.10	6.20	6.30	6.40	6.50	7.00	7.10	7.20		19.50	20.06	20.21	20.36
Takuplatz		4.51	5.11	5.31	5.51		6.11	6.21	6.31	6.41	6.51	7.01	7.11	7.21		19.51	20.07	20.22	20.37
Lenauplatz		4.53	5.13	5.33	5.53		6.13	6.23	6.33	6.43	6.53	7.03	7.13	7.23		19.53	20.09	20.24	20.39
Nußbaumerstr.		4.55	5.15	5.35	5.55		6.15	6.25	6.35	6.45	6.55	7.05	7.15	7.25	alle	19.55	20.11	20.26	20.41
Subbelrather Str./Gürtel		4.56	5.16	5.36	5.56		6.16	6.26	6.36	6.46	6.56	7.06	7.16	7.26	10	19.56	20.12	20.27	20.42
Liebigstr.	4.39	4.59	5.19	5.39	5.59	6.09	6.19	6.29	6.39	6.49	6.59	7.09	7.19	7.29	Min.	19.59	20.14	20.29	20.44
Gutenbergstr.	4.41	5.01	5.21	5.41	6.01	6.11	6.21	6.31	6.41	6.51	7.01	7.11	7.21	7.31		20.01	20.16	20.31	20.46
Hans-Böckler-Pl./Bf West	4.43	5.03	5.23	5.43	6.03	6.13	6.23	6.33	6.43	6.53	7.03	7.13	7.23	7.33		20.03	20.18	20.33	20.48
Friesenplatz	4.44	5.04	5.24	5.44	6.04	6.14	6.24	6.34	6.44	6.54	7.04	7.14	7.24	7.34		20.04	20.19	20.34	20.49
Appellhofplatz an	4.46	5.06	5.26	5.46	6.06	6.16	6.26	6.36	6.46	6.56	7.06	7.16	7.26	7.36		20.06	20.21	20.36	20.51
Appellhofplatz ab	4.47	5.07	5.27	5.47	6.07	6.17	6.27	6.37	6.47	6.57	7.07	7.17	7.27	7.37		20.07	20.21	20.36	20.51
Dom/Hbf	4.48	5.08	5.28	5.48	6.08	6.18	6.28	6.38	6.48	6.58	7.08	7.18	7.28	7.38		20.08	20.22	20.37	20.52

a) Welche Bahnlinie fährt von Ossendorf zum Dom? ______________

b) Um welche Zeit fährt die erste Bahn am Montag ab Ossendorf?

____

c) Welche Bahn müsste man ab der Liebigstraße nehmen, wenn man um 6.20 Uhr am Dom sein will?

____

d) Wie lange hält die Bahn morgens am Appellhofplatz?

____

Einem Fahrplan Informationen zu entnehmen fällt mir .

1 Beantworte die Fragen mithilfe des Fahrplans.

____ | 4

Das Prädikat

Was ______________ oder Was ______________

2 Wie fragt man nach dem Prädikat?

Udo liest gerne Bücher. Monique spielt am Wochenende Tennis.
Zara reitet mit ihrem Pony durch den Wald.
Im Keller baut Ismael mit seinem Vater Modellschiffe.
Auf dem Baggersee segelt Phil.

Prädikate zu bestimmen fällt mir .

3 Frage nach dem Prädikat. Markiere das Prädikat im Text.

____ | 6

→ S. 125, 126, 152

Wörter mit ie oder i

St_nkt_r ______________________________

W_ldb_ne ______________________________

Pap_rfl_ger ______________________________

R_nderd_b ______________________________

K_ndersp_lplatz ______________________________

Wörter mit ie und i richtig zu schreiben fällt mir ___.

___ | 10

1 Setze ie oder i ein. Schreibe das Wort richtig mit Artikel auf.
Sprich das i einmal lang und einmal kurz.

Nachschlagen im Wörterbuch

Schiene	S. ______	Biene	S. ______
Fliege	S. ______	Riese	S. ______
Brief	S. ______	Spiegel	S. ______

Wörter im Wörterbuch zu finden fällt mir ___.

___ | 6

2 Schlage im Wörterbuch noch. Notiere die Seitenzahl.

Diese Tipps möchte ich dir geben:

Einen Fahrplan lesen

- Du findest Informationen in Texten ohne Sätze schon sicher.
- Sieh dir erst die Tabelle in Ruhe an. Nimm den Finger zur Hilfe.
- ______________________________

Das Prädikat

- Du findest die Prädikate sicher im Text.
- Denke an die „Was tut?“-Frage. Das Prädikat ist immer ein Verb.
- ______________________________

Wörter mit ie oder i

- Die Strategie mit ie und i hast du dir gut gemerkt.
- Sprich das i einmal lang und einmal kurz. Das lange i ist meist ein ie – denke daran.
- ______________________________

Nachschlagen im Wörterbuch

- Du schlägst die Wörter sicher nach.
- Lies noch einmal Seite 46 im Basisbuch.
- ______________________________

Am Teich

Der Wasserläufer

An der Oberfläche des Teiches treffen Luft und Wasser aufeinander. Es bildet sich eine dehnbare „Haut". Diese kann kleine Insekten tragen. Einige können sogar darauf laufen. Dazu gehört der Wasserläufer. Er ist 8–10 mm lang und dunkelbraun. Sein Körper ist lang gestreckt. Der Wasserläufer hat drei Beinpaare. Die beiden langen Beinpaare liegen auf dem Wasser auf, ohne es zu durchstoßen. Dabei bilden die Hinterbeine ein großes X und verteilen so das Gewicht auf dem Wasser. Wasserläufer können sich sehr flink fortbewegen. Sie schnellen sprungartig auf dem Wasser nach vorn. Dazu benutzen sie die Mittelbeine als Ruder und die Hinterbeine als Steuer. Auf dem Land sind sie ungeschickt und werden schnell von ihren Feinden, z. B. von Vögeln, gefressen. Die Wasserläufer selbst ernähren sich von kleinen Insekten, die ins Wasser fallen und dort hilflos zappeln. Diese Zappelbewegungen spüren die Wasserläufer mit dem vorderen Beinpaar. Bei Sturm und Regen halten sie sich zum Schutz am Uferrand auf.

a) Wie sieht der Wasserläufer aus? ______________________

____

____

b) Wie steht der Wasserläufer auf dem Wasser? ______________________

____

____

c) Wie bewegen sich Wasserläufer auf dem Wasser? ______________________

____

____

____

1 Markiere die Antworten im Text und schreibe sie auf.

2 Warum sind Wasserläufer auf dem Land in großer Gefahr? Begründe.

Viele Gewässer sind durch Wasch- und Spülmittelreste verschmutzt. Was bedeutet das für den Wasserläufer? Forsche nach.

Die beiden Frösche

Zwei Frösche, deren Tümpel die heiße Sommersonne ausgetrocknet hatte, gingen auf die Wanderschaft. Gegen Abend kamen sie in die Kammer eines Bauernhofs und fanden dort eine große Schüssel Milch vor, die zum Abrahmen aufgestellt worden war. Sie hüpften sogleich hinein und ließen es sich schmecken.
Als sie ihren Durst gestillt hatten und wieder ins Freie wollten, konnten sie es nicht: Die glatte Wand der Schüssel war nicht zu bezwingen und sie rutschten immer wieder in die Milch zurück.
Viele Stunden mühten sie sich nun vergeblich ab und ihre Schenkel wurden allmählich matter.
Da quakte der eine Frosch: „Alles Strampeln ist umsonst, das Schicksal ist gegen uns, ich geb's auf!"
Er machte keine Bewegung mehr, glitt auf den Boden des Gefäßes und ertrank.
Sein Gefährte aber kämpfte verzweifelt weiter bis tief in die Nacht hinein. Da fühlte er den ersten festen Butterbrocken unter seinen Füßen, er stieß sich mit letzter Kraft ab und war im Freien.

Aesop

ein kleiner Teich

damit sich die Sahne an der Oberfläche sammelt

etwas trinken bis man nicht mehr durstig ist

hochklettern

sich sehr anstrengen, ohne es zu schaffen

die Beine werden langsam müde

auf den Boden der Schüssel rutschen

der Freund

1 In Fabeln findest du oft schwierige Ausdrücke.
Markiere die Wörter und passende Erklärungen in der gleichen Farbe.

- Hüpfe nie in eine Milchschüssel.
- Wenn zwei sich streiten, freut sich der dritte.
- Gib niemals auf, auch wenn es aussichtslos scheint.

2 Welche Lehre passt zu dieser Fabel? Kreuze an.

Fabeln spielen immer am Teich. | In Fabeln können Tiere sprechen.

Fabeln haben eine Lehre. | Fabeln handeln von Pflanzen.

3 Was passt zu einer Fabel? Markiere.

Hätte sich der Frosch auch retten können, wenn er in eine Schüssel mit Saft gehüpft wäre? Begründe deine Antwort.

Libellen

Libellen sind zwischen 20 und 50 mm lang. Man erkennt sie an dem schlanken Hinterleib, der bunt schillert. An der Brust befinden sich zwei durchsichtige Flügelpaare und am Kopf haben sie zwei große Augen, die aus bis zu 30 000 Einzelaugen bestehen. Damit können sie gleichzeitig in alle Richtungen schauen. Sie können pfeilschnell durch die Luft sausen, in der Luft „stehen", rückwärts fliegen und ihre Beute im Flug fangen. Ihre Lebenszeit als fliegendes Insekt dauert meistens nur sechs bis acht Wochen. In Europa leben etwa 80 verschiedene Libellenarten an Teichen, Tümpeln und ruhigen Gewässern.
Libellen fressen Insekten wie zum Beispiel Mücken und Fliegen. Sie legen ihre Eier im Wasser ab. Dort entwickeln sich die Larven. Nach drei Jahren klettert die ausgewachsene Larve an einem Halm aus dem Wasser und dort schlüpft die Libelle. Ihre natürlichen Feinde sind Ameisen, Vögel, Fledermäuse oder Frösche.

1 Was erfährst du über die Libelle? Markiere wichtige Informationen.

Steckbrief: Libelle

Größe: zwischen 20 und 50 mm lang

Aussehen: ______________________

____

Alter: ______________________

Lebensraum: ______________________

____

Nahrung: ______________________

Fortpflanzung: ______________________

Natürliche Feinde: ______________________

2 Schreibe einen Steckbrief über die Libelle.

Weißt du, wie schnell Libellen fliegen können? Finde weitere Informationen über Libellen. Du kannst auch im Internet bei **www.br-online.de** forschen.

Einen Teich anlegen

anlegt

Überlege zuerst, wo ihr den Teich macht.

Dort macht ihr eine Teichgrube und macht das Teichbecken hinein.

Jetzt macht ihr den Spalt um den Teich mit nassem Sand zu.

Nun macht ihr eine dünne Kiesschicht auf die einzelnen Teichzonen

und macht die Körbe mit den Pflanzen hinein.

Zum Schluss macht ihr Wasser in euren Teich.

Nach einigen Wochen macht ihr dann die Fische ins Wasser.

1 Markiere das Verb **machen** im Text.

füllen • anlegen • legen • schütten • schippen • graben • stellen • setzen

2 Ersetze **machen** durch treffende Verben in der richtigen Form.

3 Was siehst du? Bilde Sätze mit treffenden Verben.
Oder: Finde mindestens fünf eigene Wörter für **essen**.

Wortfelder für treffende Formulierungen kennen → S. 140

Pettersson und Findus gehen angeln

Pettersson steckte den Kater in den Rucksack
und grub ein paar Regenwürmer aus dem Kartoffelacker.
Die Luft war feucht und kühl.
Sie gingen über die Wiese und dann den Pfad zum Wasser hinunter.
Pettersson schob das Boot ins Wasser und ruderte hinaus.
Findus saß ganz vorn und hielt Ausschau nach Hechten.
Hechte konnten ziemlich schrecklich sein.
Er hatte natürlich keine Angst vor ihnen.
Er hatte vor gar nichts Angst.

Sven Nordqvist

Wer steckte den Kater in den Rucksack? Pettersson ____________

Was war feucht und kühl? ____________

Wer ging über die Wiese? ____________

1. Beantworte die Fragen zum Subjekt. Markiere das Subjekt im Satz und schreibe es auf.

____

____

____

____

____

2. Frage in jedem weiteren Satz oben nach dem Subjekt mit **Wer?** oder **Was?**.
Markiere das Subjekt im Satz. Schreibe Frage und Antwort auf.

„Du kannst nicht mit der langen Angel zum See wackeln.
Dir tut doch auch der Fuß weh."
„Ich WILL aber angeln."
Da endlich gab Pettersson nach.

Sven Nordqvist

3. Markiere in den Sätzen das Subjekt.

Im Teich

Subjekt Wer? Was tut?
Prädikat Was geschieht? Was?

1 Was gehört zusammen?
Markiere in der gleichen Farbe.

Der Wasserfloh hüpft durchs Wasser.

Frage nach dem Subjekt: Wer oder was hüpft durchs Wasser?

____

Frage nach dem Prädikat: Was tut ______________________________

Der dicke Fisch schwimmt hinter den Steinhaufen.

Frage nach dem Subjekt: ______________________________

____

Frage nach dem Prädikat: ______________________________

Der räuberische Hecht wartet auf Beute.

Frage nach dem Subjekt: ______________________________

____

Frage nach dem Prädikat ______________________________

____

2 Frage in jedem Satz nach Subjekt und Prädikat. Schreibe Frage und Antwort auf.
Markiere Subjekt und Prädikat in unterschiedlichen Farben.

Die Seerose blüht auf dem Wasser.
Dicke Steine liegen auf dem aufgewühlten Meeresboden.
Neugierig schwimmen die flinken Fische zu den Steinen.
Überall lauern hier die Feinde.

3 Markiere das Subjekt und das Prädikat in verschiedenen Farben.
Überprüfe, ob sie zusammenpassen.

Subjekt und Prädikat erfragen und markieren → S. 152

Spaziergang im Schmutz

Pilz • sitzen • plötzlich • trotzdem • Schmutz • Katze
Platz • Kapuze • spazieren • winzig • stolz • Kreuzung

tz	z

1 Trage die Wörter in die Tabelle ein.

Versteckte Wörter finden

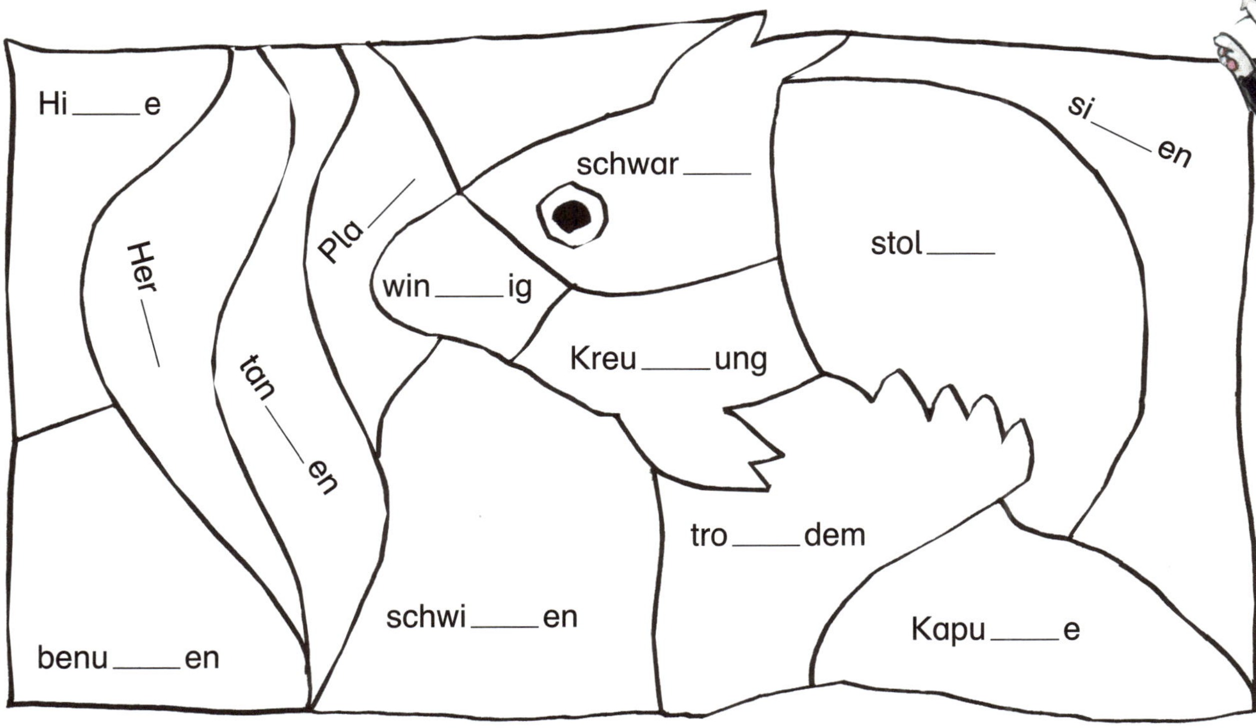

2 Ergänze **tz** oder **z**. Male Felder mit **tz** blau aus und Felder mit **z** grün.

Finde zu mindestens drei Wörtern Reimwörter.

Stecken geblieben

quaken • Blick • Gedanken • versinken
steckt • dick • Rückweg • bemerkt

1 Lies die Wörter. Markiere **ck** und setze unter den kurzen Vokal einen Punkt.

ck	k

2 Ordne die Wörter aus dem Kasten.

Kira geht mit ihren Freundinnen Lea und Mia am Teich entlang. Vor ihnen ________________ zwei Grasfrösche und eine Ente fliegt aufgescheucht los. „Seht mal!“, ruft Mia. Ihren ________________ auf den Frosch gerichtet, haben die drei Mädchen den gleichen ________________: „Den schnappen wir uns!“ Sie müssen aufpassen, dass sie am Teichrand nicht ________________. Plötzlich schreit Lea auf: „Iiih!“ Ihr Schuh ________________ im Uferschlamm. Kira und Mia tasten sich vorsichtig zu ihr. Mia hält Lea fest und Kira kann den Schuh herausziehen. Er ist ________________ mit Schlamm beschmiert. Die drei Mädchen beschließen, den ________________ anzutreten. „Da haben wir ja noch einmal Glück gehabt“, ________________ Mia. In einem Punkt sind sich die drei einig: „Das nächste Mal schleichen wir uns gleich barfuß an!“

3 Setze die passenden Wörter aus Aufgabe 1 ein. Markiere die Nachdenkstelle.

Das Subjekt

Im Winter

Die Luft ist bitterkalt. Vom Himmel fällt Schnee.
Der Teich ist zugefroren. Er hat eine „Haut“ bekommen.
Die Tiere sind verschwunden.
Jetzt müssen die Menschen das Eis aufschlagen.
Die Fische brauchen Sauerstoff.

Das Subjekt im Satz zu finden fällt mir .

1 Markiere das Subjekt in jedem Satz.

____ | 6

Subjekt und Prädikat

Winter am Teich

Der Grasfrosch sucht im Teichschlamm ein Plätzchen.
Dort hält er Winterstarre.
Der Graureiher bleibt in der Gegend.
Der Karpfen überwintert in den tiefen Bereichen des Teiches.
Tom läuft mit seinen Schlittschuhen über den zugefrorenen Teich.
Mit ihren Freunden spielt Sarah Eishockey.
Hoffentlich stürzt sie nicht.

Das Subjekt und Prädikat im Satz zu finden fällt mir .

2 Finde in den Sätzen Subjekt und Prädikat.
Markiere sie in unterschiedlichen Farben.

____ | 6

Nach dem **Subjekt** fragt man:	☐	Wem? oder Was?
	☐	Wo? oder Wann?
	☐	Wer? oder Was?
Nach dem **Prädikat** fragt man:	☐	Wer oder was geht?
	☐	Was geschieht?
	☐	Was tut?

Die Fragen nach Subjekt und Prädikat zu stellen fällt mir .

3 Kreuze die richtigen Antworten an.

____ | 3

Wörter mit tz und z

Katze – Tat-ze ____________ Platz – S ____________

schwitzen – s ____________ Herz – Sch ____________

Wanzen – t ____________ schützen – st ____________

kitzeln – kr ____________ Würze – Sch ____________

Wörter mit tz und z zu unterscheiden fällt mir ☐ ☐ ☐.

1 Finde Reimwörter. Schreibe in Silben auf. ____ | 10

Nur ein **z** kommt: ☐ nach langen Vokalen ☐ nach Konsonanten ☐ nach Doppellauten ☐ nach kurzen Vokalen

2 Kreuze die richtigen drei Aussagen an.

Wörter mit ck und k

di ck e	qua ____ en	Mü ____ e
sin ____ en	Sto ____ ente	Gartenbän ____ e
flin ____ er	we ____ en	Trin ____ flasche
erschre ____ en	le ____ er	Schrän ____ e

Wörter mit ck und k zu unterscheiden fällt mir ☐ ☐ ☐.

3 **ck** oder **k**? Setze die fehlenden Buchstaben ein. ____ | 11

Wörter mit ck	Wörter mit k
di-cke	

Wörter mit ck und k in Silben zu trennen fällt mir ☐ ☐ ☐.

4 Trage die Wörter in Silben in die Tabelle ein. ____ | 11

Genau lesen

Das Blesshuhn

Blesshühner bringen Leben auf den Teich. Besonders zur Brutzeit im Frühjahr sind sie zänkisch und laut. Dann verteidigen die Paare ihre Reviere oft sehr heftig gegeneinander.
Die bis zu 40 cm langen Vögel sind gut an ihrem dunkelgrauen bis schwarzen Gefieder zu erkennen. Davon heben sich der weiße Schnabel

und das weiße Stirnschild ab.
Blesshühner schwimmen langsam mit ständigem Kopfnicken und tauchen regelmäßig nach Algen, Würmern und Schnecken.
In Stadtparks kommen sie zur Futtersuche auch mal aus dem Wasser.

- ☐ Auffällig am Blesshuhn sind die weißen Schwanzfedern.
- ☐ Blesshühner sind bis zu 40 cm lang und dunkelgrau bis schwarz.
- ☐ Blesshühner können schwimmen und tauchen.
- ☐ Streit unter Blesshühnern gibt es häufig im Winter.
- ☐ Blesshühner kommen zur Futtersuche nie aus dem Wasser.

Diesen Text zu verstehen fällt mir .

1 Markiere die richtigen Aussagen im Text.

____ | 5

Subjekt und Prädikat

Am Teich

Stichlingmännchen bekommen im Frühjahr einen roten Bauch.
Ihre Nester bauen Stockenten auch in Baumhöhlen.
Hechte fressen auch Frösche, Vögel und kleine Säugetiere.
Unter Wasser atmen Wasserschnecken durch die Haut.
Höckerschwäne heiraten ihren Partner für ihr ganzes Leben.
Schilfkäfer leben auf dem Wasser.
Sehr laut quaken die Teichfrösche bei der Balz.

Subjekt und Prädikat im Satz zu finden fällt mir .

2 Finde in den Sätzen Subjekt und Prädikat.
Markiere sie in unterschiedlichen Farben.

____ | 7

→ S. 132, 152

Wörter mit tz oder z und ck oder k

 der ____________________

 ____________________

 ____________________

 ____________________

 ____________________

 ____________________

 ____________________

 ____________________

 ____________________

 ____________________

Wörter mit ck und k richtig zu schreiben fällt mir .

1 Schreibe die Wörter mit **tz** oder **z** und **ck** oder **k** mit Artikel auf. ____ | 10

Nachschlagen im Wörterbuch

quaken	S. ________	quer	S. ________
Qualle	S. ________	Quelle	S. ________
Qualität	S. ________	Quiz	S. ________

Wörter im Wörterbuch zu finden fällt mir .

2 Schlage im Wörterbuch nach. Notiere die Seitenzahl. ____ | 6

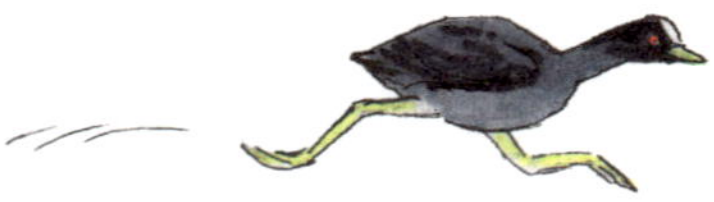

Diese Tipps möchte ich dir geben:

Genau lesen
- Du verstehst sehr gut, was du liest.
- Lies schwierige Texte ruhig mehrfach.
- ____________________

Wörter mit tz oder z und ck oder k
- Wörter mit **tz/z** und **ck/k** erkennst du gut.
- Denke daran: **tz** und **ck** stehen nur direkt nach einem kurzen Vokal.
- ____________________

Subjekt und Prädikat
- Du erkennst Subjekte sicher.
- Du erkennst Prädikate sicher.
- ____________________

Nachschlagen im Wörterbuch
- Du schlägst sicher nach.
- Hinter **Q** und **q** steht immer erst ein **u**: **Qu/qu**
- ____________________

Ein Buch entsteht

Von Nixen und anderen Helden

Mitten auf dem Tischtuch sitzt ... eine schneeweiße dicke Kröte! Sie ist so dick, dass sich die Speckfalten an ihrem Bauch rollen , und sie schaut Rosina und ihre Eltern aus rosa Augen an. Dann öffnet sie ihr Maul und macht ein Geräusch, das klingt wie „Urps!“. ...
„Die Kröte hat gerülpst!“, sagt Supermom. MAN RÜLPST NICHT.

Gossenstein zuckte die Schultern. Dann sah er Herman mit einem merkwürdigen Ausdruck an. „Die Leute, die was von Pferden verstehen, sagen: WIRF DEIN HERZ VORAUS UND DEIN PFERD SPRINGT IHM HINTERHER.“

Da sah sie die Nixe. Die schwamm im Aquarium. Sie war nicht viel größer als ein Goldfisch. Sie hatte lange silberne Haare, in denen lauter winzige Muschelschalen steckten, wie Kämmchen. Und sie trug ein Bikinioberteil, das in allen Regenbogenfarben schimmerte. Der Fischschwanz aber war grau mit grüngraugold glänzenden Tupfen.

Missy und ich treffen uns jeden Morgen draußen auf der Straße, um uns gemeinsam auf den Schulweg zu machen. Vom Laufen bekommt eine Prinzessin schöne Waden. Vom Kutschefahren nur einen dicken Po.

Er blickte sich nach hinten um. Zunächst dachte er, dass die Dunkelheit ganz plötzlich hereingebrochen war. Aber eine dunkle Wolke bewegte sich auf ihn zu. Das war unfassbar. Die Luft war schwarz von Fledermäusen.

1 Welcher Text gehört zu welchem Buch? Verbinde.

2 Markiere die Wörter, durch die du die Lösung gefunden hast.

Welches Buch würdest du gerne lesen? Begründe.

Fachwörter im Verlag

Dort werden die Bücher gedruckt und gebunden.

Ein Unternehmen, das Bücher herstellt und vertreibt*, ist …

Ein Mann, der Bücher schreibt ist ein Autor.
Eine Frau, die Bücher schreibt nennt man …

Weil auf Latein „manus“ Hand bedeutet und „scribere“ schreiben, nennt man den ersten Entwurf zu einem Buch auch …

Das ist die Überschrift eines Buches.

Er liest das Manuskript und berät den Autor.

Sie zeichnet Bilder, die sogenannten Illustrationen, zu einem Buch.

… Autorin.

… ein Verlag.

… Manuskript.

Titel

Druckerei

Illustratorin

Lektor

* hier: an Buchhandlungen verkauft

1 Ordne die Fachwörter den Sätzen zu.

Ein Buch entsteht

- [ ] Der Illustrator zeichnet seine Bilder dazu. (E)
- [ ] Der Autor überarbeitet die Geschichte. (S)
- [ ] Die Lektorin liest das Manuskript und verbessert. (E)
- [1] Der Autor hat eine Idee und beginnt zu schreiben. (L)
- [ ] Das Buch kommt in die Buchhandlung. (H)
- [ ] Das Buch wird gedruckt und gebunden. (U)
- [ ] Bei der Herstellung werden Text und Bilder gesetzt. (B)
- [ ] Die Marketingabteilung macht Werbung für das Buch. (C)

2 Ordne die Sätze des Textes in die richtige Reihenfolge.
Die Bilder helfen dir.
Die Buchstaben ergeben in der richtigen Reihenfolge das Lösungswort: ____________________

Welche Tätigkeit interessiert dich bei der Entstehung eines Buches am meisten? Begründe.

Fachbegriffe erklären / Einen Text sinnvoll ordnen → S. 134
150

Eine Geschichte von Rosina und Urps

Kinderzimmer
Kuscheltiere
Baumkröte
dick • bunt
niedlich • mutig
eklig • Bett
spannend
Geräusche • lustig
fröhlich • singen
rülpsen • quaken
hüpfen • kuscheln
abhauen • giftig
Ärger

Das ist Rosina mit ihrer australischen Baumkröte Urps.

1 Wähle sechs Wörter aus, die für dich zu diesem Bild passen. Markiere sie.

Wo kommt Urps her? ______________________________

Wie kommt Urps zu Rosina? ______________________________

Was erlebt Rosina mit Urps? ______________________________

____

____

____

____

Wie endet deine Geschichte? ______________________________

____

2 Denke dir etwas aus und notiere Stichwörter. Das Bild kann dir helfen.

3 Schreibe eine Geschichte von Rosina und Urps. **Oder:** Male eine Bildergeschichte.

So kam Urps zu Rosina

Fatma hat eine Geschichte von Rosina und Urps geschrieben.
Gemeinsam mit Jonas überarbeitet sie den Text.

~~Eines Tages~~ • Vor dem Obstladen gegenüber • Zusammen gingen sie
Er • rief • antwortete

Eines Tages
~~Da~~ ging Rosina in den Garten. Da sah sie einen Obstlaster. Dann hielt der Laster an. Dann stieg ein Mann aus. Aus dem Obstladen kam die Verkäuferin. Sie sagte: „Oh, sie sind schon da?" „Wir sind ja keine lahmen Kröten.", sagte der Mann. Der Mann nahm eine Kiste aus dem Laster. Da gingen sie zusammen in den Laden. Einen Moment war es still …

1 Ordne die Überarbeitungsvorschläge aus dem Kasten den markierten Stellen zu.

… dann hörte Rosina etwas. Es machte quak. Was war das? Da war doch ein Frosch, oder? Da ging Rosina zum Laster. Da saß eine dicke Kröte in einer Kiste. Rosina ging näher. Da schaute die Kröte Rosina an. Rosina sagte: „So eine süße Kröte!" Rosina machte ihre Tasche auf und machte die Kröte hinein. Dann ging sie mit der Kröte zurück. Dann wurden sie gute Freunde.

2 Du bist Lektor oder Lektorin. Überarbeite die markierten Stellen.

Suche dir für deine eigene Geschichte zwei Partner für eine Schreibkonferenz. Überarbeitet deine Geschichte.

Achte auf verschiedene Satzanfänge und treffende Verben. Du kannst Sätze auch umstellen.

Einen Text überarbeiten → S. 143, 144

Polizei

Frau Grünholz steht mit einem Polizisten vor der Tür.

„Du bist allein zu Hause?“, fragte der Polizist. Er drängte sich an Herman vorbei. „Hast du keine Eltern?“
„Meine Eltern arbeiten. Ich bin krank. Ich habe Fieber!“, hustete Herman. Es klang fast echt, fand er.
„Wie riecht das hier?“, fragte der Polizist. Er sog geräuschvoll etwas Raumluft ein.
Eifrig sagte Frau Grünholz: „Typisch Pferd.“
Herman hatte es bisher nicht gemerkt, aber während er ganz cool mit dem Polizisten und Frau Grünholz vom Flur ins Wohnzimmer schlenderte, roch er es auch. Es roch nach Pferd.
„Genau hier hat es gestanden und vermutlich gepupst!“, bemerkte Frau Grünholz.
„Das ist das Rasierwasser von meinem Vater“, antwortete Herman hastig.

Hilke Rosenboom

1 Markiere die wörtliche Rede.
Unterstreiche die fünf **nachgestellten** Redebegleitsätze.

Was sind das für Haare
auf dem Sessel? fragte der Polizist.
Die sind von meinem Vater erklärte Herman.
Wie borstig sagte Frau Grünholz.
Ich kann hier aber sonst nichts
feststellen stellte der Polizist nun fest.

2 Setze die Anführungszeichen und das Komma vor dem Begleitsatz richtig ein.
Unterstreiche den nachgestellten Begleitsatz.

1. Frau Grünholz fragte: „Wo ist das Pferd?“
2. Herman antwortete: „Hier ist kein Pferd.“
3. Der Polizist sagte: „In der Stadt darf man keine großen Tiere halten.“
4. Herman versicherte: „Wir haben kein Pferd.“

3 Baue die Sätze so um, dass der Redebegleitsatz **nachgestellt** ist.
Schreibe so: „Wo ist das Pferd?“, fragte …

Wer versteht das?

Dialekt:

1 Äs de Voder Glaser?

2 Ma muss sich schenda wie a Aggergaul.

3 Da kannste keen Blumenpott mit jewinnen.

4 Dä Jung hät däm Määdsche in die Ärem jepitsch.

5 Ik heb mi'n Snupp'n upsackt.

Übersetzung:

A Damit kannst du keinen Blumentopf gewinnen.

C Man muss sich schinden wie ein Ackergaul.

D Ich habe mir einen Schnupfen aufgesackt.

E Der Junge hat dem Mädchen in den Arm gezwickt.

F Ist dein Vater Glaser?

Erklärung:

a Deine Leistung ist nicht so gut.

b Ich habe mich erkältet.

d Der Junge hat das Mädchen geärgert.

e Du verstellst mir die Sicht.

f Man muss so viel arbeiten und es kommt doch nicht viel dabei heraus.

1 Markiere Dialektsätze, passende Übersetzungen und deren Erklärungen in den gleichen Farben.

2 Schreibe in deinem Dialekt oder im Dialekt deiner Region einige Sätze auf.

Im Dialekt werden die Wörter oft so ausgesprochen, dass man sie falsch schreibt. Finde Beispiele für den Dialekt deiner Region. Erstelle ein Memo-Spiel.

a jonger Hond
schwäbisch

ein junger Hund

Pferdeäpfel!

Nikolai schreibt die Geschichte von Milchmann am Computer so weiter:

Er öfnete die glastür, die in den Garten führte. Forsichtig überprüfte er, ob die Luft rein war. Es war nichs zu sehen. Trotzdem schlich Herman sich mit den Pferdeäpfeln an der Heke entlang Biss zum Rosenbet. Dort fergrub er sie zwischen den filen Rosensträuchern.
Kaum war er fertig, hörte er Frau Grünholz von nebenan. „Ferdammt!“, dachte er. „Sie darf mich nicht sehen.“ Befor sie ihn entdeckte, kroch er dicht an der Hecke entlang zurück zum Haus. Da ertastete seine Hand etwas Hartes im Gras. Es fühlte sich ferdächtig an. Das war der Schuh fon Frau Grünholz.

1 Computer markieren in Texten oft die Schreibfehler.
Schlage die markierten Wörter im Wörterbuch nach.
Schreibe die ersten drei Sätze richtig ab.

____

____

2 Überprüfe auch die anderen Fehlerwörter mithilfe des Wörterbuchs.
Schreibe alle Wörter mit **V** oder **v** auf. Markiere das **V** oder **v**.

3 Suche im Wörterbuch noch 20 Wörter mit **V** oder **v** und schreibe sie auf.
Denke daran: Wörter mit **V** und **v** sind Merkwörter. Man muss sie auswendig lernen.

4 Lass dir die Wörter von einem Partnerkind noch einmal diktieren.

5 Einen Fehler hat der Computer nicht entdeckt.
Schreibe das falsche Wort hier richtig auf: ______________________

Der Beruf des Lektors

Mein Vater ist Lektor. Das ist ein interesanter Beruf mit vielen verschiedenen Aufgaben. Ein lektor arbeitet in einem Ferlag. Er muss den Autor von der ersten Version eines Manuskripts beraten und macht Vorschläge zur Verbesserung des Inhalts. Danach kann der Autor den text endern. Der Lektor sagt ihm auch, wenn man etwas nicht verstet, und er achtet darauf, dass keine Wörter oder Buchstaben vergessen werden. Bevor ein Text gedruckt und als Buch gebunden wirt, vergewissert sich der Lektor, dass alle Rechtschreibfehler verbesert wurden. Oft arbeitet ein Lektor sehr enk mit seinen schriftstellern zusamen.

1 Markiere alle Wörter mit **V** oder **v**.

Fehlerwort	Großschreibung von Nomen ja	Großschreibung von Nomen nein	Kurzer Vokal – Doppelkonsonant ja	Kurzer Vokal – Doppelkonsonant nein	Merkwort: im Wörterbuch nachschlagen ja	Merkwort: im Wörterbuch nachschlagen nein	Verwandtes Wort suchen ja	Verwandtes Wort suchen nein
interessant		x						

2 Welche Strategie kann dir bei den rot markierten Fehlerwörtern helfen? Kreuze an. Trage die Wörter richtig in die Tabelle ein. Markiere die verbesserte Stelle.

Wörtliche Rede und nachgestellter Begleitsatz

Rosinas Einladung

Rosinas Freunde kommen zu Rosinas Geburtstagsparty.
Sie bringen Geschenke: Jenny zwei neue Puppenstubenteppiche, Tobi ein riesiges Bananenblatt.

Einer ist für dich und der andere für Urps	sagte Urps
Urps	lachte Jenny
Bestimmt denkt er, dass es SEIN Geburtstag ist	erklärte Tobi
Ich dachte, ich bringe nur etwas für Urps mit, du hast sowieso alles	vermutete Rosinas Bruder

Sätze mit wörtlicher Rede zu schreiben fällt mir

1 Verbinde die Sätze richtig. Schreibe sie mit den Anführungszeichen und dem Komma vor dem Begleitsatz auf.

___ | 16

Neues von Urps und Rosina

Rosina rief: „Urps ist verschwunden!“
Kann nicht sein antwortete Paps.
Wütend entgegnete Rosina Ich kann ihn aber nirgends entdecken!
Irgendwo wird er schon wieder auftauchen beruhigte Mama Rosina.
Paps lachte Immer dreht sich bei euch alles um Urps.

Die Zeichen der wörtlichen Rede einzusetzen und den Begleitsatz zu erkennen fällt mir

2 Setze die Satzzeichen für die wörtliche Rede ein. Unterstreiche vorangestellte und nachgestellte Begleitsätze in unterschiedlichen Farben.

___ | 8

Rechtschreibstrategien anwenden

Diese Strategien helfen dir, richtig zu schreiben:

A Nomen schreibe ich groß.
Nomen haben einen Artikel.

B Höre ich nach einem kurzen Vokal nur einen Konsonanten, so verdopple ich ihn.

C Ich suche verwandte Wörter.

D Manche Wörter muss ich mir merken und auswendig lernen.

Fehlerwort	Strategie	richtiges Wort
der autor	A	der Autor
ferstehen	D	
die Meuse		
der Abent		
engstlich		
der spaß		
vergesen		
fielleicht		
er schreipt		
zusamen		
es schimerte		
der vater		
befor		

Falsch geschriebene Wörter zu erkennen und einen Tipp zu finden, um sie richtig zu schreiben fällt mir .

___ | 12

1 Markiere den Fehler im Fehlerwort.
Trage in die Tabelle ein, welche Strategie du verwendest.
Schreibe das Wort richtig in die dritte Spalte.

→ S. 163, 164

Einen Text sinnvoll ordnen

- Der Autor überarbeitet seine Geschichte.
- Die Geschichte wird mit den Bildern gedruckt.
- Der Lektor seines Verlages korrigiert die Geschichte.
- Er schreibt seine Geschichte auf.
- Eine Illustratorin malt Bilder für die überarbeitete Geschichte.
- Ein Autor hat eine Idee für eine Geschichte.
- Das Buch wird verkauft.

Einen Text sinnvoll zu ordnen fällt mir

1 Nummeriere die Sätze in der richtigen Reihenfolge. ____ | 7

Nachgestellter Begleitsatz

Ein Buch entsteht

Vielen Dank, dass Sie mein Buch verlegen wollen! jubelt die Autorin.

Das ist ein wirklich lustiges Kapitel schwärmt der Lektor.

Welche Farbe soll der Einband denn nun haben? rätselt der Drucker.

Wir machen ganz viele Lesungen in Schulen entscheidet der Verleger.

Die Zeichen der wörtlichen Rede einzusetzen fällt mir

2 Setze die Anführungszeichen für die wörtliche Rede und das Komma vor dem Begleitsatz. Unterstreiche den Begleitsatz. ____ | 8

→ S. 134

Rechtschreibstrategien anwenden

	Großschreibung von Nomen	kurzer Vokal – Doppelkonsonant	Merkwort
spanend spannend			
Verlag Ferlag			
Druckerei druckerei			
ales alles			
Foto foto			

Rechtschreibstrategien anzuwenden fällt mir ___.

1 Entscheide dich für die richtige Schreibung. Streiche das falsche Wort durch.

2 Kreuze an, welche Strategie dir hilft.

___ | 10

Nachschlagen im Wörterbuch

vorlesen	S. ______	verschlingen	S. ______
vorschreiben	S. ______	vorzeichnen	S. ______
verlängern	S. ______	verkaufen	S. ______

Wörter im Wörterbuch zu finden fällt mir ___.

3 Schlage im Wörterbuch nach. Notiere die Seitenzahl.

___ | 6

Diese Tipps möchte ich dir geben:

Einen Text sinnvoll ordnen
- ☐ Du kannst Texte sinnvoll ordnen.
- ☐ Lies Texte mehrmals. Achte auf Zusammenhänge.
- ☐ ______________________

Nachgestellter Begleitsatz
- ☐ Du setzt die Anführungszeichen der wörtlichen Rede sicher.
- ☐ Lies auf Seite 154 im Buch noch einmal nach.
- ☐ ______________________

Rechtschreibstrategien anwenden
- ☐ Du setzt bekannte Strategien gut ein.
- ☐ Beschäftige dich mit den Rechtschreibstrategien.
- ☐ ______________________

Nachschlagen im Wörterbuch
- ☐ Du schlägst sicher nach.
- ☐ Suche die Wörter ohne Vorsilbe, wenn du sie unter v nicht findest.
- ☐ ______________________

→ S. 163, 164

Lesen

Ausflug ins Kino

Cinecine Köln am Goethering – Am Kinopark 1 –	Kartenreservierung 0221-99 999 999, täglich 11.00–20.00 Uhr Programmansage 0221-99 999 333-0		
Filmtitel	**Infos**		**Vorstellungsbeginn**
Der Hüter des Lichtes	Ab 6	97 Min	Do–Di 15.15 Uhr
Ritter Rost – Eisenhart und voll verbeult (digital)	Ab 0	78 Min	Fr–Di 14.45 Uhr
Karaoglan	Ab 12	110 Min	Do–Di 17.45, 20.30, 23.15 Uhr
Vampirschweinchen	Ab 0	97 Min	Do–Sa 14.00, 18.00 Uhr So 11.30, 14.00, 18.00 Uhr Mo + Di 14.00, 18.00 Uhr
Die Abenteuer des Huck Finn	Ab 6	101 Min	Do–Di 14.15 Uhr
Life of Pi: Schiffbruch mit Tiger 3D	Ab 12	126 Min	Do–Di 13.45, 16.45, 19.45, 23.00 Uhr
Ludwig II	Ab 6	142 Min	Mi 22.30 Uhr

a) Eine Kartenreservierung ist möglich

☐ bei der Post ☐ telefonisch ☐ über das Internet

b) Der Film **Der Hüter des Lichtes** ist freigegeben ☐ ab 12 ☐ ab 6 ☐ ab 0

c) An welchen Tagen läuft das **Vampirschweinchen**?

☐ Mo ☐ Di ☐ Mi ☐ Do ☐ F ☐ Sa ☐ So

d) Der Vorstellungsbeginn des Films **Die Abenteuer des Huck Finn** ist

☐ mittwochs um 14.30 Uhr ☐ dienstags 14.15 Uhr ☐ freitags 17.15 Uhr

1 Kreuze alle richtigen Antworten an.

a) Welches ist der kürzeste Film? ______________________

b) Welcher Film wird in der Woche am häufigsten gezeigt? ______________________

c) Was ist besonders an dem Film? ______________________

2 Beantworte die Fragen. Schreibe auf.

____

____

3 Welcher Film ist zwar für die Kinder der 3. Klasse freigegeben, kommt aber für einen Klassen-Kinoausflug gar nicht in Frage? Begründe.

Ein Spiele-Fest in der 3 b

Die Klasse 3 b möchte wieder ein Spiele-Fest veranstalten.
In einem Diagramm können die Kinder ablesen, wie viel Prozent der Mädchen und Jungen in den letzten Jahren bei welchen Spielen mitgemacht haben.

a) 82 % der Mädchen machten bei der Verkleidungsstaffel mit.
b) 88 % aller Mädchen beteiligten sich am Wassertransport.
c) Beim Wikingerschach machten 72 % der Jungen mit.

1 Markiere die Angaben im Diagramm.

	stimmt	stimmt nicht
a) 91 % der Mädchen machten beim Gummistiefelweitwurf mit.		
b) Es beteiligten sich mehr Jungen am Kartoffellauf als Mädchen.		
c) Es machten mehr Mädchen beim Wikingerschach mit als beim Wassertransport.		

2 Lies das Diagramm. Kreuze an.

a) Welches war das beliebteste Spiel bei den Mädchen?

____

b) Welches war das unbeliebteste Spiel bei den Jungen?

____

c) Welche beiden Spiele würdest du der 3 b empfehlen, damit Mädchen und Jungen Spaß haben?

____

3 Beantworte die Fragen mithilfe des Diagramms.

Schule früher

Früher wurden oft mehrere Klassen gleichzeitig in einem Raum unterrichtet.
Die Schüler **saßen in Bänken** hintereinander. Zum Schreiben lagen auf den Tischen **Schiefertafeln und Griffel**. Am Lehrerpult lehnte der **Rohrstock**.
Er diente der Bestrafung. Auf dem Pult standen Federhalter und Tintenfass.
Der **Ranzen** hing am Pult. Die Kinder lernten lesen, schreiben, rechnen und singen.
Nach Unterrichtsschluss verließen die Schüler der Reihe nach den Raum.
Dabei mussten sie dem Lehrer in die Augen **schauen** und sich verabschieden.

Schulregeln

Jeder Schüler muss in **seiner Bank** still und aufrecht **sitzen** und die Hände geschlossen, neben **Tafel und Griffel** auf den Tisch legen.

Alle Kinder **schauen** dem Lehrer ständig fest in die Augen.

Spielen, Lachen, Flüstern, heimliches Lesen und neugieriges Herumgaffen dürfen nicht vorkommen.

Wer gegen die Schulregeln verstößt, soll mit dem **Rohrstock** bestraft werden.

	Text	Schulregeln	Foto
Wie standen die Bänke?			
Womit schrieben die Kinder?			
Wozu diente der Rohrstock?			
Wie sahen die Ranzen der Kinder aus?			
Wo sollten die Kinder hinschauen?			
Welche Gegenstände befanden sich im Klassenraum?			
Wo saßen die Kinder?			

1 Überfliege den Text, die Schulregeln und das Foto.
Wo findest du die Antwort? Kreuze an.

Der Traum vom Fliegen

Erste Flugzeugpläne

Zu jeder Zeit hat der Traum vom Fliegen die Menschen begeistert. Bereits im 15. Jahrhundert entwarf Leonardo da Vinci eine Art Schwingenfluggerät, das nie gebaut wurde. Die Flügel sollten mit Muskelkraft bewegt werden.

___

300 Jahre später gelang es den Brüdern Montgolfier, einen Heißluftballon zu bauen und damit tatsächlich zu fliegen: Heiße Luft in einer Ballonhülle hob Menschen in die Luft.

___

1891 erhob sich Otto Lilienthal mit seinem Hängegleiter zu einem Flug von 25 Metern. In einen solchen Gleiter bauten die Brüder Wright 1903 in Amerika einen Benzinmotor ein und flogen damit 53 Meter weit.

___

Der Wunsch nach einem echten Passagierflugzeug wurde 1919 mit der Entwicklung der Junkers F 13 erfüllt: Vier Menschen konnten mitfliegen. Anfang 1960 wurde mit der Boeing 707 das erste Düsenpassagierflugzeug in Betrieb genommen. Heute hat ein Superjumbo Platz für 853 Passagiere.

___

Gleichzeitig reizten immer größere Geschwindigkeiten und es wurden Überschallflugzeuge wie die Concorde und die Douglas DC 8 gebaut.

___

Mit dem Flug zum Mond im Raumschiff Apollo 13 war der Traum vom Fliegen noch nicht zu Ende. Mit Raumfähren soll in Zukunft die Welt der Planeten erkundet werden.

~~Erste Flugzeugpläne~~ | Propellermaschine | Passagierflugzeuge | Überschallflugzeuge | Raumschiffe | Rosinenbomber | Gleitflugzeuge | Heißluftballon | Doppeldecker

1 Ordne jedem Abschnitt das passende Stichwort zu. Drei Stichwörter bleiben übrig.

Lesende Bären

Obwohl schwedische Bären viele Monate **Winterschlaf** halten, sind sie **oft unausgeschlafen** und deshalb gereizt und nervös. Jetzt hat man endlich herausbekommen, warum: Diese Bären **lesen im Bett**.

Im Herbst fressen sie sich nicht nur einen Winterspeck an – sie **horten auch Büchervorräte**.

Aus dem Dörfchen Norrby wird gemeldet, dass dort regelmäßig **im September oder Oktober** Bären aus dem nahe gelegenen Nationalpark die örtlichen **Gemeindebüchereien überfallen** und komplett ausplündern.

– obwohl Winterschlaf

1 Schreibe die markierten Stichwörter in die rechte Spalte.

Der Schlafmangel macht die Bären dann im Frühling mürrisch und aggressiv. Tierschützer haben versucht, den Bären zu helfen, indem sie ihnen Fernsehapparate in die Höhlen stellten.

Leider wirkte das nur bei älteren Tieren, die oft gleich nach der Tagesschau einschliefen und bis zum Frühling nicht mehr aufwachten. Bärenkinder aber wurden dabei beobachtet, wie sie …

Martin Auer

2 Markiere selbst Stichwörter und schreibe sie in die rechte Spalte. Markiere so wenige Wörter wie möglich.

Ich denke, der Text ist wahr, / nicht wahr, weil ____________________

____

3 Entscheide dich. Markiere deine Entscheidung und begründe.

Fernsehgeschichten vom Franz

Der Franz kommt sich wie „der Blöde" vor, weil die Kinder in der Schule immer von den Filmen reden, die sie im Fernsehen angeschaut haben. Und weil die Kinder sehr oft und sehr lang davon reden, kann er sehr oft nicht mitreden. Und den Mund halten, wenn andere reden, mag er auch nicht. Nun haben die Kinder wieder einmal über eine TV-Serie geredet. Der Franz hat still dabeigesessen.
„Was meinst du?", hat ihn der Alexander gefragt.
Der Franz wollte nicht schon wieder sagen, dass er diese Serie zu Hause nicht sehen kann. So sagte er: „Ich hab was anderes angeschaut."
„Und zwar?", fragte der Alexander.
„Eine … von einem Astronauten … von einem anderen Planeten … der landet bei uns … und sein Raumschiff geht kaputt", sagte der Franz.
„Auf welchem Sender?", fragte der Max.
„Sat-sechs!", sagte der Franz und seine Stimme war dabei ein bisschen piepsig.
„Sat-sechs?" Die Martina und der Max und der Alexander tippte sich mit einem Zeigefinger an die Stirn. „Sat-sechs gibt es gar nicht!", riefen sie.
Der Franz dachte: Wenn man einen Schwindel anfängt, muss man ihn durchhalten! Er piepste: „Den gibt's! Ist mit der Spezial-Antenne zu empfangen, die mein Papa gebastelt hat!"

Christine Nöstlinger

a) Der Franz kommt sich wie „der Blöde" vor. Zeile 1 ______

b) Und den Mund halten, wenn andere reden, mag er auch nicht. ______

c) „Auf welchem Sender?", fragte der Max. ______

d) „Sat-sechs?" ______

e) „Den gibt's! Ist mit der Spezial-Antenne zu empfangen, die mein Papa gebastelt hat!" ______

1 Finde die Sätze im Text. Markiere sie. Schreibe die Zeilennummern auf.

______

______

______

2 „Wen mann einen Schwindel anfängt, muss man ihn durchhalten!"
Was bedeutet dieser Satz? Schreibe auf.

Stolperwörter

Tinto fällt eine Maus.

Tinto faucht eine Maus.

Tinto fängt eine Maus.

Tim und Fatma lachen über den lustigen Schnitz.

Tim und Fatma lachen über den lustigen Witz.

Tim und Fatma lachen über den lustigen Blitz.

Lenas Geschenkeborb ist voller Bücher.

Lenas Geschenkelorb ist voller Bücher.

Lenas Geschenkekorb ist voller Bücher.

Jonas wünscht sich ein Zeugnis mit guten Broten.

Jonas wünscht sich ein Zeugnis mit guten Goten.

Jonas wünscht sich ein Zeugnis mit guten Noten.

1 Nur ein Satz stimmt. Kreuze an.

Ich möchte spiele gerne Saxophon lernen.

Lena verstecke schreibt gerne in ihr Tagebuch.

Auf dem Schulhof schnell laufen die Kinder um die Wette.

In der Turnhalle klettern die Kinder die schlau Sprossenwand hoch.

Tim mag gerne Spaghetti Birnen mit Tomatensoße.

Fatma schreibt ihre Hausaufgaben mit ordentlich dem Computer.

Himbeereis grau schmeckt Tinto am besten.

2 In jedem Satz passt ein Wort nicht. Streiche es durch.

↗1, 132

Fahndung nach Steckbrief

Schon lange versuchten Gitta und Kalle dem berüchtigten Taschendieb Dino Matz das Handwerk zu legen. Ohne Erfolg! Sie wissen nur, dass Dino stets bekannte Kurorte aufsucht und ein Auge auf reiche Damen wirft.
Doch endlich macht er einen entscheidenden Fehler: In Bad Winterlaken versucht er sein Glück ausgerechnet bei Kalles Tante, der wohlhabenden Antonia Lohage.
Empört informiert Tante Antonia ihren Neffen und kann zum Glück auch eine genaue Beschreibung des Schwindlers liefern:
schwarze Haare, schwarzer Schnurrbart, Brillenträger, weißes Hemd, schwarze Jacke, weiße Hose. Gesehen in den Kuranlagen des Hotels Kurbad.
Kalle und Gitta verlieren keine Zeit und machen sich auf nach Winterlaken. Ihre Eile hat sich gelohnt. In den Kuranlagen des Hotels Kurbad können sie Dino endlich beobachten.

Jürg Obrist

1 Wie sieht Dino Matz aus? Markiere im Text.

2 Wo ist Dino Matz? Kreise ihn ein.

Passende Informationen einem Text entnehmen und zur Lösung nutzen

Nachwuchs bei Mucki

Eines Tages kommt Hanna mit einem Korb nach Hause. Ihre Mutter schaut neugierig unter die Decke und entdeckt ein Meerschweinchen. Eigentlich war sie ja gegen Haustiere in der Wohnung, wegen des Geruches, aber das kleine Tier schaute sie so traurig an, dass sie sich bereit erklärt, es zu behalten. Nun sitzt Mucki also in einer großen Plastikwanne auf Stroh und frisst den ganzen Tag vor sich hin: Apfelschalen, Salatblätter, Karotten, Getreidekörner und viel Heu. Dann bemerkt Hanna, dass Mucki immer träger und schwerfälliger wird und dass an den Bauchseiten zwei richtige Knödel herausstehen. Eines Tages, als sie Mucki versorgen will, entdeckt Hanna zwei kleine, braune Meerschweinchen, die noch etwas feucht sind, aber schon die Augen geöffnet haben. Mucki ist sehr damit beschäftigt, ihre Jungen trocken zu lecken. Hanna ist sehr erstaunt und rechnet nach: Meerschweinchen werden 60–70 Tage ausgetragen und sie hat Mucki genau eineinhalb Monate. Also war ihr Meerschweinchen schon schwanger, als sie es bekommen hat, und sie hat es nicht bemerkt. Schon am Abend beobachtet Hanna, dass die Jungtiere an den Zitzen der Mutter saugen, herumlaufen, sich putzen und sie knabbern sogar schon an den weichen Salatblättern. Die beiden Kleinen saugen noch drei Wochen, dann fressen sie nur noch Grünzeug, Heu und Körner.

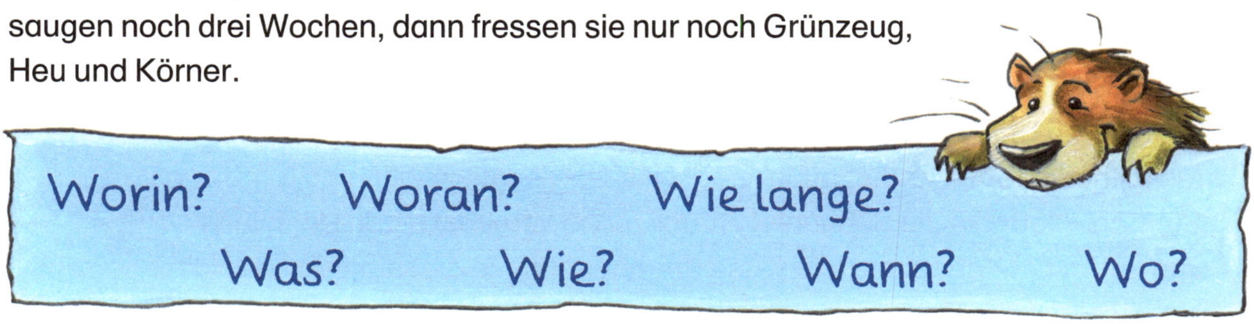

Worin sitzt Mucki? Mucki sitzt in einer großen Plastickwanne.

1 Stelle vier W-Fragen zum Text und markiere die Antworten.

Tim und das Geheimnis von Knolle Murphy

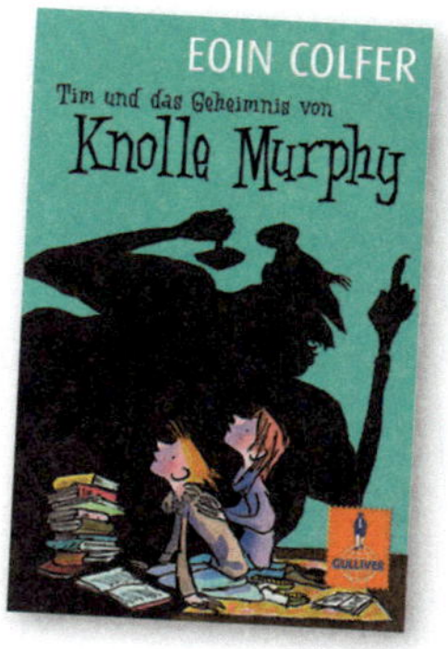

„Tim und sein Bruder Marty sind dazu verdonnert, einen Teil der Sommerferien in der städtischen Bücherei zu verbringen. Ausgerechnet dort, wo Knolle Murphy, die strenge Bibliothekarin und der Schrecken aller Kinder unbarmherzig herrscht …"

1 Knolle öffnete die Schachtel auf ihrem Schreibtisch. „Da ist eine ganze Stempelsammlung drin. Letzte Woche bekam ich einen, der könnte dir gefallen. Er hat die Form von einem Piratenschiff. Die meisten Jungen wollen, dass ich ihnen den auf den Unterarm stemple, wie ein Tattoo auf Zeit." Sie wollte die Schachtel wieder schließen. „Aber vielleicht bist du dazu noch zu jung." Marty rollte schon seinen Ärmel hoch. „Nein, das wäre toll. Auf meinem Arm. Wenn das die Jungs im Schwimmbad sehen!"

Langsam gingen wir zur Tür. Marty hielt seinen Arm von sich gestreckt. Man hätte meinen können, er würde gar nicht zu ihm gehören. Als er die Tür öffnete, rief Knolle ihm etwas hinterher. „Übrigens, Martin", sagte sie, „viel Spaß im Schwimmbad."

Nur war es gar kein Piratenschiff. Es war ein kurzer Satz mit drei Wörtern: ICH LIEBE BARBIE. „Ups", sagte Knolle. „Falscher Stempel. Tut mir wirkliche Leid." Marty brachte kein Wort heraus. Wenn das jemand auf seinem Unterarm las, würde man sich bis in alle Ewigkeit über ihn lustig machen. "Ihr solltet euch lieber beeilen", sagte Knolle und legte den Stempel wieder in die Schachtel zurück. „Und vergesst nicht: Noch eins von euren Spielchen und ich werde unangenehm. In diesem Schreibtisch sind schlimmere Sachen als Stempel."

Knolle suchte einen Stempel aus und färbte ihn auf einem blauen Kissen ein. „Bist du sicher, Martin? Das geht ein paar Tage lang nicht ab." „Ganz sicher. Stempeln Sie nur los." „Gut, wenn du sicher bist." Knolle grinste breit. „Na dann, halt still!" Die Bibliothekarin rollte den Stempel über Martys Unterarm. Vor und zurück, drei Mal. Als sie den Stempel hochhob, beugten wir uns vor, um das Piratenschiff zu betrachten.

Eoin Colfer

1. Bringe den Text in die richtige Reihenfolge.
2. Markiere Wörter, die dir geholfen haben, die richtige Reihenfolge zu finden.

Texte verfassen

Wörtersammlungen

1 Finde noch mehr Wörter zum Thema **Hund**.
Schreibe sie in die Kärtchen.

Mögliche Themen: Computer –  – Pferd – Roboter – Weltall – Schloss

oder ______________________________

2 Schreibe selbst eine Wörtersammlung zu einem Thema oder einem Bild.

3 Schreibe dazu eine Geschichte. ⟶ **Tipp**

4 Sammelt Wörter zu einem Thema.
Schreibt beide eine Geschichte dazu.
Vergleicht die Geschichten.

Tipp

So kann ich Ideen für eine Geschichte sammeln:
- Ein Thema überlegen
- Gedanken zum Thema auf Kärtchen schreiben
- Kärtchen so sortieren, dass eine Geschichte entsteht

Der Anfang einer Geschichte

Wer? | **Wann?** | **Wo?**

1 Male oder schreibe deine Ideen für eine Geschichte in die Kästchen.

____

____

____

____

____

____

Tipp

Um einen Anfang für deine Geschichte zu finden, beantworte folgende Fragen:
Wer? Wann? Wo?

2 Schreibe den Anfang deiner Geschichte auf. ⟶ **Tipp**

3 Überprüft deinen Geschichtenanfang.
Werden diese Fragen beantwortet? ☐ Wer? ☐ Wann? ☐ Wo?

4 **Was** passiert in deiner Geschichte? Wähle aus. Schreibe sie zu Ende.
☐ eine Begegnung ☐ ein Unfall ☐ ein Angriff ☐ ein trauriges Erlebnis
☐ ein spannendes Erlebnis ☐ ______________________________

Texte planen:
Personen, Ort, Zeit und Ereignis vorüberlegen

Einleitung, Hauptteil, Schluss

(1) Es war ein sonniger, kalter Wintertag. Carla holte ihren Freund Nikolai zum Schlittenfahren ab.

(2) Da lief das kleine Fohlen endlich in den Stall zurück. Bauer Friedrich schloss die Tür und lehnte sich erschöpft an die Stallwand. Dann ging er ins Haus. Heute würde er früh schlafen gehen.

(3) Die folgende Geschichte ereignete sich auf einem Bauernhof. Es geschah vor vier Jahren. Bauer Friedrich versorgte gerade seine Tiere, als …

(4) Auf ihrem Lieblingshügel beschlossen sie, ein Wettrennen zu machen. „Auf die Plätze, fertig, los!“, gab Carla das Kommando. Nun ging es los. Zunächst mussten sie ordentlich anschubsen. „Ich bin schneller!“, hechelte Nikolai. Dann gewannen auf dem eisigen Boden beide an Tempo. Sie jubelten. An der steilsten Stelle wurden sie noch schneller. In rasender Fahrt sausten sie dahin …

1 Hier hast du zwei Geschichten. Zu jeder Geschichte gehören zwei Teile.
Markiere **Einleitungen**, **Hauptteile** und **Schlüsse** in verschiedenen Farben. ⟶ **Tipp**

Geschichte über Carla: Text _____ und Text _____

Es fehlt: ☐ die Einleitung ☐ der Hauptteil ☐ der Schluss

Geschichte über Bauer Friedrich: Text _____ und Text _____

Es fehlt: ☐ die Einleitung ☐ der Hauptteil ☐ der Schluss

2 Welche Textteile gehören zusammen?

Tipp

Eine Geschichte besteht aus Einleitung, Hauptteil und Schluss.
Die **Einleitung** beantwortet diese Fragen:
Wer? Wann? Wo?
Der **Hauptteil** erzählt ausführlich, **was** passiert.
Der **Schluss** rundet die Geschichte ab.

Der Höhepunkt

(1) … Weil sie so schnell waren, schafften sie es nicht mehr um die nächste Kurve. Bumm, da lagen sie im Schnee.

(2) … „Bremsen! Wir schaffen es niemals um die nächste Kurve!“, rief Nikolai. Auch Carla begann zu schwitzen. Sie haute ihre Fersen in die Bahn, doch auf dem Eis fanden sie keinen Halt. Was jetzt? Die Kurve kam näher und dahinter waren die Bäume. In Carla kroch die Panik hoch. Da schrie Nikolai: „Abspringen, Carla!“ Fast gleichzeitig ließen sie sich seitlich vom Schlitten rutschen. Sie schlitterten noch ein ganzes Stück weiter und blieben dann an einem Schneehaufen hängen.

1 Markiere im zweiten Höhepunkt die Textstellen, die ihn spannend machen.

- Der Hauptteil beschreibt ausführlich, was passiert. AL
- Der Hauptteil soll möglichst kurz sein. GEN
- Gedanken und Gefühle machen die Geschichte lebendiger. LES
- Wörtliche Rede kannst Du auf jeden Fall weglassen. EIN
- Treffende Adjektive und Verben bringen Spannung in die Geschichte. RICH
- Am Höhepunkt der Geschichte nimmt die Geschichte eine Wendung. TIG

2 Kreuze die richtigen Aussagen an.

„Oh nein! Ich muss hinterher“, denkt Bauer Friedrich. • außer Atem • schwitzend
„Stopp!“, brüllt Bauer Friedrich. • auf die Straße springen • Bremsen quietschen

3 Schreibe zu der Geschichte von Bauer Friedrich den Hauptteil mit einem Höhepunkt. Die Wörter und Sätze im Kasten können dir helfen.

Passende Adjektive

(1) arm – schön (2) schrecklich – freundlich (3) wild – lustig (4) alt – weise
(5) gütig – streng (6) glücklich – untröstlich (7) mutig – hübsch

Der (1) ______________________ Prinz

Einmal wurde ein (1) ______________________ Prinz
von einem (2) ______________________ Drachen gefangen.
Der wollte ihn bei sich behalten und mit ihm ein (3) ______________________
Leben führen. Die Eltern des Prinzen, die (4) ______________________ Königin
und der (5) ______________________ König,
waren (6) ______________________. Eines Tages kam
eine (7) ______________________ Prinzessin des Weges. Sie …

1 Wähle für jede Stelle ein Adjektiv so aus, dass die Geschichte eher lustig oder eher ernst wird. ⟶ **Tipp**

____

____

____

____

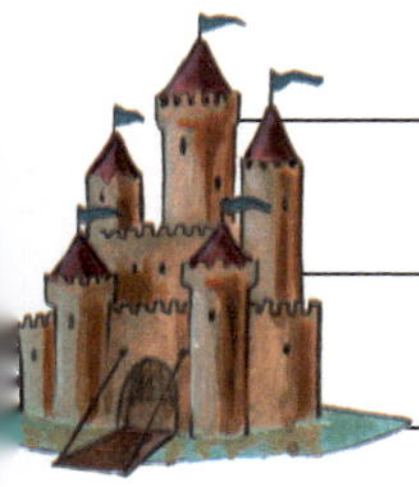

____

____

____

2 Schreibe die Geschichte zu Ende. Benutze dabei viele passende Adjektive. ⟶ **Tipp**

3 Tauscht eure Geschichten. Zählt, wie viele passende Adjektive euer Partnerkind benutzt hat.

Tipp

Adjektive verändern eine Geschichte. Sie machen sie spannend, lustig oder ernst: quietschend, gruselig, traurig, arm, kunterbunt.

Bilder im Kopf

Eine kleine Maus
Es war einmal eine klitzekleine Maus.
Sie schlich sich eines schönen Tages
aus ihrer warmen, gemütlichen Höhle.
Vorsichtig schnupperte sie.
Nichts Verdächtiges war zu bemerken.
Sie trippelte ein Stück weiter und
bekam auf einmal den herrlichen Duft
eines warmen und knusprigen Brotes
in die Nase. Sie flitzte dem Duft nach,
um die Ecke herum und knallte
plötzlich gegen einen weichen,
haarigen Bauch. Da stand …

Eine Maus
Es war einmal eine Maus.
Sie ging aus ihrem Loch und roch.
Da sie nichts bemerkte, ging sie ein
Stück weiter und bekam den Geruch
eines Brotes in die Nase.
Sie ging dem Geruch nach, ging um
eine Ecke und spürte einen Bauch.
Da stand …

1. Welche Wörter klingen besonders gut?
Suche in beiden Texten und markiere.

2. Vergleicht: Welche Wörter habt ihr markiert?
Durch welchen Text entsteht im Kopf ein besseres Bild? ⟶ **Tipp**

Tipp
Es gibt Wörter, die helfen, sich
Geschichten gut vorzustellen.
Dann ist Lesen wie Kino im Kopf.
Oft sind dies Wörter,
die besonders „klingen“,
z. B. trippeln, klirren, schaurig,
geheimnisvoll, knacken …

3. Im zweiten Text **geht** die Maus immer nur.
Suche aus dem ersten Text alle Wörter
des Wortfeldes **gehen** heraus.
Schreibe sie in der Grundform auf. Finde weitere Wörter.

Da stand

4. Schreibe die erste Geschichte zu Ende. Versuche, treffende Wörter zu benutzen.

Geschichten lebendiger schreiben

Aufregung im Wald

Kasperl ist allein im Wald unterwegs. Plötzlich trifft er auf den bösen Wolf.

[2] Kasperl läuft so schnell davon, wie er nur kann.

[ ] Der Wolf kommt immer näher. Es geht über Wurzeln und durchs Gebüsch. [ ] [ ] Da sieht Kasperl das Haus des Jägers. [ ] Als der Wolf den Jäger sieht, dreht er um und flieht. [ ]

Geschichten werden lebendiger, wenn Personen sprechen und denken.

(1) „Hilfe, Hilfe!“, schreit Kasperl.

(2) „Ich hab's! Ich laufe zum Haus des Jägers!“, fällt Kasperl ein.

(3) „Ich schaffe es nicht“, stöhnt Kasperl.

(4) „Jetzt fresse ich dich“, knurrt der Wolf.

(5) Kasperl denkt: „Was mach ich bloß?“

(6) Kasperl bedankt sich: „Du hast mich gerettet!“

1 Überlege, welche wörtliche Rede passt. Trage die Ziffer ein.

Kasperl ist allein im Wald unterwegs. Plötzlich trifft er auf den bösen Wolf.

2 Schreibe deinen Text mit wörtlicher Rede auf. Denke an die Anführungszeichen. Achte bei den Begleitsätzen auf den Doppelpunkt oder das Komma.

Pronomen

Julian hat Glück

Julian wachte eines Morgens auf. Julian zog sich gleich alleine an. Julian wollte seine Eltern überraschen.	Julian wachte eines Morgens auf. Er zog sich gleich alleine an. Er wollte seine Eltern überraschen.

1 Lies beide Texte und vergleiche. Was wurde im zweiten Text verbessert?

- Es wurden treffendere Verben eingesetzt.
- Das Nomen **Julian** wurde durch das Pronomen **er** ersetzt.

Julian ging alleine los zum Bäcker.
Julian sprang fröhlich den Gehweg entlang.
Dann hüpfte Julian fröhlich
um die nächste Häuserecke.
Dahinter war eine tiefe Baugrube.
Julian knallte gegen eine Absperrung.
Julians Füße hingen über dem Abgrund.
Gerade konnte sich Julian noch festhalten.
Aber wie lange noch?
Da kam ein Mann aus der Bäckerei.

Tipp
Eine Geschichte klingt interessanter, wenn nicht alle Sätze gleich beginnen: Ersetze Nomen durch Pronomen (er, sie, es).

2 Markiere im zweiten Teil der Geschichte Nomen, die du durch Pronomen ersetzen kannst.

An manchen St… ist es sinnvo… das Nomen ste… zu lassen.

3 Verbessere den zweiten Teil der Geschichte und schreibe ihn auf. → **Tipp**

4 Schreibe die Geschichte zu Ende.

Pronomen passend ersetzen,
um eine Geschichte besser lesbar zu machen

Vorbereitung einer Schreibkonferenz

Hasenalarm

In unserem Garten haben wir einen kleinen Stall mit zwei Kaninchen. Hoppel ist ganz grau, Moppel ist schwarz. Sie wollen sich gern bewegen. Sie wollen deshalb immer ausbrechen. Es ist ihnen schon gelungen. Wenn wir es merken, rufen wir ganz laut „Hasenalarm“. Dann kommen alle und helfen sie einzufangen. So ist Hoppel und Moppel noch nie etwas passiert.

Milan, 9 Jahre

1 Lies die Geschichte.

Geschichte: Hasenalarm   Autor: Milan

Lesepartner	Das hat mir besonders gut gefallen.	Das fällt mir auf./ Das verstehe ich nicht.	Tipp
Charlotte	Die Überschrift ist witzig.	Wer ist wir?	Beschreibe die Personen in der Einleitung.
Imanuel	Die Namen der Kaninchen passen gut.	„Sie wollen“ kommt so oft vor.	Sie bewegen sich gern und wollen deshalb ausbrechen.
______	______	______	______

2 Hier haben Kinder schon Tipps zu der Geschichte gegeben. Schreibe deine Notizen in die untere Zeile der Tabelle.

3 Schreibe die Geschichte überarbeitet auf. Nutze die Tipps aus der Tabelle.

4 Suche dir eine selbst geschriebene Geschichte aus. Überarbeite die Geschichte . ⟶ **Tipp**

Tipp

Leichter ist es, eine Geschichte mit anderen zusammen zu überarbeiten.
Lege für deine Geschichte eine Tabelle an.
Gib diese Tabelle anderen Kindern, die sie ausfüllen.

Das hat mir besonders gut gefallen.	Das fällt mir auf./ Das verstehe ich nicht.	Tipp
...	...	...

Texte überarbeiten in einer Schreibkonferenz

____

Jan und Tim gingen von der schule nach Hause. Sie gingen wie immer die Straße entlang und ratschten mit ihren Stöken an einem Zaun entlang. Dann sahen sie die Spielsachen in einem Schaufenster an. Dann gingen sie weiter durch den kleinen park. Dann kam ein großer, schwarzer Hund auf sie zu. Der Hund bellte laut. Der Hund blieb stehen und knurte. Jan erstarrte vor Schreck. Jan sagte: „Der schnappt gleich zu!" Jan sah, wie Tim die Hant ausstreckte. Tim ging vorsichtig auf den Hund zu. Der Hund ging näher. „Jetzt beißt er ihn!", sagte Jan. Doch der Hund schnupperte an Tims hant. „Na, du Streuner!", sagte Tim und kraulte den Hund zwischen den Ohren. Jan atmete tief durch.

1 Lest die Geschichte gemeinsam.

2 Überarbeitet die Geschichte in einer Schreibkonferenz. ⟶ **Tipp**

a) Findet die sechs Rechtschreibfehler. Streicht die falschen Wörter durch und schreibt sie richtig darüber.

b) Schaut euch die Satzanfänge an.

c) Findet treffendere Wörter für **ging/gingen** und **sagte**. Markiert die Wörter im Text und schreibt die Verbesserungen darüber.

d) Ergänzt die fehlende Überschrift.

Tipp

Überarbeitet eine Geschichte in einer Schreibkonferenz.
- Ein Kind achtet auf Rechtschreibfehler.
- Ein Kind achtet auf die Satzanfänge.
- Ein Kind achtet auf treffende Wörter.

Sprache untersuchen

Alles Nomen?

FATMA • LUFT • BILLIG • LUSTIG • GEMÜSE
HUNGER • MEER • PILOT • NACHT • SCHIEF
SALZ • TIER • WIND • ANGST • HUND

1 Markiere nur die Nomen.

der	die	das
	Fatma	

2 Schreibe alle Nomen richtig in die Tabelle.

Nomen in der Einzahl und in der Mehrzahl

Fuß • Kartoffeln • Länder • Regen • Bäume • Maus • Dach

Land • Füße • Kartoffel • Dächer • Mäuse • Baum • Obst

die Kartoffel – die Kartoffeln

3 Verbinde die Einzahl und Mehrzahl. Schreibe die Paare mit Artikel auf.

4 Zwei Nomen gibt es nur in der Einzahl. Schreibe sie mit Artikel auf.

Stimmt das so?

Zahn|kasten	Sandballon	Schneebogen	Regenbiene
Luftpause	Hofbürste	Honigklingel	Türmann

1 Trenne die zusammengesetzten Nomen durch einem Strich.

die Zahnbürste

2 Setze die einzelnen Nomen zu sinnvollen neuen Nomen zusammen. Schreibe sie mit Artikel auf.

der/die Handschuh — der/das Baumhaus — die/der Stadtbücherei

der/das Regenwasser — der/die Filzstift — der/das Apfelsaft

3 Streiche den falschen Artikel durch.

Verb + Nomen = Nomen

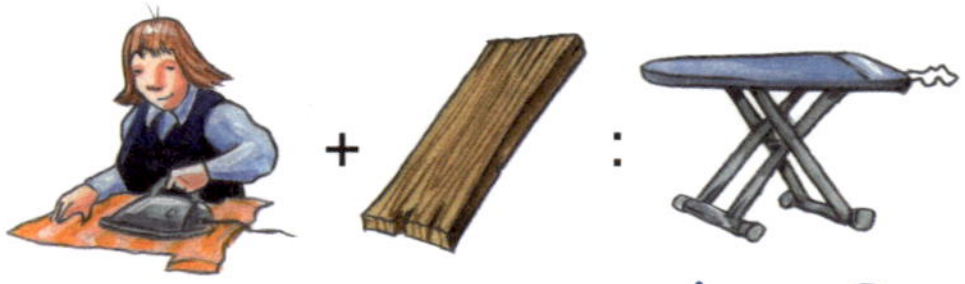

bügeln + das Brett : das Bügelbrett

angeln + die Schnur : ______

braten + die Wurst : ______

zeigen + der Finger : ______

spielen + der Platz : ______

malen + der Stift : ______

4 Bilde zusammengesetzte Nomen. Schreibe sie mit Artikel auf.

Wenn das Kind nicht still sein will

Die Bären brummen,
die Bienen summen,
die Katzen miauen,
es krächzen die Pfauen.

Die Mäuse pfeifen,
die Affen keifen,
die Löwen brüllen,
es wiehern die Füllen*.

Die Tauben gurren,
die Hunde knurren,
die Störche klappern,
die Kinder plappern.

Und ginge das nicht in einem fort,
kämen die Fische auch zu Wort.

Josef Guggenmos

*anderes Wort für Fohlen

1 In dem Gedicht findest du in jeder Zeile ein Verb. Markiere es.

Verben in der Personalform

schwimmen	erzählen
ich schwimme	ich
du	du
er, sie, es	er, sie, es
wir	wir
ihr	ihr
sie	sie

2 Schreibe die Personalformen auf.

3 Markiere in allen Formen den Wortstamm.

4 Kreise die Endung ein.

Was war?

essen geschehen lesen helfen kommen schlafen gehen rufen

ich aß sie lasen ich kam es geschah wir gingen du schliefst er half sie rief

1 Markiere zu jedem Verb in der Grundform das passende Verb in der Vergangenheit.

Lena und ihre Oma – die Zeiten ändern sich

Lena heute

Lena steht jeden Morgen um sieben Uhr auf.

Sie braucht eine Viertelstunde bis zur Schule.

Wenn Lena nach Hause kommt, isst sie zu Mittag.

Dann macht sie ihre Hausaufgaben.

Ab und zu hilft Lena ihrer Mutter bei der Hausarbeit.

Nachmittags hat sie oft Zeit, mit ihren Freundinnen zu spielen.

Oft liest Lena noch mit der Taschenlampe im Bett.

Lenas Oma damals

Lenas Oma stand________ jeden Morgen um sechs Uhr auf.

Sie ________________ damals fast eine Stunde bis zur Schule.

Wenn Lenas Oma nach Hause ____________, ____________ sie zu Mittag.

Dann ________________ sie ihre Hausaufgaben.

Lenas Oma ____________ ihrer Mutter stets bei der Hausarbeit.

Sie ____________ nicht jeden Tag Zeit, um mit ihren Freundinnen zu spielen.

Lenas Oma __________ nie im Bett.

2 Markiere die Verben im linken Text.
Setze sie in den rechten Text in der Vergangenheitsform ein.

Fatma und Jonas

1 Unterstreiche die Adjektive.

Finde das Gegenteil

alt	billig	sauer	brav	dick	nass	kalt
teuer	jung	frech	dünn	heiß	süß	trocken

2 Suche zu jedem Adjektiv das Gegenteil. Verbinde.

Adjektive und ihre Vergleichsformen

schwer

Silke ist schwer ______. Katrin ist schwerer. Ali ist ______.

schnell

Tom ist ______. Uli ist ______. Lea ist ______.

viel

Mia liest ______. Ben liest ______. Toni liest ______.

3 Schreibe die Vergleiche wie im Beispiel auf.

Adjektive verändern sich

wild — gesund — gelb — spannend — fröhlich — lustig

der Apfel — der Hund — der Film — der Clown — das Kind — die Sonne

1 Verbinde die passenden Wortkarten.

der wilde Hund ____________ ____________

____________ ____________

____________ ____________

2 Schreibe das Adjektiv mit dem Nomen zusammen auf. Was geschieht mit dem Adjektiv?

☐ Das Adjektiv bleibt gleich. ☐ Das Adjektiv verändert sich.

Nomen + Adjektiv = Adjektiv

das Bild — das Gras — das Eis — der Bär — der Riese — das Feuer

stark — hübsch — grün — rot — kalt — groß

3 Verbinde passende Adjektive und Nomen.

bildhübsch ____________ ____________ ____________

____________ ____________ ____________

4 Schreibe die zusammengesetzten Adjektive auf.

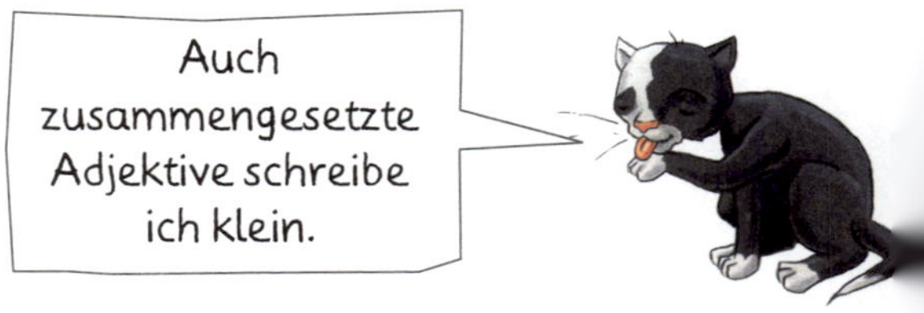

Adjektive mit -ig und -lich

-ig — -lich

Fett — Spaß — Freund — Durst — Glück — Winter — Fleiß — Kind

fettig ____________ ____________ ____________

____________ ____________ ____________ ____________

5 Verbinde das Nomen mit dem passenden Wortbaustein. Schreibe die Adjektive auf.

Himmelskörper

	sind	1	Planeten		Himmelskörper.				
	insgesamt		gibt		acht Planeten.		Es		
	ist		Die Sonne		der größte Stern.				
	einen Mond.		Die Erde		hat				
	Der Mars		rot.		ist				
	leben		Auf der Erde		wir.				

Planeten

1 Bringe die Satzteile in die richtige Reihenfolge und schreibe sie auf.

2 Suche dir einen Satz aus. Stelle ihn so oft um, wie es geht.

Das Prädikat

putzen • schlafen • schreiben • spielen

Tinto ______________________. Jonas und Lena ______________________ Ball.

Lenas Mutter ______________________. Lenas Papa ______________________.

1 Sieh dir das Bild genau an.
Ergänze das passende Prädikat in der richtigen Form.

Das Subjekt

______________________ steht auf dem Herd. ______________________ telefoniert.

______________________ ist offen. ______________________ bringt den Müll weg.

Auf dem Tisch liegt ______________________. Am Fenster steht ______________________.

2 Sieh dir das Bild genau an.
Ergänze das passende Subjekt.

Subjekt und Prädikat

Fatma geht gerne in die Schule.
Sie sitzt neben Lena.
Manchmal reden die beiden während des Unterrichts.
Der Lehrer ermahnt sie dann.
Tim und Jonas finden das lustig.

3 Markiere in allen Sätzen Subjekt und Prädikat in verschiedenen Farben.

Satzglieder Prädikat und Subjekt kennen lernen und bestimmen

122, 138, 139

Die Schule ist aus

Hast du Lena gesehen

Ich glaube, sie ist schon zu Hause

Sollen wir uns heute Nachmittag treffen

Ich rufe dich später an

Hey, du hast deinen Turnbeutel vergessen

Danke, dass du ihn mitgebracht hast

Wir sehen uns morgen

Tschüss

1. Setze die richtigen Satzschlusszeichen ein. ! ? .

Ameise und Elefant

Die Ameise und der Elefant gehen zum Fluss. ________ breiten eine Decke aus.

Die Ameise fragt den Elefanten: „Wollen wir hier schwimmen gehen “

Der Elefant freut sich. ________ ruft: „Au ja Ich springe als Erster ins Wasser “

Die Ameise will sich umziehen. ________ schreit: „He, komm zurück “

Der Elefant dreht sich um. ________ fragt verwundert: „Was ist denn los “

Die Ameise zieht einen Stoffberg hinter sich her. ________ antwortet:

„Ich glaube, du hast meine Badehose an “

2. Setze die fehlenden Satzschlusszeichen ein.
3. Setze die Pronomen **sie** und **er** ein. Denke daran: Satzanfänge schreibt man groß.
4. Markiere die Nomen, die du ersetzt.

Tinto und das Wollknäuel

Fatma ruft Sieh mal, was Tinto macht

Tim meint Ja, ich sehe es auch

Lena kommt und fragt Was ist denn da los

Jonas antwortet Tinto hat sich in einem Wollknäuel verheddert

Alle zusammen seufzen Oh je, der Arme

Doch Tinto hat sich fix wieder befreit

1 Setze die Satzschlusszeichen
und die Zeichen der wörtlichen Rede richtig ein: „ " . : ! ?

Witzig!

2 Schreibe die wörtliche Rede mit einem passenden Begleitsatz auf.
Achte auf die Zeichensetzung.

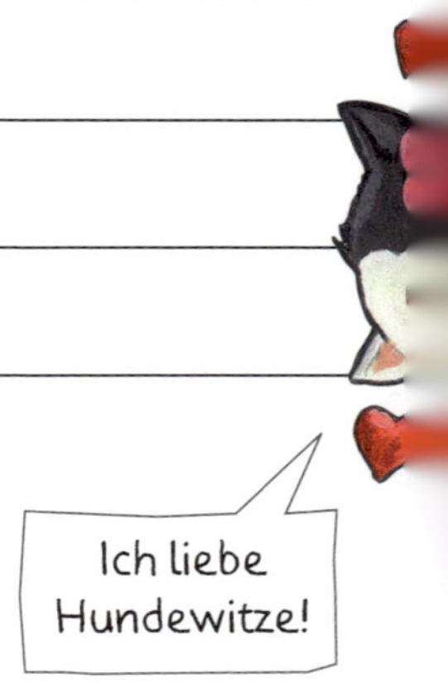

Sprache untersuchen

Silbendetektiv

Dinosaurier

Di - no - sau - ri - er

Dinosaurier

Wikinger Laterne beobachten Auto Schokolade natürlich

Buchstaben Schule Temperatur Limonade Rose Pinsel

1 Sprich die Wörter deutlich und zeichne die Silbenbögen ein.

Wörter mit 2 Silben	Wörter mit 3 Silben	Wörter mit 4 Silben
	Wikinger	

2 Ordne die Wörter in die Tabelle.

~~bau-~~ • le- • le- • ler- • ma- • ma- • mel- • ru- • su- • tur- • zei-	-chen • -chen • -den • ~~-en~~ • -fen • -gen • -gen • -len • -nen • -nen • -sen

bauen,

3 Setze die Silben zu Verben zusammen. Zeichne die Silbenbögen.

Abschreiben wie ein Profi

sprechen	Ich **lese** die Wörter. Ich **flüstere** sie dabei langsam und deutlich.
merken	Ich **merke** mir schwierige Stellen. Ich lese das Wort noch einmal und decke das Wort ab oder sehe nicht mehr hin.
schreiben	Ich **schreibe** das Wort auf und flüstere dabei die Silben mit.
kontrollieren	Ich **vergleiche** mit der Vorlage. Ein Wort mit einem Fehler streiche ich durch. Das Wort schreibe ich richtig auf.

die Pflanze	______	______
der Quark	______	______
die Hexe	______	______
der Keks	______	______
die Vase	______	______

1 Markiere schwierige Stellen in den Wörtern. Schreibe die Wörter auf und kontrolliere.

Ich denke beim Abschreiben an die vier Schritte:
sprechen, merken, schreiben und kontrollieren.
Wenn ich kontrolliere, arbeite ich so genau wie ein Detektiv.

______

______

______

______

2 Schreibe den Text richtig auf.

Abc-Experten

spielen singen schreiben stehen

1. ______________________, S. ________
2. ______________________, S. ________
3. ______________________, S. ________
4. ______________________, S. ________

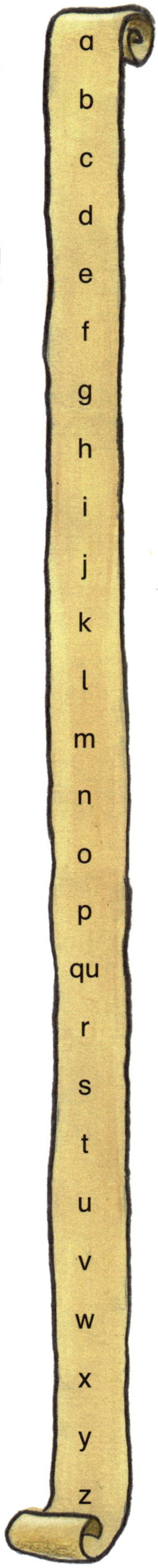

quatschen quietschen quaken

1. ______________________, S. ________
2. ______________________, S. ________
3. ______________________, S. ________

1 Ordne nach dem Abc. Schlage im Wörterbuch nach.

 ______________________ S. ________

 ______________________ S. ________

 ______________________ S. ________

 ______________________ S. ________

 ______________________ S. ________

 ______________________ S. ________

 ______________________ S. ________

 ______________________ S. ________

 ______________________ S. ________

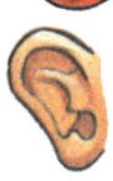 ______________________ S. ________

2 Suche die Wörter im Wörterbuch.

Verbenexperten

sie rechnet – rechnen ______ S. ______

du bastelst ______ S. ______

es hüpft ______ S. ______

wir sangen ______ S. ______

ihr schreibt ______ S. ______

sie zeichneten ______ S. ______

1 Schreibe die Grundform. Überprüfe mit dem Wörterbuch.

aufhören

______ S. ______

abbauen

______ S. ______

mitsprechen

______ S. ______

vorrechnen

______ S. ______

verschreiben

______ S. ______

aussagen

______ S. ______

2 Finde das Verb im Wörterbuch. Schreibe auf, welche Form du gefunden hast.

	ja	nein	
fresen			S. ______
der Rok			S. ______
sie fällt			S. ______
gingen			S. ______
entäuschen			S. ______

frei|wil|lig
die **Frei|zeit**
fremd, der Fremde, die Fremde → Elend
fres|sen, du frisst, sie fraß S. 224, der Fraß
sich **freu|en,** sie freute sich, die Freude, freudig
der **Freund,** die Freunde, die Freundin, die Freundschaft

A B C D E F G H I

______

3 Richtig geschrieben? Überprüfe im Wörterbuch.
Schreibe die falschen Wörter richtig auf.

Hör genau!

Sofa Stift reden Blume gelb acht Buch rot Tor

Kraft lustig unten Tag Mund rufen sagen Apfel Lob

Knete groß Tiger Tasche Milch bunt Ofen Hand Kind

1 Sprich die Wörter. Klingt der erste Vokal kurz, setze einen Punkt.
Klingt der erste Vokal lang, setze einen Strich.

Ich spreche mir die Wörter deutlich einmal mit kurzem und einmal mit langem Vokal vor.

Ich höre genau auf die Vokale.

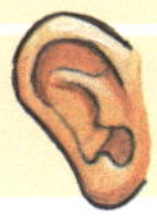

Wörter mit langen Vokalen	Wörter mit kurzen Vokalen
das Sofa	der Stift

2 Trage die Nomen mit Artikel in die richtige Spalte ein.
Markiere die kurzen und langen Vokale.

Sch___k___l___de Apf___lk___ch___n

M___rm___l___d___ G___rk___ns___l___t

3 Setze die fehlenden Vokale ein.

Wörter mit ff, ll, mm, nn und pp

K	O	F	F	E	R	S	E	K	A	N	N	E	F	N	A	K	O	E
C	S	P	I	N	N	E	K	E	R	P	L	K	E	L	L	E	R	A
Q	U	E	L	L	E	V	H	I	M	M	E	L	T	Z	M	U	H	L
M	A	N	N	E	L	O	P	G	F	S	O	M	M	E	R	A	R	I
N	G	R	U	P	P	E	R	S	C	H	I	F	F	S	A	F	F	E
A	P	W	E	L	L	E	E	T	E	S	Z	I	M	M	E	R	I	P
Ü	N	E	K	T	R	E	P	P	E	Z	B	S	O	S	U	P	P	E

1 Finde die Nomen mit ff, ll, mm, nn und pp. Markiere sie in verschiedenen Farben.

ff der Koffer,

ll

mm

nn

pp

2 Schreibe die Nomen mit Artikel in die richtige Reihe.
Markiere die kurzen Vokale mit einem Punkt.

~~reden~~ retten treffen bellen

retten,

schwimmen brennen rennen gehen

brummen klappern beten sollen

3 Welches Wort passt nicht in die Reihe? Streiche es durch.
Schreibe die übrigen Wörter mit Silbenbögen auf.

Wörter mit b oder p, g oder k, d oder t

Win d	⟷ (d)	die Winde	Lan___	⟷	___
Aben___	⟷	___	Fabri___	⟷	___
We___	⟷	___	Urlau___	⟷	___
Wel___	⟷	___	Kin___	⟷	___
Pfer___	⟷	___			

1 Finde die Mehrzahl.

Fatma sa g t ⟷ (g) sagen

Tim schrei___t ⟷ ___

Das Auto hu___t ⟷ ___

Tinto fän___t ⟷ ___

Das Schiff sin___t ⟷ ___

2 Finde die Grundform.

St ä dte	⟷ (ä)	Stadt	Str___cher	⟷	___
Bl___tter	⟷	___	R___me	⟷	___
H___nde	⟷	___	Tr___me	⟷	___
G___rten	⟷	___	H___ser	⟷	___

3 Finde ein verwandtes Wort mit **a** oder **au**.

Wörter mit Längenzeichen

der Zahn wohnen das Jahr fehlen ohne fahren

der Fehler suhlen die Uhr die Bahn der Stuhl

der Lehrer der Sohn das Ohr das Huhn stehlen

1 Markiere die Merkstelle.

ah	eh	oh	uh
der Zahn			

2 Ordne die Wörter in die Tabelle und markiere die Merkstelle.

b	a	u	ß	e	r	d	e	m	l	g	r	o	ß	i
n	e	g	r	ü	ß	e	n	l	s	t	o	ß	e	n
f	a	g	o	v	a	l	i	w	e	b	m	o	p	u
s	p	a	ß	i	g	b	b	l	o	ß	i	s	m	o
p	a	d	r	a	u	ß	e	n	b	i	l	s	ü	ß
w	a	t	z	o	f	l	e	i	ß	i	g	d	o	r
h	e	i	ß	l	o	r	a	g	o	w	e	i	ß	v
m	i	p	f	a	s	c	h	l	i	e	ß	e	n	o

3 Finde noch elf Wörter mit **ß**.

außerdem, ______________________________

____

4 Schreibe die Wörter nach dem Alphabet sortiert auf. Markiere das **ß**.

Fehler finden und verbessern

Schule
In der ~~schule~~ haben wir viele verschiedene Fecher.

Ich schreibe dann sehr schnel.

Anschließend versuche ich die Feler zu finden.

Ich verbesere dann die Wörter im text.

Wenn ich nicht genau weiß, wie das Word

geschrieben wird, schaue ich im wörterbuch nach.

Manchmal vergese ich, wie das Wort geschrieben

wird. Dan hilft mir die trainingskarte.

1. Finde die Fehler im Text.
   Streiche das falsche Wort durch.
   Schreibe es richtig darüber.
2. Schreibe den verbesserten Text richtig ab.

Rechtschreibstrategien kennen

Wort	Strategien zuordnen	
* ule: Schule oder schule?	verwandtes Wort suchen Großschreibung von Nomen kurzer Vokal – Doppelkonsonanten Merkwort	die Schule
F * cher: Fächer oder Fecher?	verwandtes Wort suchen Großschreibung von Nomen kurzer Vokal – Doppelkonsonanten Merkwort	
schne * : schnel oder schnell?	verwandtes Wort suchen Großschreibung von Nomen kurzer Vokal – Doppelkonsonanten Merkwort	
Fe * ler: Fehler oder Feler?	verwandtes Wort suchen Großschreibung von Nomen kurzer Vokal – Doppelkonsonanten Merkwort	
verbe * ere: verbessere oder verbesere?	verwandtes Wort suchen Großschreibung von Nomen kurzer Vokal – Doppelkonsonanten Merkwort	
* ext: Text oder text?	verwandtes Wort suchen Großschreibung von Nomen kurzer Vokal – Doppelkonsonanten Merkwort	
Wor * : Word oder Wort?	verwandtes Wort suchen Großschreibung von Nomen kurzer Vokal – Doppelkonsonanten Merkwort	
* örterbuch: Wörterbuch oder wörterbuch?	verwandtes Wort suchen Großschreibung von Nomen kurzer Vokal – Doppelkonsonanten Merkwort	

1. Entscheide, wie das Wort richtig geschrieben wird.
   Kreuze die richtige Strategie an.
2. Trage das richtig geschriebene Wort in die letzte Spalte ein.

Wir in der Schule

1. Wer soll einen Wurm schlucken?
   - EH Micha
   - TI Mäx
   - MI Matti

Kartoffeln, Kartoffeln

2. Wie viele Eier legen Kartoffelkäfer?
   - TZ knapp 25
   - ET genau 250
   - NT über 2500

Fledermäuse

3. Fledermäuse halten
   - EH Winterstarre
   - EI Winterruhe
   - OI Winterschlaf

Geheimnisvolles

4. Was hat Colette geklaut?
   - ST Kaugummis
   - AT Bonbons
   - ET Eis

Morsen, plaudern, mailen

5. Der Binärcode besteht aus
   - UT A und B
   - ZT 1 und 2
   - ST 0 und 1

Bei den Wikingern

6. Wikingerschiffe hießen
   - OL Drachenschiff
   - AL Kogge
   - UL Galeere

Unser Wetter

7. Die Beaufort-Skala misst die
   - ZU Regenmenge
   - ZA Windstärke
   - ZE Sonnenwärme

Freizeit!

8. Was hat Fabia mittwochs?
   - UF frei
   - AF Judo
   - EF Gitarre

Am Teich

9. „Die beiden Frösche" ist von
   - SI Zyklop
   - MI Lofot
   - DI Aesop

Ein Buch entsteht

10. Was war bei Herman im Haus?
    - EH ein Papagei
    - CH ein Pferd
    - UH ein Panda

1 Trage die Lösungsbuchstaben hier der Reihe nach ein.

Lerninhalte

Kapitel	Lesen	Texte verfassen
Wir in der Schule	• Fragen zum Text beantworten: S. 5 • Sich in eine Figur hineinversetzen: S. 6	• Eigene Gefühle äußern: S. 7 • Bitten und Wünsche aufschreiben: S. 8
Kartoffeln, Kartoffeln	• Stichwörter aufschreiben: S. 17 • Informationen im Text finden: S. 18	• Ein Rezept aufschreiben: S. 19, 20
Fledermäuse	• Sich Gelesenes vorstellen: S. 29 • Stichwörter finden und aufschreiben: S. 30	• Sachtexte planen und schreiben: S. 31, 32
Geheimnisvolles	• Märchen erkennen: S. 41 • Über einen Text nachdenken: S. 42	• Wörtersammlungen: S. 43 • Eine Fantasiegeschichte zu einem Bild schreiben: S. 44
Morsen, plaudern, mailen	• Überfliegendes Lesen: S. 53 • Genaues Lesen: S. 54	• Argumente finden: S. 55 • Meinungen begründen: S. 56
Bei den Wikingern	• W-Fragen stellen: S. 65 • Zu Handlungen Stellung nehmen: S. 66	• Treffende Adjektive finden: S. 67 • Personen beschreiben: S. 68
Unser Wetter	• Einen Text in Handlung umsetzen: S. 77 • Den Inhalt eines Sachtextes wiedergeben: S. 78	• Eine Geschichte schreiben: S. 79 • Poetisches Schreiben: S. 80
Freizeit	• Aussage eines Textes verstehen: S. 89 • Eine Tabelle lesen: S. 90	• Information und Werbung unterscheiden: S. 91 • Über eigene Erlebnisse schreiben: S. 92
Am Teich	• Genau lesen: S. 101 • Fabeln kennen lernen: S. 102	• Einen Steckbrief schreiben: S. 103 • Treffende Verben finden: S. 104
Ein Buch entsteht	• Kinderbuchfiguren kennen lernen: S. 113 • Einen Text sinnvoll ordnen: S. 114	• Zu kinderliterarischen Figuren schreiben: S. 115 • Einen Text überarbeiten: S. 116

Sprache untersuchen	Rechtschreiben
• Nomen: S. 9 • Adjektive: S. 10	• Wörter mit ä und äu: S. 11 • Schwierige Wörter üben: S. 12
• Wortbausteine verändern Verben: S. 21 • Verschiedene Satzarten: S. 22	• Wörter mit doppelten Konsonanten: S. 23, 24
• Verben: Grundform, Personalform: S. 33 • Wortstamm und Wortfamilie: S. 34	• Nachschlagen im Wörterbuch: S. 35 • b oder p, d oder t, g oder k?: S. 36
• Wörtliche Rede: S. 45 • Begleitsätze: S. 46	• Wörter mit ß: S. 47 • Wörter trennen: S. 48
• Nomen zusammensetzen: S. 57 • Gegenwartsform und Vergangenheitsform: S. 58 • Geheimschrift: S. 59	• Fremdwörter: S. 60
• Pronomen: S. 69 • Satzglieder: S. 70	• Wörter mit aa, ee, oo: S. 71 • Silbentrennendes h: S. 72
• Mit Adjektiven vergleichen: S. 81 • Adjektive mit -ig und -lich: S. 82	• Wörter mit tz: S. 83 • Wörter mit ck: S. 84
• Das Prädikat: S. 93 • Verben und Nomen zusammensetzen: S. 94	• Wörter mit ie und i: S. 95 • Wörter mit Dehnungs-h: S. 96
• Das Subjekt: S. 105 • Subjekt und Prädikat: S. 106	• Wörter mit tz und z: S. 107 • Wörter mit ck und k: S. 108
• Nachgestellter Begleitsatz: S. 117 • Dialekt verstehen: S. 118	• Texte mit dem Computer überprüfen: S. 119 • Rechtschreibstrategien anwenden: S. 120

TINTO

Arbeitsordner Sprache • Lesen

3

von Helge Daugs, Melanie Ferrarello, Gerlinde Freyer, Katja Gade, Martin Wörner

Redaktion: Mirjam Löwen
Illustrationen: Eva Czerwenka, Christian Jeremies, Fabian Jeremies, Tobias Krejtschi, Katrina Lange, Yo Rühmer, Vera Schmidt
Umschlagillustration: Eva Czerwenka
Gesamtgestaltung: Heike Börner
Gestaltung und technische Umsetzung: tritopp, Berlin
Bildredaktion: Janin Hacker; lektorat plus, Berlin

Unter Beratung von:
Katharina Begovic (Nieder-Olm), Nadine Beilfuß (Wermelskirchen), Daniel Berensmann (Dortmund), Regina Drützler (Karlsruhe), Ute Höppner (Herten), Katrin Johannknecht (Bochum), Julia Misterek (Bassenheim), Marion Oeynhausen (Bad Driburg), Karen Schad (Werl), Anke Schmittinger (Reilingen), Roswitha Siekmann-Zegarek (Bad Oeynhausen), Nina Tholen (Oldenburg), Anja Vetter (Rülzheim)

Textquellen:
S. 5 Abedi, Isabel: Hier kommt Lola (Ausschnitt, gekürzt)! Loewe Verlag, Bindlach, 2004; S. 6 Boie, Kirsten: Meerschwein King-Kong in der Schule (Titel hinzugefügt, gekürzt). Aus: King-Kong, das Schulschwein. Verlag Friedrich Oetinger, Hamburg, 1995; S. 7 Zeuch, Christa: Zusammen sind wir stark (gekürzt, Titel hinzugefügt). Arena Verlag, Würzburg, 2007; S. 8 Mai, Manfred: Klassenbriefe (Titel hinzugefügt, gekürzt). Aus: Die schönsten Leselöwen-Schulgeschichten. Loewe Verlag, Bindlach, 1. Auflage 2006, S. 41/49/51 Grimm, Jacob und Wilhelm: Märchenhaft! (Titel hinzugefügt, gekürzt), Ausschnitte aus: Aschenputtel, Das tapfere Schneiderlein, Der Froschkönig, Der süße Brei, Die Sterntaler, Dornröschen, Frau Holle, Hänsel und Gretel, Rapunzel, Rumpelstilzchen, Schneeweißchen und Rosenrot, Schneewittchen, Tischlein deck dich. Aus Die Kinder- und Hausmärchen der Brüder Grimm. Beltz / Der Kinderbuchverlag, 2004; S. 42 Boie, Kirsten: Alles total geheim (Ausschnitt, gekürzt)! Verlag Friedrich Oetinger, Hamburg,1990; S. 45/46 Banscherus, Jürgen: Privatdetektiv Kwiatkowski ermittelt / Geklaute Kaugummis (Titel hinzugefügt, gekürzt, verändert). Aus: Ein Fall für Kwiatkowski. Die Kaugummiverschwörung. Arena Verlag, Würzburg, 7. Auflage 1995; S. 56 Arold, Marliese: Peinlicher Datenverlust im Hirn (gekürzt)! Aus: Oskars ganz persönliche Krisendatei. Fischer KJB, Fischer Schatzinsel, Frankfurt a. M. 2. Auflage 2005; S. 80 Gomringer, Eugen: Wind. Aus: Worte sind Schatten. Rowohlt Verlag, Reinbek bei Hamburg, 1969; S. 89 Lind, Åsa: Alle arbeiten sie dauernd (Ausschnitt, gekürzt)! Aus: Zackarina und der Sandwolf. Aus dem Schwedischen von Jutta Leuckel. Beltz & Gelberg, Weinheim und Basel, 2004; S.92 Boie, Kirsten. Mittwochs darf ich spielen (Ausschnitt). Aus: Mittwochs darf ich spielen. Fischer Schatzinsel, 2. Auflage, 2012; S. 102 Aesop: Die beiden Frösche. Aus: Rüdiger Kohl: Mit Märchen, Sagen und Fabeln lesen lernen. Übersetzt von Rüdiger Kohl. KOHL Verlag, Kerpen-Buir, 4. Auflage 2005; S. 105 Nordqvist, Sven: Pettersson und Findus gehen angeln (Titel hinzugefügt, gekürzt, verändert). Aus: Armer Pettersson. Deutsch von Angelika Kutsch. Verlag Friedrich Oetinger, Hamburg, 19. Auflage 1988 ; S. 113 Rosenboom, Hilke: Melissa und die Meerjungfrau (Ausschnitt). © Carlsen Verlag GmbH, Hamburg, 2006; S. 113 Rosenboom, Hilke: Der Sommer der dunklen Schatten (Ausschnitt). © Carlsen Verlag GmbH, Hamburg, 2005; S: 113 Rosenboom, Hilke: Ein Pferd namens Milchmann (Ausschnitt). © Carlsen Verlag GmbH, Hamburg, 2005; S. 113 Rosenboom, Hilke: Das Leben mit Supermom, Superpop und der australischen Baumkröte Urps (Ausschnitt). © Bastei Lübbe (Boje), Köln, 3. Auflage 2009; S. 117 Rosenboom, Hilke: Ein Pferd namens Milchmann (Titel hinzugefügt, Ausschnitt, gekürzt). © Carlsen Verlag GmbH, Hamburg, 2005; S. 128 Auer, Martin: Lesende Bären (Titel geändert). Aus: Der bunte Hund Nr. 33. Beltz Verlag Weinheim und Basel, 1998; S. 130 Nöstlinger, Christine: Fernsehgeschichten vom Franz (Ausschnitt). Oetinger Verlag, Hamburg, 1994; S. 132 Obrist, Jürg: Fahndung nach Steckbrief. Aus: Alles klar?! Neue Minikrimis zum Mitraten. Deutscher Taschenbuch Verlag, München, 2000; S. 134 Colfer, Eoin: Tim und das Geheimnis von Knolle Murphy (Ausschnitte). Deutsch von Brigitte Jakobeit. Beltz Verlag, Programm Beltz & Gelberg, Weinheim und Basel, 2009; S. 147 Guggenmos, Josef: Wenn das Kind nicht still sein will. Aus. Sieben kleine Bären. Deutscher Taschenbuch Verlag, München, 7. Auflage 1983

Bildquellen:
S. 5 Isabel Abedi, Hier kommt Lola; Ill. Dagmar Henze © 2004 Loewe Verlag GmbH, Bindlach. S. 18 links Shutterstock/Alkestida S. 18 Mitte ullstein bild / Schellhorn. S. 18 rechts ullstein bild / imagebroker.net / Anton Luhr. S. 26 SeDmi/Ingram Publishing. S. 30 links ullstein bild / Nill. S. 30 rechts ullstein bild / imagebroker.net / Hugh Clark / FLPA. S. 31 Dietmar Nill / naturepl.com. S. 32 ullstein bild / Günter Peters. S. 37 ullstein bild / imagebroker.net / Franz Christoph Robiller. S. 43 links Sowa, Michael / Vogelgrippe, 2006 / © VG Bild-Kunst, Bonn 2013. S. 43 Chris Mould: Sleepy Hollow. Aus: Dust'n'Bones. Ten Ghost Stories. Hodder Children's Books., 2006. S. 45 Jürgen Banscherus: Ein Fall für Kwiatkowski. Die Kaugummiverschwörung, Arena Verlag Würzburg. 7. Auflage 1995. S. 53 oben picture-alliance / dpa / Maximilian Schönherr. S. 53 Mitte picture-alliance / dpa Themendienst / Jens Schierenbeck. S. 53 unten shutterstock.com / vovan. S. 56 Arold, Marliese: Oskars ganz persönliche Krisendatei. Fischer Verlag, Fischer Schatzinsel, Frankfurt, 2. Auflage 2005 / Illustration: Ute Krause. S. 57 shutterstock.com / Sergej Razvodovskij. S. 58 shutterstock.com / Everett Collection. S. 69 picture-alliance / Robert Harding World Imagery, S. 94 links shutterstock.com / Anton Ivanov. S. 94 Mitte shutterstock.com / Maria Dryfhout. S. 94 rechts picture-alliance / Arco Images GmbH / H. Reinhard. S. 101 fotolia.com / Volker Z. S. 103 oben PantherMedia.com / Aliaksei Hintau. S. 103 unten PantherMedia.com / Wolfgang Staib. S. 105 Illustration von Sven Nordqvist, aus: Armer Pettersson © Friedrich Oetinger Verlag, Hamburg 1988. S. 111 PantherMedia.com / Stephan Springer. S. 113 Rosenboom, Hilke: Das Leben mit Supermom, Superpop und der australischen Baumkröte Urps. Boje Verlag in der Bastei Lübbe GmbH & Co. KG © 2009 by Bastei Lübbe GmbH & Co. KG, Köln. S. 113 Hilke Rosenboom – Melissa und die Meerjungfrau / Illustrationen von Anke Kuhl / © Carlsen Verlag GmbH, Hamburg 2006. S. 113 Hilke Rosenboom: Der Sommer der dunklen Schatten. Carlsen Verlag GmbH, Hamburg 2005 / © Volker Fredrich. S. 113 Hilke Rosenboom – Ein Pferd namens Milchmann / Illustrationen von Anke Kuhl / © Carlsen Verlag GmbH, Hamburg 2005. S. 113 Hilke Rosenboom – Das Handbuch für Prinzessinnen / Illustrationen von Franziska Harvey / © Carlsen Verlag GmbH, Hamburg 2006. S. 115 Originalillu S. 15 aus Rosenboom, Hilke: Das Leben mit Supermom, Superpop und der australischen Baumkröte Urps. Boje Verlag in der Bastei Lübbe GmbH & Co. KG © 2009 by Bastei Lübbe GmbH & Co. KG, Köln. S. 127 Hartmut Manitzke. S. 129 oben picture-alliance / akg-images. S. 129 Mitte picture-alliance / akg-images. S. 129 unten fotolia.com / Cmon. S. 130 Nöstlinger, Christine: Fernsehgeschichten vom Franz. Verlag Friedrich Oetinger, Hamburg 1994. S. 134 Eoin Colfer, Tim und das Geheimnis von Knolle Murphy © Beltz & Gelberg in der Verlagsgruppe Beltz

www.cornelsen.de

1. Auflage, 4. Druck 2017

Alle Drucke dieser Auflage sind inhaltlich unverändert und können im Unterricht nebeneinander verwendet werden.

Druck: H. Heenemann, Berlin

ISBN 978-3-06-083013-8

PEFC
PEFC/04-31-1156

PEFC zertifiziert
Dieses Produkt stammt aus nachhaltig bewirtschafteten Wäldern und kontrollierten Quellen.
www.pefc.de